세상이 변해도
배움의 즐거움은
변함없도록

시대는 빠르게 변해도
배움의 즐거움은
변함없어야 하기에

어제의 비상은
남다른 교재부터
결이 다른 콘텐츠
전에 없던 교육 플랫폼까지

변함없는 혁신으로
교육 문화 환경의 새로운 전형을
실현해왔습니다.

비상은 오늘, 다시 한번
새로운 교육 문화 환경을 실현하기 위한
또 하나의 혁신을 시작합니다.

오늘의 내가 어제의 나를 초월하고
오늘의 교육이 어제의 교육을 초월하여
배움의 즐거움을 지속하는 혁신,

바로, 메타인지 기반 완전 학습을.

상상을 실현하는 교육 문화 기업 비상

메타인지 기반 완전 학습
초월을 뜻하는 meta와 생각을 뜻하는 인지가 결합한 메타인지는
자신이 알고 모르는 것을 스스로 구분하고 학습계획을 세우도록 하는
궁극의 학습 능력입니다. 비상의 메타인지 기반 완전 학습 시스템은
잠들어 있는 메타인지를 깨워 공부를 100% 내 것으로 만들도록 합니다.

비상교재 인강이 듣고 싶다면?
온리원중등 바로 수강

온리원중등
7일 무료 체험

전 강좌
수강 가능

QR코드 찍고 비상교재 전용 강의가 있는
온리원중등 체험 신청하기

체험 신청하고
무제한 듣기

콕 강의
30회 무료 수강권

개념&문제별
수강 가능

※ 박스 안을 연필 또는 샤프 펜슬로
칠하면 번호가 보입니다.

쿠폰 등록하고
바로 수강하기

100%
당첨

N Pay

CU

10,000원

10,000원

Bonus!
무료 체험 100% 당첨 이벤트

무료 체험시 상품권, 간식 등 100% 선물 받는다!
지금 바로 '온리원중등' 체험하고 혜택 받자!

7일 무료체험 및 수강권 이용 방법

1. 무료체험은 QR 코드를 통해 바로 신청 가능하며 체험 신청 후
   체험 안내 해피콜이 진행됩니다.(배송비&반납비 무료)
2. 콕강의 수강권은 QR코드를 통해 등록 가능합니다.
3. 체험 신청 및 수강권 등록은 ID당 1회만 가능합니다.

경품 이벤트 참여 방법

1. 무료체험 신청 후 인증시(기기에서 로그인)
   전원 혜택이 제공되며 경품은 매월 변경됩니다.
2. 콕강의 수강권 등록한 전원에게 혜택 제공되며 경품은
   두 달마다 변경됩니다.
3. 이벤트 경품은 소진 시 조기 종료될 수 있습니다.

visang ONLY META

온리원중등

장학생 1년 만에
96.8% 폭발적 증가!

* 2022년 3,499명 : 21년도 1학기 중간 ~ 22년도 1학기 중간 장학생수 누적
** 2023년 6,888명 : 21년도 1학기 중간 ~ 23년도 1학기 중간 장학생수 누적

역대최다!

2022년
3,499명*

2023년
6,888명**

성적 향상이 보인다

1. 독보적인 강의 콘텐츠

검증된 베스트셀러 교재로
인기 선생님이 진행하는 독점 강좌

2. 학습 성취 높이는 시스템

공부 빈틈을 찾아 메우고
장기기억화 하는 메타인지 학습

3. 긴장감 있는 학습 환경

공부 시작부터 1:1 코칭 진행,
학습결과 분석해 맞춤 피드백 제시

4. 내신 만점 맞춤 솔루션

실력 점검 테스트, 서술형 기출 족보,
수행평가 1:1 멘토링, 과목별 자료 제공

비상교육 온리원중등과 함께 성적 상승을 경험하세요.

빠르고 쉽게 익히는 교과서 개념 완성 프로젝트

교과서
개념
잡기

중등수학

2·2

Structure

개념 설명은?

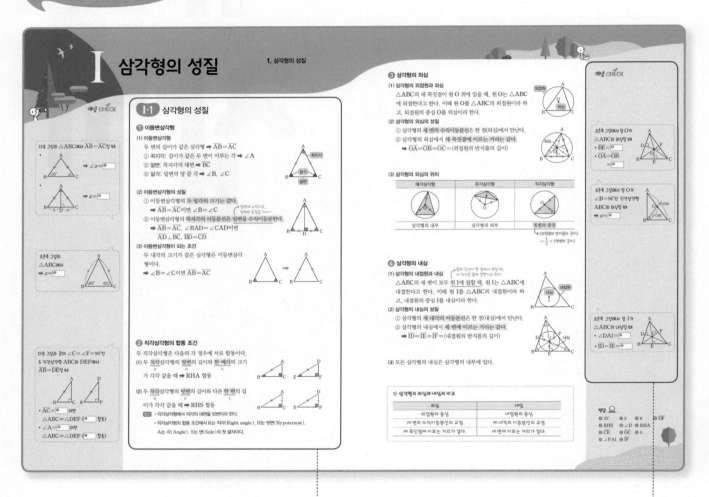

단원별 중요 개념만을 **모아 모아!**
알기 쉽게 설명했어요.

바로바로 풀리는 **개념 CHECK**로
개념을 확실히 잡을 수 있어요.

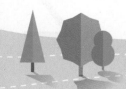

교과서 개념을 꼼꼼하게 학습할 수 있어요!

기초 문제로 쉽게 공부할 수 있어요!

3주 안에 빠르게 끝낼 수 있어요!

개념 익히기는?

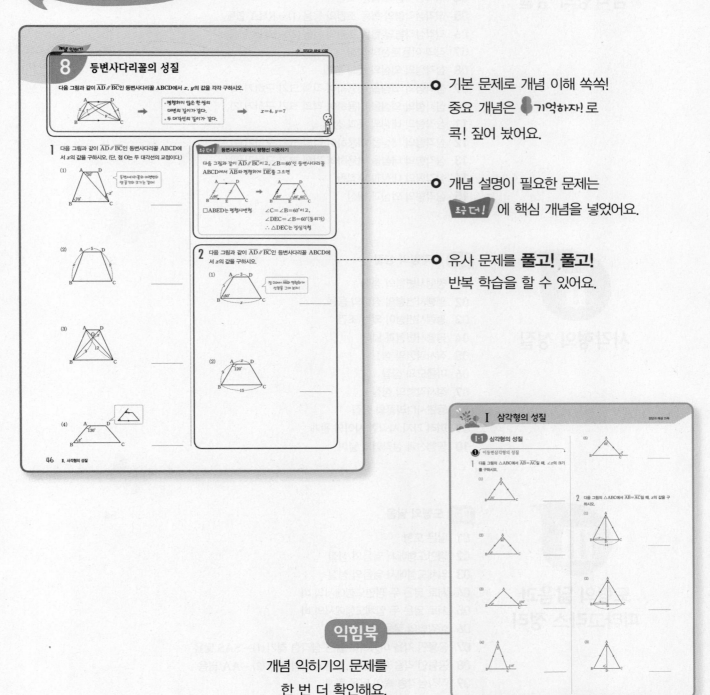

기본 문제로 개념 이해 쏙쏙!
중요 개념은 🌱기억하자! 로
콕! 짚어 놨어요.

개념 설명이 필요한 문제는
하나더! 에 핵심 개념을 넣었어요.

유사 문제를 **풀고! 풀고!**
반복 학습을 할 수 있어요.

익힘북

개념 익히기의 문제를
한 번 더 확인해요.

Contents

IV

확률

I 삼각형의 성질

I·1 삼각형의 성질

1 이등변삼각형

(1) 이등변삼각형

두 변의 길이가 같은 삼각형 ➡ $\overline{AB}=\overline{AC}$

① 꼭지각: 길이가 같은 두 변이 이루는 각 ➡ ∠A

② 밑변: 꼭지각의 대변 ➡ $\overline{BC}$

③ 밑각: 밑변의 양 끝 각 ➡ ∠B, ∠C

(2) 이등변삼각형의 성질

① 이등변삼각형의 두 밑각의 크기는 같다.

➡ $\overline{AB}=\overline{AC}$이면 ∠B=∠C

밑변에 수직이고,
밑변의 중점을 지나~

② 이등변삼각형의 꼭지각의 이등분선은 밑변을 수직이등분한다.

➡ $\overline{AB}=\overline{AC}$, ∠BAD=∠CAD이면

$\overline{AD}\perp\overline{BC}$, $\overline{BD}=\overline{CD}$

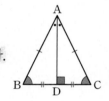

(3) 이등변삼각형이 되는 조건

두 내각의 크기가 같은 삼각형은 이등변삼각형이다.

➡ ∠B=∠C이면 $\overline{AB}=\overline{AC}$

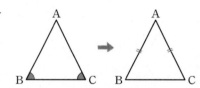

2 직각삼각형의 합동 조건

두 직각삼각형은 다음의 각 경우에 서로 합동이다.

(1) 두 직각삼각형의 빗변의 길이와 한 예각의 크기
　　R　　　　　 H　　　　　A
가 각각 같을 때 ➡ RHA 합동

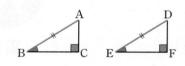

(2) 두 직각삼각형의 빗변의 길이와 다른 한 변의 길
　　R　　　　　 H　　　　　 S
이가 각각 같을 때 ➡ RHS 합동

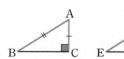

> **참고** · 직각삼각형에서 직각의 대변을 빗변이라 한다.
>
> · 직각삼각형의 합동 조건에서 R는 직각(Right angle), H는 빗변(Hypotenuse),
>
> 　A는 각(Angle), S는 변(Side)의 첫 글자이다.

개념 CHECK

다음 그림의 △ABC에서 $\overline{AB}=\overline{AC}$일 때

· ➡ ∠x=❶▢

· ➡ x=❷▢

오른쪽 그림의
△ABC에서
➡ x=❸▢

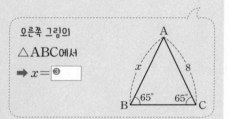

다음 그림과 같이 ∠C=∠F=90°인
두 직각삼각형 ABC와 DEF에서
$\overline{AB}=\overline{DE}$일 때

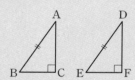

· $\overline{AC}$=❹▢이면
　△ABC≡△DEF (❺▢ 합동)

· ∠A=❻▢이면
　△ABC≡△DEF (❼▢ 합동)

❸ 삼각형의 외심

(1) 삼각형의 외접원과 외심

△ABC의 세 꼭짓점이 원 O 위에 있을 때, 원 O는 △ABC에 외접한다고 한다. 이때 원 O를 △ABC의 외접원이라 하고, 외접원의 중심 O를 외심이라 한다.

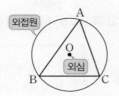

(2) 삼각형의 외심의 성질

① 삼각형의 세 변의 수직이등분선은 한 점(외심)에서 만난다.
② 삼각형의 외심에서 세 꼭짓점에 이르는 거리는 같다.

➡ $\overline{OA}=\overline{OB}=\overline{OC}=$(외접원의 반지름의 길이)

오른쪽 그림에서 점 O가 △ABC의 외심일 때

- $\overline{BE}=$ ❸
- $\overline{OA}=\overline{OB}$
  $=$ ❾

(3) 삼각형의 외심의 위치

예각삼각형	둔각삼각형	직각삼각형
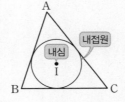	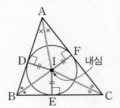	
삼각형의 내부	삼각형의 외부	빗변의 중점

↳ (외접원의 반지름의 길이)
$=\dfrac{1}{2}\times$(빗변의 길이)

오른쪽 그림에서 점 O가 ∠B=90°인 직각삼각형 ABC의 외심일 때

➡ $x=$ ❿

❹ 삼각형의 내심

(1) 삼각형의 내접원과 내심

> 원과 직선이 한 점에서 만날 때, 이 직선은 원에 접한다고 한다.

△ABC의 세 변이 모두 원 I에 접할 때, 원 I는 △ABC에 내접한다고 한다. 이때 원 I를 △ABC의 내접원이라 하고, 내접원의 중심 I를 내심이라 한다.

(2) 삼각형의 내심의 성질

① 삼각형의 세 내각의 이등분선은 한 점(내심)에서 만난다.
② 삼각형의 내심에서 세 변에 이르는 거리는 같다.

➡ $\overline{ID}=\overline{IE}=\overline{IF}=$(내접원의 반지름의 길이)

오른쪽 그림에서 점 I가 △ABC의 내심일 때

- ∠DAI= ⓫
- $\overline{ID}=\overline{IE}=$ ⓬

(3) 모든 삼각형의 내심은 삼각형의 내부에 있다.

✿ 삼각형의 외심과 내심의 비교

외심	내심
외접원의 중심	내접원의 중심
세 변의 수직이등분선의 교점	세 내각의 이등분선의 교점
세 꼭짓점에 이르는 거리가 같다.	세 변에 이르는 거리가 같다.

정답

❶ 55°   ❷ 3   ❸ 8   ❹ $\overline{DF}$
❺ RHS   ❻ ∠D   ❼ RHA
❽ $\overline{CE}$ ❾ $\overline{OC}$ ❿ 5
⓫ ∠FAI   ⓬ $\overline{IF}$

1 이등변삼각형의 성질

다음 그림의 △ABC에서 $\overline{AB}=\overline{AC}$일 때, x, y의 값을 각각 구하시오.

(1)

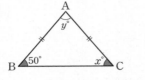

➡️ 이등변삼각형의 두 밑각의 크기는 같다.

➡️ ∠C=∠B=50°이므로 $x=50$
∠A=180°−2×50°=80°이므로
$y=80$

삼각형의 세 내각의 크기의 합은 180°이다.

(2)

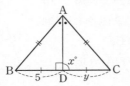

➡️ 이등변삼각형의 꼭지각의 이등분선은 밑변을 수직이등분한다.

➡️ $\overline{AD}\perp\overline{BC}$, $\overline{BD}=\overline{DC}$이므로
$x=90$, $y=5$

---

1 다음 그림의 △ABC에서 $\overline{AB}=\overline{AC}$일 때, ∠$x$의 크기를 구하시오.

(1)

➡️ ∠$x=180°−2\times\boxed{}°=\boxed{}°$

(2)

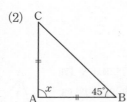

_____

(3)

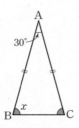

➡️ ∠$x=\dfrac{1}{2}\times(\boxed{}°−30°)=\boxed{}°$

(4)

_____

2 다음 그림의 △ABC에서 $\overline{AB}=\overline{AC}$일 때, ∠$x$, ∠$y$의 크기를 각각 구하시오.

(1)

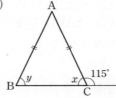

➡️ ∠$x=180°−\boxed{}°=\boxed{}°$
∠$y=\boxed{}°$

(2)

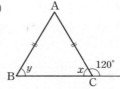

_____

(3)

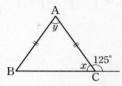

➡ $\angle x = 180° - \boxed{}° = \boxed{}°$

$\angle y = 180° - 2 \times \boxed{}° = \boxed{}°$

(4)

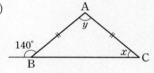

_____

(5)

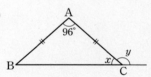

➡ $\angle x = \dfrac{1}{2} \times (\boxed{}° - 96°) = \boxed{}°$

$\angle y = 180° - \boxed{}° = \boxed{}°$

(6)

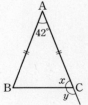

_____

3 다음 그림의 △ABC에서 $\overline{AB} = \overline{AC}$일 때, x의 값을 구하시오.

(1)

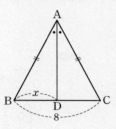

_____

(2)

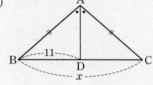

_____

(3)

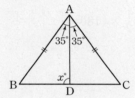

_____

(4)

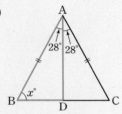

➡ △ABD에서

$\angle B = 180° - (28° + \boxed{}°) = \boxed{}°$

∴ $x = \boxed{}$

(5)

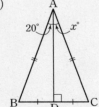

_____

2 이등변삼각형의 성질을 이용하여 각의 크기 구하기

다음 그림의 △ABC에서 $\overline{BA}=\overline{BC}$일 때, ∠$x$의 크기를 구하시오.

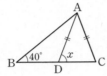 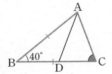

$$\angle C=\frac{1}{2}\times(180°-40°)=70°$$

$$\angle x=\angle C=70°$$

---

1 다음 그림의 △ABC에서 $\overline{AB}=\overline{AC}$일 때, ∠$x$의 크기를 구하시오.

(1)

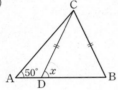

➡ $\angle x=\angle B=\dfrac{1}{2}\times(180°-\boxed{}°)=\boxed{}°$

(2)

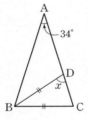

_____

(3)

_____

2 다음 그림의 △ABC에서 $\overline{AB}=\overline{AC}$일 때, ∠$x$의 크기를 구하시오.

(1)

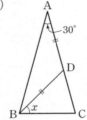

➡ $\angle ABC=\dfrac{1}{2}\times(180°-\boxed{}°)=\boxed{}°$

$\angle ABD=\boxed{}°$이므로 $\angle x=\boxed{}°-\boxed{}°=\boxed{}°$

(2)

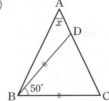

_____

(3)

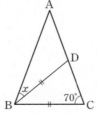

_____

3 다음 그림의 △ABC에서 ∠x, ∠y의 크기를 각각 구하시오.

(1)

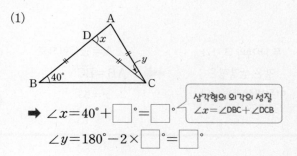

➡ ∠$x = 40° + \boxed{}° = \boxed{}°$ ┌ 삼각형의 외각의 성질 ∠x＝∠DBC＋∠DCB ┘

∠$y = 180° - 2 × \boxed{}° = \boxed{}°$

(2)

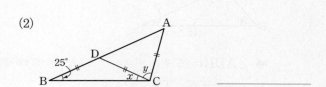

_____

(3)

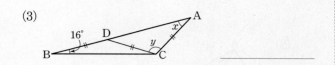

_____

4 다음 그림의 △ABC에서 $\overline{AB}=\overline{AC}$일 때, ∠$x$의 크기를 구하시오.

(1)

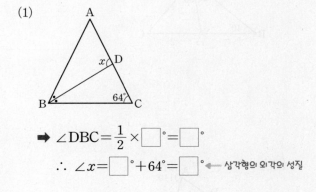

➡ ∠DBC$= \dfrac{1}{2} × \boxed{}° = \boxed{}°$

∴ ∠$x = \boxed{}° + 64° = \boxed{}°$ ◀─ 삼각형의 외각의 성질

(2)

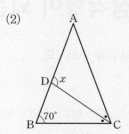

_____

(3)

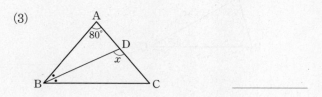

_____

(4)

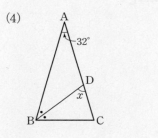

_____

(5)

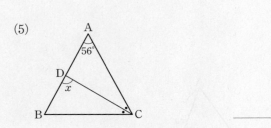

_____

3 이등변삼각형이 되는 조건

다음 그림의 △ABC에서 x의 값을 구하시오.

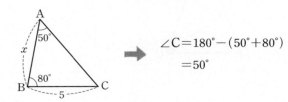

$\Rightarrow$ $\angle C = 180° - (50° + 80°)$
$= 50°$

두 내각의 크기가
같은 삼각형은
이등변삼각형이다.

$\angle A = \angle C$이므로
$\overline{AB} = \overline{BC}$
$\therefore x = 5$

---

1 다음 그림의 △ABC에서 x의 값을 구하시오.

(1)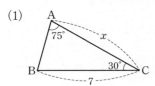

(2)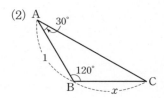

(3)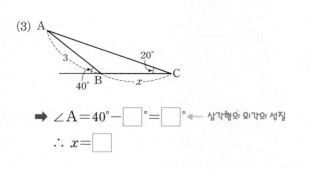

$\Rightarrow$ $\angle A = 40° - \boxed{}° = \boxed{}°$ ← 삼각형의 외각의 성질

$\therefore x = \boxed{}$

(4)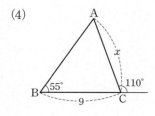

---

2 다음 그림의 △ABC에서 x의 값을 구하시오.

(1)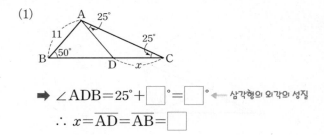

$\Rightarrow$ $\angle ADB = 25° + \boxed{}° = \boxed{}°$ ← 삼각형의 외각의 성질

$\therefore x = \overline{AD} = \overline{AB} = \boxed{}$

(2)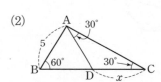

(3)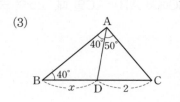

(4)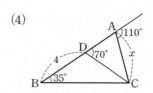

3 다음 그림의 △ABC에서 $\overline{AB}=\overline{AC}$일 때, x의 값을 구하시오.

(1)

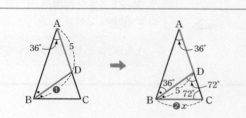

❶ $\angle ABC = \dfrac{1}{2}\times(\boxed{}°-36°)=\boxed{}°$이므로

$\angle ABD = \dfrac{1}{2}\angle ABC = \boxed{}°$

△ABD에서 $\overline{BD}=\boxed{}=5$

❷ $\angle BDC = 36°+\boxed{}°=\boxed{}°$이므로

△DBC에서 $x=\boxed{}=5$

(2)

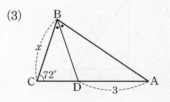

_____

(3)

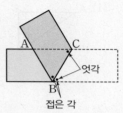

_____

조금더! | **폭이 일정한 종이 접기**

접은 각의 크기와 엇각의 크기가 같음을 이용하여 이등변삼각형을 찾는다.

➡ 오른쪽 그림에서

$\angle ABC = \angle ACB$이므로

△ABC는 $\overline{AB}=\overline{AC}$인 이등변삼각형이다.

4 직사각형 모양의 종이를 다음과 같이 접었을 때, x의 값을 구하시오.

(1)

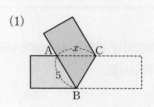

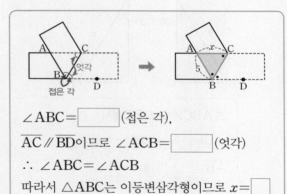

$\angle ABC = \boxed{}$ (접은 각),

$\overline{AC}/\!/\overline{BD}$이므로 $\angle ACB = \boxed{}$ (엇각)

∴ $\angle ABC = \angle ACB$

따라서 △ABC는 이등변삼각형이므로 $x=\boxed{}$

(2)

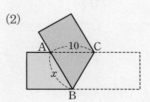

_____

(3)

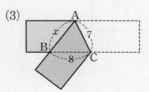

_____

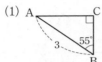

4 직각삼각형의 합동 조건

다음 두 직각삼각형이 합동임을 기호를 사용하여 나타내고, 그때의 합동 조건을 말하시오.

(1)
 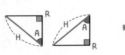

두 직각삼각형의 빗변의 길이가 같고 한 예각의 크기가 같다.

△ABC≡△EDF (RHA 합동)

(2)

두 직각삼각형의 빗변의 길이가 같고 다른 한 변의 길이가 같다.

△ABC≡△EFD (RHS 합동)

1 다음 두 직각삼각형이 합동임을 기호를 사용하여 나타내고, 그때의 합동 조건을 말하시오.

(1)
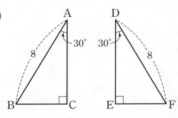

△ABC와 △DFE에서

∠C=□=90° → R

$\overline{AB}$=□=8 → H

∠A=□=30° → A

즉, 두 직각삼각형의 빗변의 길이와 한 예각의 크기가 각각 같으므로

△ABC≡□ (□ 합동)

(3)
 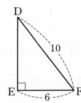

△ABC와 △DEF에서

∠B=□=90° → R

$\overline{AC}$=□=10 → H

$\overline{BC}$=□=6 → S

즉, 두 직각삼각형의 빗변의 길이와 다른 한 변의 길이가 각각 같으므로

△ABC≡△DEF (□ 합동)

(2)

___

(4)
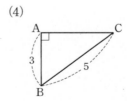 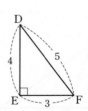

___

2 다음 두 직각삼각형에서 x의 값을 구하시오.

(1)
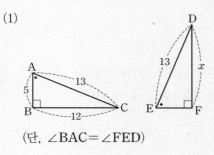

(단, ∠BAC＝∠FED)

_____

(2)
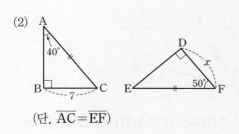

(단, $\overline{AC}＝\overline{EF}$)

_____

(3)
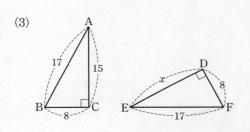

_____

(4)
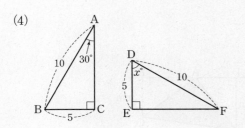

_____

3 다음 직각삼각형 중에서 서로 합동인 것을 모두 찾아 기호를 사용하여 나타내고, 각각의 합동 조건을 말하시오.

(1)
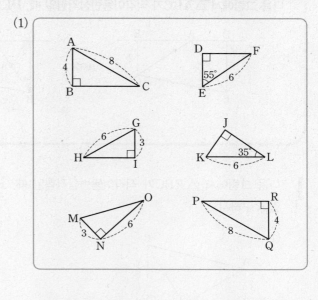

_____

_____

> 빗변의 길이가 같은 것끼리 먼저 묶어 보자~!

(2)
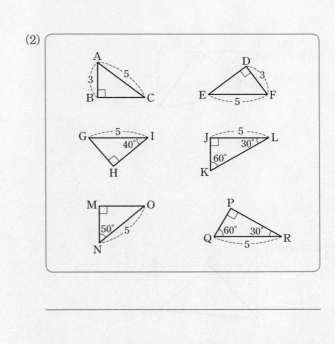

_____

_____

5 직각삼각형의 합동 조건의 응용(1) - RHA 합동

다음 그림에서 △ABC가 직각이등변삼각형일 때, $\overline{DE}$의 길이를 구하시오.

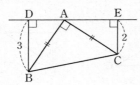 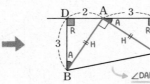

$$△ADB \equiv △CEA \,(\text{RHA 합동})$$
$$\therefore \overline{DE} = \overline{DA} + \overline{AE} = 2 + 3 = 5$$

∠DAB+∠DBA=90°,
∠DAB+∠EAC=90°이므로
∠DBA=∠EAC

1 다음 그림에서 △ABC가 직각이등변삼각형일 때, x의 값을 구하시오.

(1)

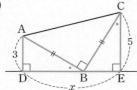

➡ △ADB ≡ ☐☐☐ (RHA 합동)이므로

$x = \overline{DB} + \overline{BE} = \boxed{} + \boxed{} = \boxed{}$

(2)

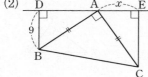

(3)

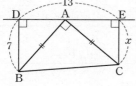

2 다음 그림에서 △ABC가 직각이등변삼각형일 때, 색칠한 부분의 넓이를 구하시오.

(1)

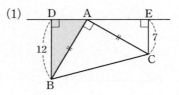

➡ △ADB ≡ △CEA (RHA 합동)이므로

$\overline{DA} = \boxed{} = \boxed{}$

$\therefore △ADB = \dfrac{1}{2} \times 12 \times \boxed{} = \boxed{}$

(2)

사각형 ADEC는
$\overline{AD} /\!/ \overline{CE}$인 사다리꼴!

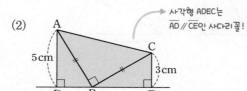

(3)

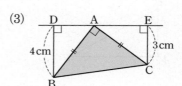

6 직각삼각형의 합동 조건의 응용 (2) - RHS 합동

다음 그림의 △ABC에서 ∠x의 크기를 구하시오.

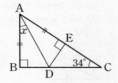 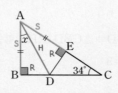

$$△ABD \equiv △AED \text{ (RHS 합동)}$$
$$\therefore \angle x = \frac{1}{2} \angle A = \frac{1}{2} \times \{180° - (90° + 34°)\} = 28°$$

1 다음 그림의 △ABC에서 x의 값을 구하시오.

(1)

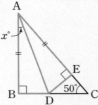

➡ △ABD ≡ ☐ (RHS 합동)이므로

∠BAD = $\frac{1}{2}$ ∠A = ☐°

∴ $x = $ ☐

(2)

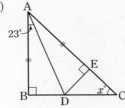

(3)

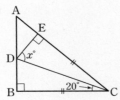

(4)

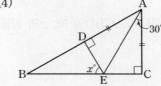

(5)

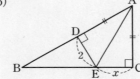

(6)

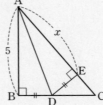

7 각의 이등분선의 성질

다음 그림에서 x의 값을 구하시오.

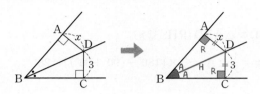 △ABD≡△CBD (RHA 합동)

∴ $x=3$

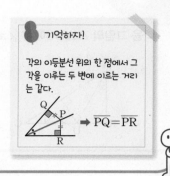

1 다음 그림에서 ∠ABD＝∠CBD일 때, x의 값을 구하시오.

(1)

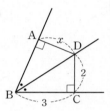

➡ △ABD≡ ☐ (RHA 합동)이므로

$x=$ ☐

(2)

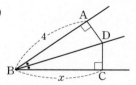

_____

(3)

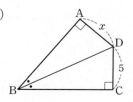

_____

2 다음 그림과 같은 직각삼각형 ABC에서 x의 값을 구하시오.

(1)

_____

(2)

 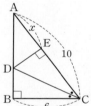

_____

(3)

_____

(4)

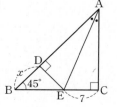

_____

8 삼각형의 외심의 뜻과 성질

다음 보기 중 점 O가 삼각형의 외심인 것을 모두 고르시오.

보기
ㄱ. 　ㄴ. 　ㄷ. 　ㄹ.

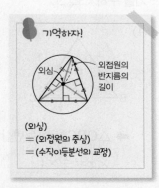

기억하자!
외심
외접원의 반지름의 길이

(외심)
= (외접원의 중심)
= (수직이등분선의 교점)

- 삼각형의 외심은 세 변의 수직이등분선의 교점이다. ➡ ㄹ
- 삼각형의 외심에서 세 꼭짓점에 이르는 거리는 같다. ➡ ㄱ

외심의 뜻 알기

1 다음은 아래 보기 중 점 P가 △ABC의 외심인 것을 모두 고르는 과정이다. □ 안에 알맞은 것을 쓰시오.

보기
ㄱ. 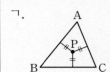　ㄴ.
ㄷ. 　ㄹ.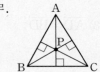
ㅁ. 　ㅂ.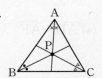

(ⅰ) 삼각형의 외심은 세 변의 □□□□□□□의 교점이므로 이를 만족시키는 것은 보기 중 □이다.

(ⅱ) 삼각형의 외심에서 세 □□□에 이르는 거리는 같으므로 이를 만족시키는 것은 보기 중 □이다.

따라서 (ⅰ), (ⅱ)에 의해 점 P가 △ABC의 외심인 것을 모두 고르면 □, □이다.

선분의 길이 구하기

2 다음 그림에서 점 O가 △ABC의 외심일 때, x의 값을 구하시오.

(1)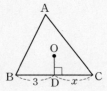
_____

(2)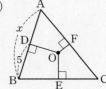
_____

(3)
_____

(4)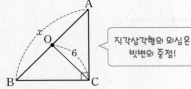
직각삼각형의 외심은 빗변의 중점!
_____

3 다음 그림에서 점 O가 △ABC의 외심일 때, ∠x의 크기를 구하시오.

(1)
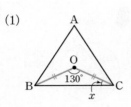

➡ △OBC는 이등변삼각형이므로

$$\angle x = \frac{1}{2} \times (\boxed{}° - 130°) = \boxed{}°$$

(2)
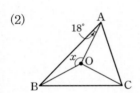

_____

(3)

➡ $\angle x = \angle OBC + \angle OCB = \boxed{}° + 25° = \boxed{}°$

⤷ 삼각형의 외각의 성질!

(4)
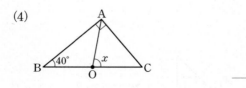

_____

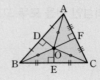
4 오른쪽 그림에서 점 O가 △ABC의 외심일 때, 다음 중 옳은 것은 ○표, 옳지 <u>않은</u> 것은 ×표를 ( ) 안에 쓰시오.

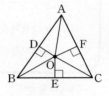

(1) $\overline{OA} = \overline{OB} = \overline{OC}$　　　　　(　)

(2) $\overline{OD} = \overline{OE} = \overline{OF}$　　　　　(　)

(3) $\overline{AD} = \overline{BD}$　　　　　　　(　)

(4) $\overline{AD} = \overline{AF}$　　　　　　　(　)

(5) $\angle DAO = \angle FAO$　　　　　(　)

(6) $\angle OBC = \angle OCB$　　　　　(　)

(7) △OEC≡△OFC　　　　　(　)

(8) △OAF≡△OCF　　　　　(　)

9 삼각형의 외심을 이용하여 각의 크기 구하기(1)

다음 그림에서 점 O가 △ABC의 외심일 때, ∠x의 크기를 구하시오.

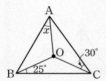 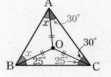

∠A+∠B+∠C=180°이므로

$2(\angle x + 25° + 30°) = 180°$

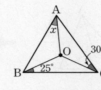

$\angle x + 25° + 30° = 90°$

$\therefore \angle x = 35°$

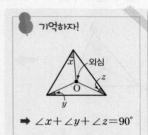

기억하자!

➡ $\angle x + \angle y + \angle z = 90°$

---

1 다음 그림에서 점 O가 △ABC의 외심일 때, ∠x의 크기를 구하시오.

(1)

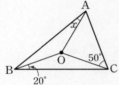

➡ $\angle x + \boxed{}° + 50° = \boxed{}°$

$\therefore \angle x = \boxed{}°$

(2)

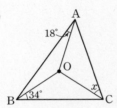

_____

(3)

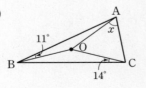

_____

(4)

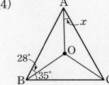

_____

(5)

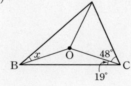

_____

(6)

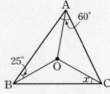

➡ $\angle OAC = 60° - \boxed{}° = \boxed{}°$이므로

$25° + \angle x + \boxed{}° = 90°$

$\therefore \angle x = \boxed{}°$

(7)

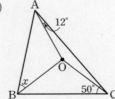

_____

10 삼각형의 외심을 이용하여 각의 크기 구하기 (2)

다음 그림에서 점 O가 △ABC의 외심일 때, ∠x의 크기를 구하시오.

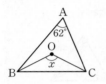   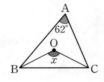

$\angle x = 2(\underbrace{\bullet + \times}_{\angle A})$

$\angle x = 2 \times 62° = 124°$

기억하자!

➡ ∠BOC = 2∠A

---

1 다음 그림에서 점 O가 △ABC의 외심일 때, ∠x의 크기를 구하시오.

(1)

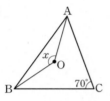

➡ $\angle x = 2 \times \boxed{}° = \boxed{}°$

(2)

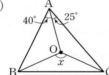

_____

(3)

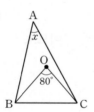

➡ $\angle x = \dfrac{1}{2} \times \boxed{}° = \boxed{}°$

(4)

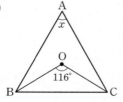

_____

(5)

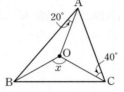

➡ $\angle x = 2 \times (\underset{\angle BAO}{\boxed{}°} + \underset{\angle CAO}{\boxed{}°}) = \boxed{}°$

(6)

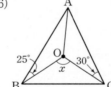

_____

(7)

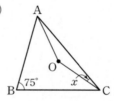

➡ $\angle AOC = 2 \times \boxed{}° = \boxed{}°$이므로

$\angle x = \dfrac{1}{2} \times (180° - \boxed{}°) = \boxed{}°$

(8)

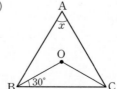

_____

11 삼각형의 내심의 뜻과 성질

다음 보기 중 점 I가 삼각형의 내심인 것을 모두 고르시오.

보기

ㄱ.   ㄴ.   ㄷ.   ㄹ.

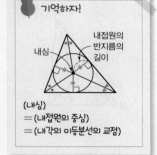

기억하자!

내심 · 내접원의 반지름의 길이

(내심)
= (내접원의 중심)
= (내각의 이등분선의 교점)

• 삼각형의 내심은 세 내각의 이등분선의 교점이다. ➡ ㄴ
• 삼각형의 내심에서 세 변에 이르는 거리는 같다. ➡ ㄷ

내심의 뜻 알기

1 다음은 아래 보기 중 점 P가 △ABC의 내심인 것을 모두 고르는 과정이다. □ 안에 알맞은 것을 쓰시오.

보기

ㄱ. 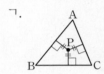 ㄴ.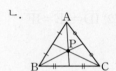

ㄷ.   ㄹ.

ㅁ.   ㅂ.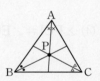

(i) 삼각형의 내심은 세 내각의 □의 교점이 므로 이를 만족시키는 것은 보기 중 □이다.

(ii) 삼각형의 내심에서 세 □에 이르는 거리는 같으 므로 이를 만족시키는 것은 보기 중 □이다.

따라서 (i), (ii)에 의해 점 P가 △ABC의 내심인 것을 모두 고르면 □, □이다.

선분의 길이 구하기

2 다음 그림에서 점 I가 △ABC의 내심일 때, x의 값을 구하시오.

(1)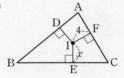

(2)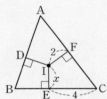

(3)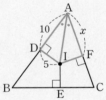

➡ △ADI≡□ (RHA 합동)이므로

$x=$□=□

(4)

3 다음 그림에서 점 I가 △ABC의 내심일 때, ∠x, ∠y의 크기를 각각 구하시오.

(1)

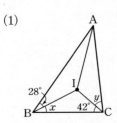

_____

(2)

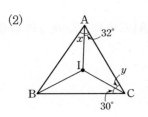

➡ ∠x=2×□°=□°, ∠y=□°

(3)

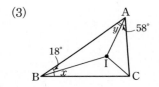

_____

(4)

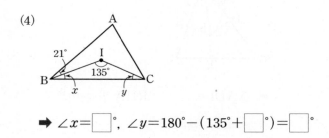

➡ ∠x=□°, ∠y=180°−(135°+□°)=□°

(5)

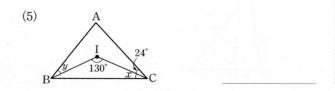

_____

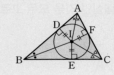

tip 내심의 뜻과 성질을 이용하여 합동인 삼각형 찾기

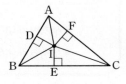

△IAD≡△IAF(RHA 합동)
△IBD≡△IBE(RHA 합동)
△ICE≡△ICF(RHA 합동)

4 오른쪽 그림에서 점 I가 △ABC의 내심일 때, 다음 중 옳은 것은 ○표, 옳지 않은 것은 ×표를 ( ) 안에 쓰시오.

(1) $\overline{IA}=\overline{IB}=\overline{IC}$ ( )

(2) $\overline{ID}=\overline{IE}=\overline{IF}$ ( )

(3) $\overline{BE}=\overline{CE}$ ( )

(4) ∠FCI=∠ECI ( )

(5) ∠IAD=∠IBD ( )

(6) △IBD≡△IBE ( )

(7) △IAF≡△ICF ( )

(8) $\overline{AD}=\overline{AF}$ ( )

12 삼각형의 내심을 이용하여 각의 크기 구하기 (1)

다음 그림에서 점 I가 △ABC의 내심일 때, ∠x의 크기를 구하시오.

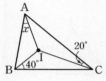 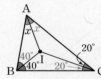

∠A+∠B+∠C=180°이므로

2(∠x+40°+20°)=180°

∠x+40°+20°=90°

∴ ∠x=30°

기억하자!
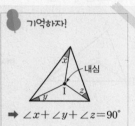

➡ ∠x+∠y+∠z=90°

---

1 다음 그림에서 점 I가 △ABC의 내심일 때, ∠x의 크기를 구하시오.

(1)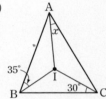

➡ ∠x+35°+□°=□°

∴ ∠x=□°

(2)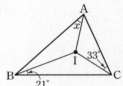

_____

(3)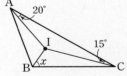

_____

(4)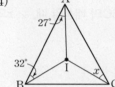

_____

(5)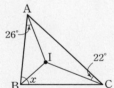

➡ 26°+∠IBC+22°=□°에서 ∠IBC=□°

∴ ∠x=2×□°=□°

(6)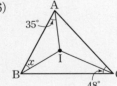

_____

13 삼각형의 내심을 이용하여 각의 크기 구하기 (2)

다음 그림에서 점 I가 △ABC의 내심일 때, ∠x의 크기를 구하시오.

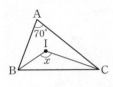 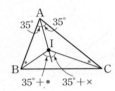 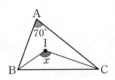

$$\angle x = \underbrace{(35° + \bullet) + (\times + 35°)}_{90° \qquad \frac{1}{2}\angle A}$$

$$\angle x = 90° + 35° = 125°$$

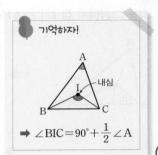
---

1 다음 그림에서 점 I가 △ABC의 내심일 때, ∠x의 크기를 구하시오.

(1)

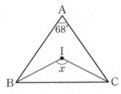

➡ ∠x = 90° + $\frac{1}{2}$ × □° = □°

(2)

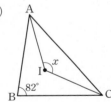

_____

(3)

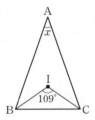

➡ □° = 90° + $\frac{1}{2}$∠x ∴ ∠x = □°

(4)

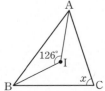

_____

---

2 다음 그림에서 점 I가 △ABC의 내심일 때, ∠x, ∠y의 크기를 각각 구하시오.

(1)

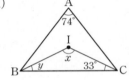

➡ ∠x = 90° + $\frac{1}{2}$ × □° = □°

∠y = 180° − (□° + 33°) = □°

(2)

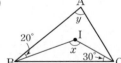

_____

(3)

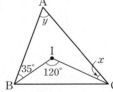

_____

14 삼각형의 내심과 내접원

다음 그림에서 점 I가 직각삼각형 ABC의 내심일 때, 내접원의 반지름의 길이 r의 값을 구하시오.

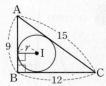

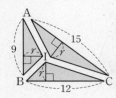

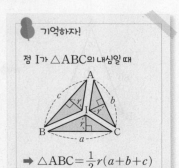

기억하자!

점 I가 △ABC의 내심일 때

$$\triangle ABC = \frac{1}{2}r(a+b+c)$$

세 변의 길이의 합

$$\triangle ABC = \frac{1}{2} \times 12 \times 9 = 54$$
(밑변) (높이)

$$\triangle ABC = \frac{9}{2}r + 6r + \frac{15}{2}r = 18r$$
△IAB △IBC △ICA

즉, $54 = 18r$이므로 $r = 3$

---

1 다음 그림에서 점 I가 직각삼각형 ABC의 내심일 때, 내접원의 반지름의 길이 r의 값을 구하시오.

(1)

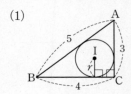 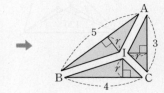

$\bigcirc$ $\triangle ABC = \dfrac{1}{2} \times 4 \times \square = \square$

$\bigcirc$ $\triangle ABC$
$= \triangle IAB + \triangle IBC + \triangle ICA$
$= \dfrac{1}{2} \times \square \times r + \dfrac{1}{2} \times \square \times r + \dfrac{1}{2} \times \square \times r$
$= \square\, r$

$\Rightarrow$ $\bigcirc = \bigcirc$이므로 $\square = \square\, r$ $\therefore r = \square$

(2)

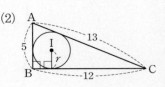

(3)

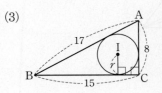

---

2 아래 그림에서 점 I가 △ABC의 내심이고 △ABC의 넓이가 다음과 같을 때, △ABC의 둘레의 길이를 구하시오.

(1) $\triangle ABC = 24$일 때

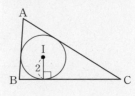

$\Rightarrow \triangle ABC = \dfrac{1}{2} \times \square \times (\overline{AB} + \overline{BC} + \overline{CA}) = \square$

$\therefore \overline{AB} + \overline{BC} + \overline{CA} = \square$

(2) $\triangle ABC = 48$일 때

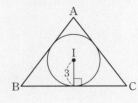

(3) $\triangle ABC = 80$일 때

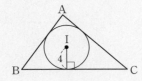

개념 익히기

15 삼각형의 외심과 내심

다음 그림에서 두 점 O, I는 각각 △ABC의 외심, 내심일 때, ∠x, ∠y의 크기를 각각 구하시오.

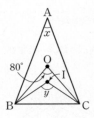

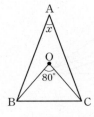

$\angle x = \dfrac{1}{2} \times 80° = 40°$

$\angle y = 90° + \dfrac{1}{2} \times 40°$
$= 110°$

기억하자!

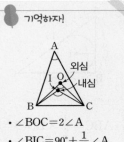

- ∠BOC = 2∠A
- ∠BIC = 90° + $\dfrac{1}{2}$∠A

---

1 다음 그림에서 두 점 O, I는 각각 △ABC의 외심, 내심일 때, ∠x, ∠y의 크기를 각각 구하시오.

(1)

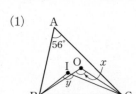

_____

(2)

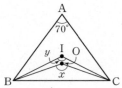

_____

(3)

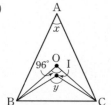

_____

(4)

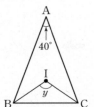

_____

(5)

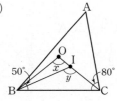

➡ $\angle A = 180° - (50° + 80°) = \boxed{}°$이므로

$\angle x = 2 \times \boxed{}° = \boxed{}°$

$\angle y = 90° + \dfrac{1}{2} \times \boxed{}° = \boxed{}°$

(6)

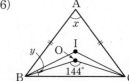

_____

새콤달콤한 오므라이스를 만들자~!

오므라이스는 만드는 방법도 어렵지 않고,
요리하는 시간도 짧아서 한 끼 식사로 딱이야!
세상에 하나뿐인 나만의 오므라이스를 만들어 보자~!!

재료

떡갈비 40g, 양파 $\frac{1}{2}$개, 피망 $\frac{1}{2}$개, 당근 $\frac{1}{2}$개, 마늘, 케첩, 계란 2개, 밥 1공기

❶

떡갈비, 양파, 피망, 당근을
잘게 다져 준다.

❷

잘게 다진 마늘과 채소를 볶은 후
밥과 케첩을 넣어 준다.

❸

계란을 푼다.

❹

계란 지단을 부친다.

❺

지단 위에 ❷에서 볶은 밥을 넣고
반으로 접어 뒤집는다.

짜—잔

Ⅱ 사각형의 성질

개념 CHECK

Ⅱ·1 사각형의 성질

① 평행사변형

(1) **평행사변형**: 두 쌍의 대변이 각각 평행한 사각형
→ $\overline{AB} /\!/ \overline{DC}$, $\overline{AD} /\!/ \overline{BC}$

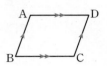

참고 · 사각형 ABCD를 기호로 □ABCD와 같이 나타낸다.
· 사각형에서 마주 보는 변을 대변, 마주 보는 각을 대각이라 한다.

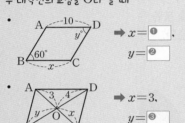

다음 그림과 같은 평행사변형 ABCD에서
두 대각선의 교점을 O라 할 때

→ $x=$ ❶ , $y=$ ❷

→ $x=3$, $y=$ ❸

(2) **평행사변형의 성질**

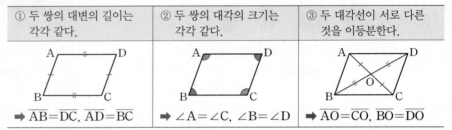

① 두 쌍의 대변의 길이는 각각 같다.	② 두 쌍의 대각의 크기는 각각 같다.	③ 두 대각선이 서로 다른 것을 이등분한다.
→ $\overline{AB}=\overline{DC}$, $\overline{AD}=\overline{BC}$	→ $\angle A=\angle C$, $\angle B=\angle D$	→ $\overline{AO}=\overline{CO}$, $\overline{BO}=\overline{DO}$

참고 평행사변형에서 이웃하는 두 내각의 크기의 합은 180°이다.

(3) **평행사변형이 되는 조건**

그림과 함께 기억해 두자~!

□ABCD가 다음 중 어느 한 조건을 만족시키면 평행사변형이 된다.

① 두 쌍의 대변이 각각 평행하다.→ 평행사변형의 뜻 → $\overline{AB} /\!/ \overline{DC}$, $\overline{AD} /\!/ BC$	
② 두 쌍의 대변의 길이가 각각 같다. → $\overline{AB}=\overline{DC}$, $\overline{AD}=\overline{BC}$	
③ 두 쌍의 대각의 크기가 각각 같다. → $\angle A=\angle C$, $\angle B=\angle D$	
④ 두 대각선이 서로 다른 것을 이등분한다. → $\overline{AO}=\overline{CO}$, $\overline{BO}=\overline{DO}$	
⑤ 한 쌍의 대변이 평행하고, 그 길이가 같다. → $\overline{AD} /\!/ \overline{BC}$, $\overline{AD}=\overline{BC}$	

오른쪽 그림과 같은
□ABCD에서
∠D= ❹ °이므로
□ABCD는 ❺ 이다.

❷ 직사각형

(1) **직사각형**: 네 내각의 크기가 같은 사각형
   ➡ $\angle A = \angle B = \angle C = \angle D$

(2) **직사각형의 성질** → 평행사변형의 모든 성질을 만족시켜~!
   두 대각선은 길이가 같고, 서로 다른 것을 이등분한다.
   ➡ $\overline{AC} = \overline{BD}$, $\overline{AO} = \overline{BO} = \overline{CO} = \overline{DO}$

개념 CHECK

오른쪽 그림과 같은 직사각형 ABCD에서 두 대각선의 교점을 O라 할 때
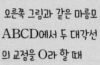
➡ $x = $ ❻ , $y = $ ❼

❸ 마름모

(1) **마름모**: 네 변의 길이가 같은 사각형
   ➡ $\overline{AB} = \overline{BC} = \overline{CD} = \overline{DA}$

(2) **마름모의 성질** → 평행사변형의 모든 성질을 만족시켜~!
   두 대각선이 서로 다른 것을 수직이등분한다.
   ➡ $\overline{AC} \perp \overline{BD}$, $\overline{AO} = \overline{CO}$, $\overline{BO} = \overline{DO}$

오른쪽 그림과 같은 마름모 ABCD에서 두 대각선의 교점을 O라 할 때

➡ $x = $ ❽ , $y = $ ❾

❹ 정사각형

(1) **정사각형**: 네 변의 길이가 같고, 네 내각의 크기가 같은 사각형
   ➡ $\overline{AB} = \overline{BC} = \overline{CD} = \overline{DA}$, $\angle A = \angle B = \angle C = \angle D$

(2) **정사각형의 성질** → 마름모와 직사각형의 모든 성질을 만족시켜~!
   두 대각선은 길이가 같고, 서로 다른 것을 수직이등분한다.
   ➡ $\overline{AC} = \overline{BD}$, $\overline{AC} \perp \overline{BD}$, $\overline{AO} = \overline{BO} = \overline{CO} = \overline{DO}$

오른쪽 그림과 같은 정사각형 ABCD에서 두 대각선의 교점을 O라 할 때
➡ $x = $ ❿ , $y = $ ⓫

❺ 등변사다리꼴

(1) **사다리꼴**: 한 쌍의 대변이 평행한 사각형

(2) **등변사다리꼴**: 아랫변의 양 끝 각의 크기가 같은 사다리꼴
   ➡ $\angle B = \angle C$

(3) **등변사다리꼴의 성질**
   ① 평행하지 않은 한 쌍의 대변의 길이가 같다. ➡ $\overline{AB} = \overline{DC}$
   ② 두 대각선의 길이가 같다. ➡ $\overline{AC} = \overline{BD}$

❻ 여러 가지 사각형 사이의 관계

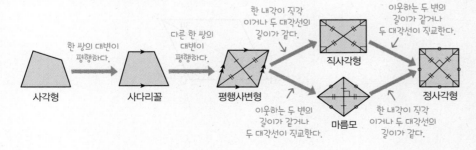

사각형 → 사다리꼴 → 평행사변형 → 직사각형 → 정사각형 → 마름모

한 쌍의 대변이 평행하다.
다른 한 쌍의 대변이 평행하다.
한 내각이 직각이거나 두 대각선의 길이가 같다.
이웃하는 두 변의 길이가 같거나 두 대각선이 직교한다.
이웃하는 두 변의 길이가 같거나 두 대각선이 직교한다.
한 내각이 직각이거나 두 대각선의 길이가 같다.

정답
❶ 10 ❷ 60 ❸ 4 ❹ 55
❺ 평행사변형 ❻ 6 ❼ 3
❽ 5 ❾ 90 ❿ 7 ⓫ 90

개념 익히기

1 평행사변형의 성질

다음 그림과 같은 평행사변형 ABCD에서 x, y의 값을 각각 구하시오. (단, 점 O는 두 대각선의 교점이다.)

(1)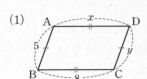

두 쌍의 대변의 길이는
각각 같다.

➡ $x=8$, $y=5$

(2)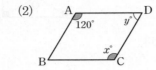

두 쌍의 대각의 크기는
각각 같다.

➡ $x=120$,

∠D=180°−120°=60°이므로

이웃하는 두 내각의
크기의 합은 180°~!

$y=60$

(3)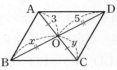

두 대각선이 서로 다른 것을
이등분한다.

➡ $x=5$, $y=3$

---

1 다음 그림과 같은 평행사변형 ABCD에서 x, y의 값을 각각 구하시오. (단, 점 O는 두 대각선의 교점이다.)

(1)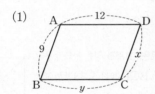

_____

(2)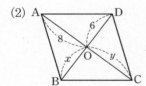

_____

(3)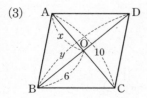

_____

2 다음 그림과 같은 평행사변형 ABCD에서 ∠x의 크기를 구하시오.

(1)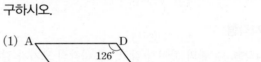

_____

(2)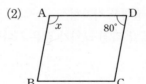

_____

(3)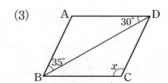

_____

(4)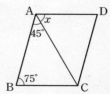

_____

(5)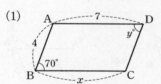

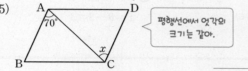
평행선에서 엇각의
크기는 같아.

_____

3 다음 그림과 같은 평행사변형 ABCD에서 x, y의 값을 각각 구하시오. (단, 점 O는 두 대각선의 교점이다.)

(1)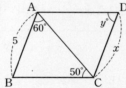

_____

(2)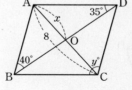

_____

(3)

_____

(4)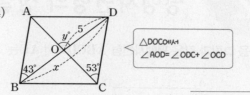

△DOC에서
∠AOD＝∠ODC＋∠OCD

_____

(5)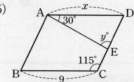

_____

4 오른쪽 그림과 같은 평행사변형 ABCD에 대하여 다음 중 옳은 것은 ○표, 옳지 <u>않은</u> 것은 ×표를 ( ) 안에 쓰시오. (단, 점 O는 두 대각선의 교점이다.)

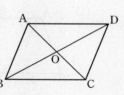

(1) $\overline{AB}=\overline{AD}$ (   )

(2) $\overline{AD}=\overline{BC}$ (   )

(3) $\angle A=\angle C$ (   )

(4) $\angle B=\angle C$ (   )

(5) $\angle C+\angle D=180°$ (   )

(6) $\overline{AO}=\overline{CO}$ (   )

(7) $\overline{AO}=\overline{BO}$ (   )

정답과 해설 7쪽

2 평행사변형의 성질의 응용

다음 그림과 같은 평행사변형 ABCD에서 $\overline{AE}$는 ∠A의 이등분선일 때, x의 값을 구하시오.

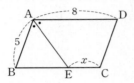 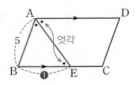 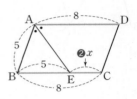
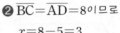 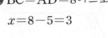

❶ ∠BAE＝∠BEA이므로
  △ABE는 이등변삼각형이다.
  ∴ $\overline{BE}＝\overline{BA}＝5$

❷ $\overline{BC}＝\overline{AD}＝8$이므로
  $x＝8-5＝3$

엇각을 이용하여 이등변삼각형을 찾아 선분의 길이 구하기

1 다음 그림과 같은 평행사변형 ABCD에서 x의 값을 구하시오.

(1)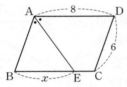

(2)

(3)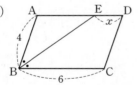

2 다음 그림과 같은 평행사변형 ABCD에서 x의 값을 구하시오.

(1)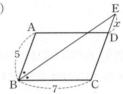

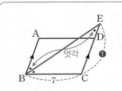 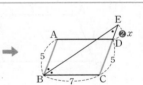

❶ ∠CBE＝∠CEB이므로
  △EBC는 이등변삼각형이다.
  ∴ $\overline{EC}＝\overline{BC}＝\boxed{}$

❷ $\overline{DC}＝\overline{AB}＝5$이므로 $x＝\boxed{}-5＝\boxed{}$

(2)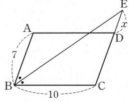

(3)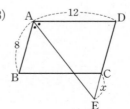

3 다음 그림과 같은 평행사변형 ABCD에서 x의 값을 구하시오.

(1)

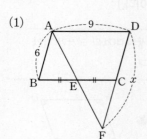

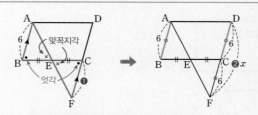

❶ $\triangle ABE \equiv \triangle FCE$(ASA 합동)이므로

$\overline{CF} = \overline{BA} = \boxed{}$

❷ $\overline{DC} = \overline{AB} = 6$이므로

$x = 6 + \boxed{} = \boxed{}$

(2)

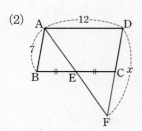

_____

(3)

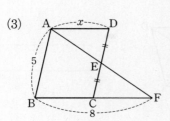

_____

4 아래 그림과 같은 평행사변형 ABCD에서 $\angle A : \angle B$가 다음과 같을 때, $\angle x$의 크기를 구하시오.

(1) $\angle A : \angle B = 3 : 1$일 때

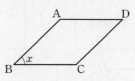

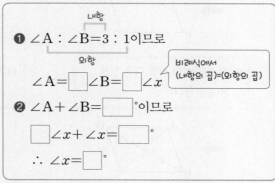

❶ $\angle A : \angle B = 3 : 1$이므로

$\angle A = \boxed{}\angle B = \boxed{}\angle x$

비례식에서
(내항의 곱)=(외항의 곱)

❷ $\angle A + \angle B = \boxed{}°$이므로

$\boxed{}\angle x + \angle x = \boxed{}°$

$\therefore \angle x = \boxed{}°$

(2) $\angle A : \angle B = 1 : 2$일 때

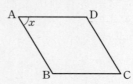

_____

(3) $\angle A : \angle B = 5 : 4$일 때

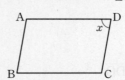

_____

3 평행사변형이 되는 조건

□ABCD가 평행사변형이 되는 조건을 다음 그림에 표시하시오. (단, 점 O는 두 대각선의 교점이다.)

(1) 두 쌍의 대변이 각각 평행하다.

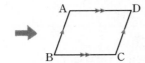

(2) 두 쌍의 대변의 길이가 각각 같다.

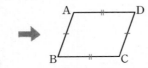

(3) 두 쌍의 대각의 크기가 각각 같다.

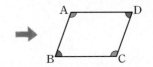

(4) 두 대각선이 서로 다른 것을 이등분한다.

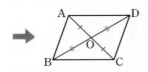

(5) 한 쌍의 대변이 평행하고, 그 길이가 같다.

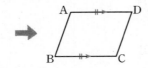

---

1 다음은 오른쪽 그림과 같은 □ABCD가 평행사변형이 되는 조건이다. □ 안에 알맞은 것을 쓰시오. (단, 점 O는 두 대각선의 교점이다.)

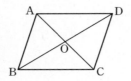

(1) $\overline{AB} /\!/ \overline{DC}$, $\overline{AD} /\!/ \boxed{}$

(2) $\overline{AB} = \boxed{}$, $\overline{AD} = \overline{BC}$

(3) $\angle A = \angle C$, $\angle B = \boxed{}$

(4) $\overline{AO} = \boxed{}$, $\overline{BO} = \overline{DO}$

(5) $\overline{AD} /\!/ \overline{BC}$, $\overline{AD} = \boxed{}$

2 다음 그림의 □ABCD가 평행사변형이 되는 조건을 말하시오. (단, 점 O는 두 대각선의 교점이다.)

(1)
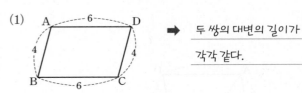
➡ 두 쌍의 대변의 길이가 각각 같다.

(2)
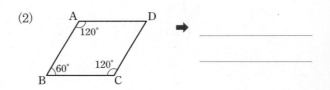
➡ _____

(3)
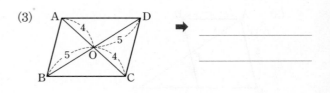
➡ _____

(4)
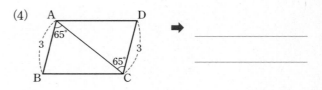
➡ _____

3 다음 그림과 같은 □ABCD가 평행사변형이 되도록 하는 x, y의 값을 각각 구하시오.

(단, 점 O는 두 대각선의 교점이다.)

(1)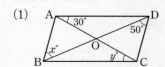

_____

(2)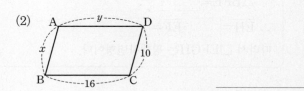

_____

(3)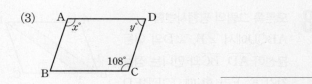

_____

(4)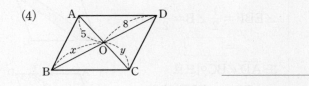

_____

(5)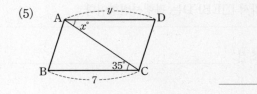

_____

4 다음 중 □ABCD가 평행사변형이 되는 것은 ○표, 되지 않는 것은 ×표를 ( ) 안에 쓰시오.
(단, 점 O는 두 대각선의 교점이다.)

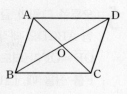

(1) $\overline{AB}=5$, $\overline{BC}=7$, $\overline{DC}=5$, $\overline{AD}=7$　　　(　)

(2) $\angle A=125°$, $\angle B=55°$, $\angle D=55°$　　(　)

(3) $\angle A=110°$, $\angle B=70°$, $\angle C=70°$　　(　)

(4) $\overline{AO}=3$, $\overline{BO}=3$, $\overline{CO}=5$, $\overline{DO}=5$　　(　)

(5) $\overline{AB}=4$, $\overline{BC}=9$, $\overline{DC}=4$, $\overline{AB}/\!/\overline{DC}$　(　)

(6) $\overline{AB}=6$, $\overline{BC}=8$, $\overline{AD}=6$, $\overline{AD}/\!/\overline{BC}$　(　)

(7) $\overline{AD}=5$, $\overline{BC}=5$, $\angle A=100°$, $\angle B=80°$　(　)

5 오른쪽 그림과 같이 평행사변형 ABCD의 대각선 AC 위에 $\overline{OE}=\overline{OF}$가 되도록 두 점 E, F를 잡을 때, □EBFD가 평행사변형임을 보이고, 평행사변형이 되는 조건을 말하시오. (단, 점 O는 두 대각선의 교점이다.)

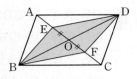

평행사변형의 두 대각선은 서로 다른 것을 이등분하므로
$$\boxed{}=\overline{OD}$$
또 주어진 조건에서
$$\overline{OE}=\boxed{}$$
따라서 □EBFD는 평행사변형이다.

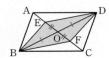

➡ 조건: _____

6 오른쪽 그림의 평행사변형 ABCD에서 $\overline{AB}$, $\overline{DC}$의 중점을 각각 M, N이라 할 때, □MBND가 평행사변형임을 보이고, 평행사변형이 되는 조건을 말하시오.

$\overline{AB}\,/\!/\,\overline{DC}$이므로 $\overline{MB}\,/\!/\,\boxed{}$
또 $\overline{AB}=\overline{DC}$이므로
$$\overline{MB}=\frac{1}{2}\overline{AB}=\frac{1}{2}\boxed{}$$
$$=\boxed{}$$
따라서 □MBND는 평행사변형이다.

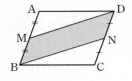

➡ 조건: _____

7 오른쪽 그림의 평행사변형 ABCD에서 각 변의 중점을 각각 E, F, G, H라 할 때, □EFGH가 평행사변형임을 보이고, 평행사변형이 되는 조건을 말하시오.

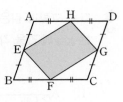

평행사변형의 두 쌍의 대각의 크기는 각각 같으므로
$$\angle A=\boxed{},\quad \angle B=\boxed{}$$
$$\therefore \triangle AEH\equiv\boxed{},$$
$$\triangle BFE\equiv\boxed{}$$
↪ 모두 SAS 합동
$$\therefore \overline{EH}=\boxed{},\quad \overline{EF}=\boxed{}$$
따라서 □EFGH는 평행사변형이다.

➡ 조건: _____

8 오른쪽 그림의 평행사변형 ABCD에서 ∠B, ∠D의 이등분선이 $\overline{AD}$, $\overline{BC}$와 만나는 점을 각각 E, F라 할 때, □EBFD가 평행사변형임을 보이고, 평행사변형이 되는 조건을 말하시오.

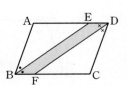

∠B=∠D이므로
$$\angle EBF=\frac{1}{2}\angle B=\frac{1}{2}\angle D$$
$$=\boxed{}$$
또 $\overline{AD}\,/\!/\,\overline{BC}$이므로
$$\angle AEB=\angle EBF(엇각),$$
$$\boxed{}=\angle CFD(엇각)에서$$
$$\angle AEB=\boxed{}$$
$$\therefore \angle DEB=\boxed{}$$
따라서 □EBFD는 평행사변형이다.

➡ 조건: _____

4 평행사변형과 넓이

다음 그림과 같은 평행사변형 ABCD의 넓이가 48일 때, 색칠한 부분의 넓이를 구하시오.

(단, 점 O는 두 대각선의 교점이다.)

(1) 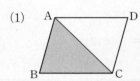 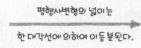 평행사변형의 넓이는 한 대각선에 의하여 이등분된다. $\triangle ABC = \dfrac{1}{2} \times 48 = 24$ 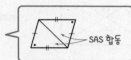 SAS 합동

(2) 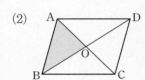 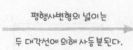 평행사변형의 넓이는 두 대각선에 의해 사등분된다. $\triangle ABO = \dfrac{1}{4} \times 48 = 12$ ① 같은 색끼리 SAS 합동 ② 다른 색끼리 밑변의 길이와 높이가 각각 같으므로 넓이가 같다.

---

1 다음 그림과 같은 평행사변형 ABCD의 넓이가 36일 때, 색칠한 부분의 넓이를 구하시오.

(단, 점 O는 두 대각선의 교점이다.)

(1)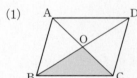

（2）

조금 더! **평행사변형 내부의 임의의 점과 평행사변형의 넓이**

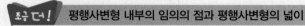

평행사변형 ABCD의 내부의 임의의 점 P에 대하여

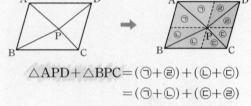

$$\triangle APD + \triangle BPC = (\text{㉠}+\text{㉢}) + (\text{㉡}+\text{㉣})$$
$$= (\text{㉠}+\text{㉡}) + (\text{㉣}+\text{㉢})$$
$$= \triangle ABP + \triangle CDP$$
$$= \dfrac{1}{2} \square ABCD$$

---

3 오른쪽 그림과 같은 평행사변형 ABCD의 넓이가 $32\,\mathrm{cm}^2$이고, 점 P는 $\square ABCD$의 내부의 점이다. 이때 색칠한 부분의 넓이를 구하시오.

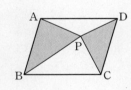

---

2 오른쪽 그림과 같은 평행사변형 ABCD에서 $\triangle AOD$의 넓이가 $6\,\mathrm{cm}^2$일 때, 평행사변형 ABCD의 넓이를 구하시오. (단, 점 O는 두 대각선의 교점이다.)

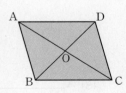

4 오른쪽 그림과 같은 평행사변형 ABCD의 넓이가 $80\,\mathrm{cm}^2$이고, 점 P는 $\square ABCD$의 내부의 점이다. $\triangle APD$의 넓이가 $16\,\mathrm{cm}^2$일 때, 색칠한 부분의 넓이를 구하시오.

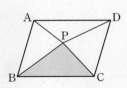

5 직사각형의 성질

다음 그림과 같은 직사각형 ABCD에서 점 O가 두 대각선의 교점일 때, x, y의 값을 각각 구하시오.

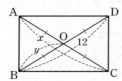

두 대각선의 길이가 같고,
서로 다른 것을 이등분한다.

$x=12$,
$y=\dfrac{1}{2} \times 12 = 6$

1 다음 그림과 같은 직사각형 ABCD에서 x, y의 값을 각각 구하시오. (단, 점 O는 두 대각선의 교점이다.)

(1)
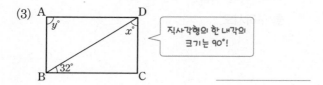

_____

(2)
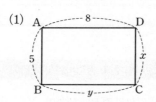

_____

(3)
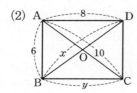

직사각형의 한 내각의
크기는 90°!

_____

(4)
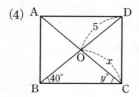

_____

(5)
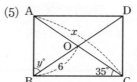

_____

(6)
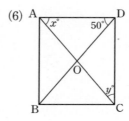

_____

(7)
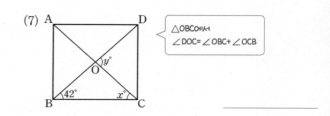

△OBC에서
∠DOC=∠OBC+∠OCB

_____

(8)
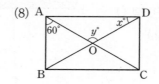

_____

2 오른쪽 그림과 같은 평행사변형 ABCD가 직사각형이 되도록 하는 알맞은 조건을 □ 안에 쓰시오. (단, 점 O는 두 대각선의 교점이다.)

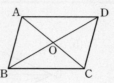

(1) ∠B=□°

(2) $\overline{AC}$=9일 때, $\overline{BD}$=□

(3) $\overline{CO}$=4일 때, $\overline{DO}$=□

3 다음 중 평행사변형 ABCD가 직사각형이 되는 것은 ○표, 되지 <u>않는</u> 것은 ×표를 ( ) 안에 쓰시오. (단, 점 O는 두 대각선의 교점이다.)

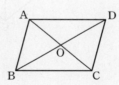

(1) ∠A=90° ( )

(2) ∠A=∠B ( )

(3) ∠A=∠C ( )

(4) $\overline{AC}$=$\overline{BD}$ ( )

(5) $\overline{AO}$=$\overline{BO}$ ( )

(6) $\overline{AO}$=$\overline{CO}$ ( )

(7) $\overline{AB}$=$\overline{AD}$ ( )

┌ 직사각형의 성질의 응용

4 오른쪽 그림과 같은 평행사변형 ABCD에서 네 각의 이등분선의 교점을 각각 E, F, G, H라 할 때, 다음 물음에 답하시오.

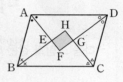

(1) ∠A+∠B의 크기를 구하시오.

(2) ∠HEF의 크기를 구하시오.

∠A+∠B=□°이므로

2(●+×)=180° ∴ ●+×=□°

△ABE에서

∠AEB=180°−(●+×)=□°

∴ ∠HEF=∠AEB=□°(맞꼭지각)

(3) ∠EFG의 크기를 구하시오.

∠A+∠D=□°이므로

2(●+○)=180° ∴ ●+○=□°

△AFD에서

∠AFD=180°−(●+○)=□°

∴ ∠EFG=∠AFD=□°

(4) □EFGH는 어떤 사각형인지 말하시오.

∠HEF=□°, ∠EFG=□°이고,

같은 방법으로

∠FGH=∠GHE=□°

따라서 □EFGH는 네 내각의 크기가 같으므로

□ 이다.

(5) $\overline{EG}$=5일 때, $\overline{HF}$의 길이를 구하시오.

6 마름모의 성질

다음 그림과 같은 마름모 ABCD에서 점 O가 두 대각선의 교점일 때, x, y의 값을 각각 구하시오.

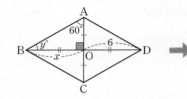

두 대각선이 서로 다른 것을 수직이등분한다.

$x=6$,
$\triangle ABO$에서 $\angle AOB=90°$이므로
$\angle ABO=180°-(60°+90°)=30°$
$\therefore y=30$

1 다음 그림과 같은 마름모 ABCD에서 x, y의 값을 각각 구하시오. (단, 점 O는 두 대각선의 교점이다.)

(1)
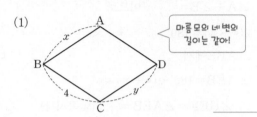

마름모의 네 변의 길이는 같아!

(2)
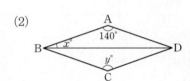

(3)

(4)
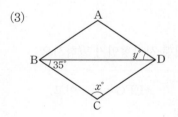

(5)
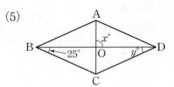

(6)
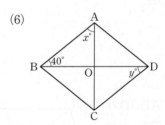

(7)
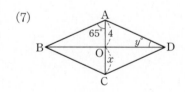

(8)
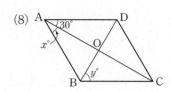

tip 평행사변형이 마름모가 되는 조건

평행사변형의 이웃하는 두 변의 길이가 같거나
두 대각선이 서로 수직이면 마름모가 된다.

$$\overline{AB}=\overline{BC}$$
또는
$$\overline{AC}\perp\overline{BD}$$

2 오른쪽 그림과 같은 평행사변형
ABCD가 마름모가 되도록 하
는 알맞은 조건을 □ 안에 쓰시
오. (단, 점 O는 두 대각선의 교
점이다.)

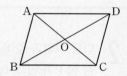

(1) ∠AOB = □°

(2) $\overline{AB}$=6일 때, $\overline{AD}$= □

(3) $\overline{BC}$=8일 때, $\overline{CD}$= □

3 다음 중 평행사변형 ABCD가
마름모가 되는 것은 ○표, 되지
않는 것은 ×표를 ( ) 안에 쓰
시오. (단, 점 O는 두 대각선의
교점이다.)

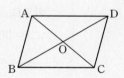

(1) $\overline{AB}=\overline{BC}$　　　　　　　　(　)

(2) $\overline{DO}=\overline{DC}$　　　　　　　　(　)

(3) ∠BOC = 90°　　　　　　　(　)

(4) ∠A = ∠B　　　　　　　　(　)

(5) $\overline{AC}\perp\overline{BD}$　　　　　　　　(　)

(6) ∠OAB = ∠OBA　　　　　(　)

(7) ∠DAC = ∠BAC　　　　　(　)

마름모의 성질의 응용

4 오른쪽 그림과 같은 평행사변형
ABCD에서 ∠A, ∠B의 이등
분선이 $\overline{BC}$, $\overline{AD}$와 만나는 점을
각각 E, F라 할 때, 다음 물음에
답하시오.

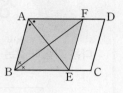

(1) $\overline{AF}=\overline{BE}$임을 보이시오.

$\overline{AD}$ ∥ $\overline{BC}$이므로 ∠AFB=∠EBF (엇각)

∠ABF=∠EBF이므로 ∠AFB= □

∴ $\overline{AB}$= □　　… ㉠

$\overline{AD}$ ∥ $\overline{BC}$이므로 ∠FAE=∠BEA (엇각)

∠FAE=∠BAE이므로 ∠BEA= □

∴ $\overline{AB}$= □　　… ㉡

따라서 ㉠, ㉡에 의해 $\overline{AF}$= □

(2) □ABEF는 어떤 사각형인지 말하시오.

$\overline{AF}$ ∥ □, □ = $\overline{BE}$이므로

□ABEF는 □ 이고,

㉠에 의해 $\overline{AB}$= □ 이다.

따라서 □ABEF는 이웃하는 두 변의 길이가 같
은 평행사변형이므로 □ 이다.

(3) 다음 보기 중 □ABEF에 대한 설명으로 옳지 않은
것을 모두 고르시오.

보기

ㄱ. 네 내각의 크기가 같다.

ㄴ. 두 대각선의 길이가 같다.

ㄷ. 두 쌍의 대각의 크기가 각각 같다.

ㄹ. 두 대각선이 서로 다른 것을 수직이등분한다.

ㅁ. 네 변의 길이가 같다.

7 정사각형의 성질

다음 그림과 같은 정사각형 ABCD에서 점 O가 두 대각선의 교점일 때, x, y의 값을 각각 구하시오.

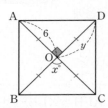

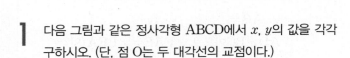

두 대각선은 길이가 같고,
서로 다른 것을
수직이등분한다.

$x=90$, $y=6$

1 다음 그림과 같은 정사각형 ABCD에서 x, y의 값을 각각 구하시오. (단, 점 O는 두 대각선의 교점이다.)

(1)
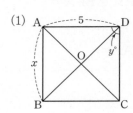

정사각형의 네 변의 길이는 같고,
네 내각의 크기는 90°!

(2)
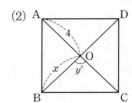

(3)
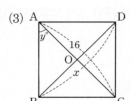

(4)
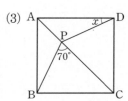

2 다음 그림과 같이 정사각형 ABCD의 대각선 AC 위에 한 점 P가 있다. 이때 $\angle x$의 크기를 구하시오.

(1)
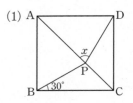

❶ $\angle PCB = \angle PCD = \boxed{}°$

❷ $\triangle PBC \equiv \boxed{}$ ← SAS 합동!

∴ $\angle PDC = \angle PBC$
$= \boxed{}°$

❸ $\angle x$는 $\triangle PCD$의 한 외각이므로
$\angle x = 30° + \boxed{}° = \boxed{}°$

(2)

(3)

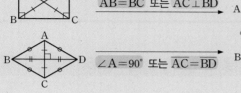

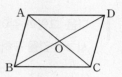
3 다음 중 직사각형 ABCD가 정사각형이 되는 것은 ○표, 되지 <u>않는</u> 것은 ×표를 ( ) 안에 쓰시오. (단, 점 O는 두 대각선의 교점이다.)

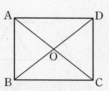

(1) $\overline{AB}=\overline{AD}$　　　　　　　(　)

(2) $\overline{AC}=\overline{BD}$　　　　　　　(　)

(3) $\angle AOB=90°$　　　　　　(　)

(4) $\overline{AO}=\overline{BO}$　　　　　　　(　)

4 다음 중 마름모 ABCD가 정사각형이 되는 것은 ○표, 되지 <u>않는</u> 것은 ×표를 ( ) 안에 쓰시오. (단, 점 O는 두 대각선의 교점이다.)

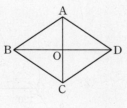

(1) $\angle BAC=\angle DAC$　　　　(　)

(2) $\angle A=\angle B$　　　　　　　(　)

(3) $\overline{AC}\perp\overline{BD}$　　　　　　　(　)

(4) $\overline{AO}=\overline{BO}$　　　　　　　(　)

5 다음 중 평행사변형 ABCD가 정사각형이 되는 것은 ○표, 되지 <u>않는</u> 것은 ×표를 ( ) 안에 쓰시오. (단, 점 O는 두 대각선의 교점이다.)

(1) $\overline{AB}=\overline{BC},\ \overline{AC}=\overline{BD}$　　　　(　)

(2) $\overline{AB}=\overline{AD},\ \overline{AC}\perp\overline{BD}$　　　(　)

(3) $\overline{AC}=\overline{BD},\ \overline{AC}\perp\overline{BD}$　　　(　)

(4) $\overline{AO}=\overline{BO}=\overline{CO}=\overline{DO}$　　(　)

(5) $\angle B=90°,\ \overline{AC}=\overline{BD}$　　　(　)

(6) $\angle A=90°,\ \overline{AC}\perp\overline{BD}$　　　(　)

(7) $\angle C=\angle D,\ \angle AOB=90°$　　(　)

8 등변사다리꼴의 성질

다음 그림과 같이 $\overline{AD} \parallel \overline{BC}$인 등변사다리꼴 ABCD에서 x, y의 값을 각각 구하시오.

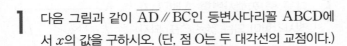

• 평행하지 않은 한 쌍의 대변의 길이가 같다.
• 두 대각선의 길이가 같다.

$x=4$, $y=7$

1 다음 그림과 같이 $\overline{AD} \parallel \overline{BC}$인 등변사다리꼴 ABCD에서 x의 값을 구하시오. (단, 점 O는 두 대각선의 교점이다.)

(1)
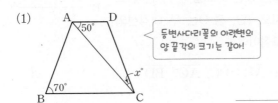

등변사다리꼴의 아랫변의 양 끝각의 크기는 같아!

(2)
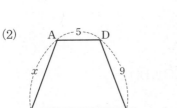

(3)
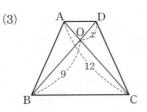

(4)
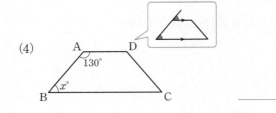

조금더! **등변사다리꼴에서 평행선 이용하기**

다음 그림과 같이 $\overline{AD} \parallel \overline{BC}$이고 $\angle B = 60°$인 등변사다리꼴 ABCD에서 $\overline{AB}$와 평행하게 $\overline{DE}$를 그으면

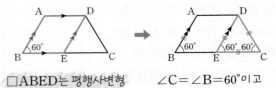

□ABED는 평행사변형

$\angle C = \angle B = 60°$이고
$\angle DEC = \angle B = 60°$ (동위각)
∴ △DEC는 정삼각형

2 다음 그림과 같이 $\overline{AD} \parallel \overline{BC}$인 등변사다리꼴 ABCD에서 x의 값을 구하시오.

(1)
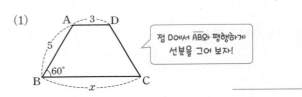

점 D에서 $\overline{AB}$와 평행하게 선분을 그어 보자!

(2)
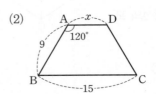

9 여러 가지 사각형 사이의 관계

다음은 여러 가지 사각형 사이의 관계를 나타낸 것이다. ☐ 안에 알맞은 것을 쓰시오.

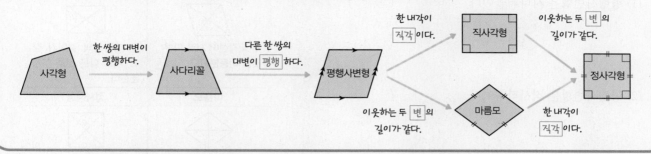

1 다음 그림과 같이 어떤 사각형에 변 또는 각에 대한 조건을 추가하면 다른 모양의 사각형이 된다. (1)~(5)에 알맞은 조건을 보기에서 찾으시오.

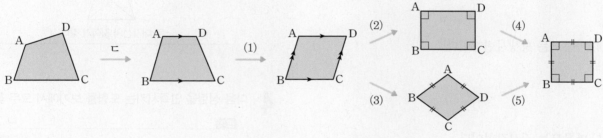

보기

ㄱ. $\overline{AB} \, // \, \overline{DC}$ ㄴ. $\overline{AB} = \overline{BC}$

ㄷ. $\overline{AD} \, // \, \overline{BC}$ ㄹ. $\angle A = 90°$

(1) _____ (2) _____ (3) _____

(4) _____ (5) _____

2 오른쪽 그림과 같은 평행사변형 ABCD가 다음 조건을 만족시키면 어떤 사각형이 되는지 말하시오.
(단, 점 O는 두 대각선의 교점이다.)

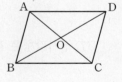

(1) $\overline{AB} = \overline{BC}$ _____

(2) $\overline{AC} = \overline{BD}$ _____

(3) $\angle B = 90°$ _____

(4) $\overline{AC} \perp \overline{BD}$ _____

(5) $\overline{AO} = \overline{BO}$ _____

(6) $\overline{AC} = \overline{BD},\ \overline{AC} \perp \overline{BD}$ _____

(7) $\angle A = 90°,\ \overline{AB} = \overline{BC}$ _____

(8) $\angle C = 90°,\ \overline{AC} = \overline{BD}$ _____

(9) $\overline{AB} = \overline{BC},\ \angle AOB = 90°$ _____

(10) $\angle A = 90°,\ \overline{AC} \perp \overline{BD}$ _____

3 다음 설명 중 옳은 것은 ○표, 옳지 <u>않은</u> 것은 ×표를 (　) 안에 쓰시오.

(1) 평행사변형은 사다리꼴이다.　　　　（　　）

(2) 평행사변형은 직사각형이다.　　　　（　　）

(3) 직사각형은 평행사변형이다.　　　　（　　）

(4) 마름모는 평행사변형이다.　　　　（　　）

(5) 마름모는 직사각형이다.　　　　（　　）

(6) 정사각형은 마름모이다.　　　　（　　）

(7) 정사각형은 직사각형이다.　　　　（　　）

(8) 직사각형은 정사각형이다.　　　　（　　）

(9) 등변사다리꼴은 평행사변형이다.　　（　　）

tip 여러 가지 사각형의 대각선의 성질

평행사변형	직사각형
두 대각선이 서로 다른 것을 이등분한다.	두 대각선의 길이가 같고, 서로 다른 것을 이등분한다.
마름모	정사각형
두 대각선이 서로 다른 것을 수직이등분한다.	두 대각선의 길이가 같고, 서로 다른 것을 수직이등분한다.
등변사다리꼴	
두 대각선의 길이가 같다.	

4 다음 성질을 만족시키는 도형을 보기에서 모두 찾으시오.

보기
ㄱ. 평행사변형　　ㄴ. 직사각형　　ㄷ. 마름모
ㄹ. 정사각형　　ㅁ. 등변사다리꼴

(1) 두 대각선은 서로 다른 것을 이등분한다.
_____

(2) 두 대각선의 길이가 같다.
_____

(3) 두 대각선은 서로 수직으로 만난다.
_____

(4) 두 대각선의 길이가 같고, 서로 다른 것을 이등분한다.
_____

(5) 두 대각선의 길이가 같고, 서로 다른 것을 수직이등분한다.
_____

10 평행선과 삼각형의 넓이

다음 그림에서 $l /\!/ m$이고 △ABC의 넓이가 $48\,cm^2$일 때, △DBC의 넓이를 구하시오.

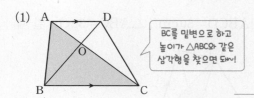

$$\triangle ABC = \frac{1}{2} \times \overline{BC} \times h$$
$$\triangle DBC = \frac{1}{2} \times \overline{BC} \times h$$

$\triangle ABC = \triangle DBC$
이므로
$$\triangle DBC = 48\,cm^2$$

기억하자!
밑변이 공통이고 높이가 같은
두 삼각형의 넓이는 같다.

---

1 다음 그림과 같이 $\overline{AD} /\!/ \overline{BC}$인 사다리꼴 ABCD에서 색칠한 삼각형과 넓이가 같은 삼각형을 찾으시오.
(단, 점 O는 두 대각선의 교점이다.)

(1)

$\overline{BC}$를 밑변으로 하고
높이가 △ABC와 같은
삼각형을 찾으면 돼!

_____

(2)

_____

(3)

△ABO
=△ABC-△OBC

_____

2 다음 그림과 같이 $\overline{AD} /\!/ \overline{BC}$인 사다리꼴 ABCD에서 색칠한 부분의 넓이를 구하시오.
(단, 점 O는 두 대각선의 교점이다.)

(1) $\triangle ABC = 85\,cm^2$, $\triangle OBC = 55\,cm^2$일 때

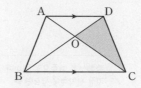

_____

(2) $\triangle DBC = 140\,cm^2$, $\triangle ABO = 50\,cm^2$일 때

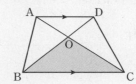

_____

(3) $\triangle ABC = 126\,cm^2$, $\triangle OBC = 81\,cm^2$,
$\triangle AOD = 25\,cm^2$일 때

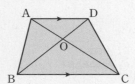

_____

다음 그림에서 $\overline{AC} \parallel \overline{DE}$일 때, □ABCD와 넓이가 같은 삼각형은?

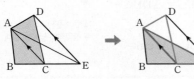

□ABCD = △ABC + △ACD   ┐ $\overline{AC}$를 밑변으로 하고
　　　 = △ABC + △ACE   ┘ 높이가 같아~!
　　　 = △ABE

3 다음 그림에서 $\overline{AC} \parallel \overline{DE}$일 때, 색칠한 도형과 넓이가 같은 도형을 찾으시오.

(1)

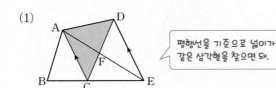

> 평행선을 기준으로 넓이가 같은 삼각형을 찾으면 돼.

_____

(2)

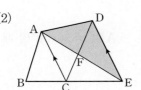

_____

(3)

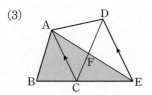

_____

(4)

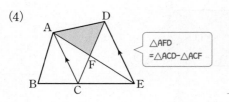

> △AFD
> =△ACD−△ACF

_____

4 다음 그림에서 색칠한 부분의 넓이를 구하시오.

(1) △ABC = 21 cm², △ACE = 14 cm²일 때

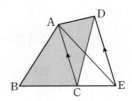

_____

(2) □ABCD = 50 cm², △ABC = 30 cm²일 때

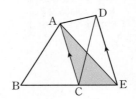

_____

(3) □ABCD = 60 cm², △ACE = 24 cm²일 때

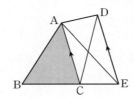

_____

(4) □ACED = 54 cm², △DCE = 24 cm²일 때

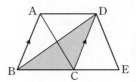

_____

기분을 좋게 하는 방법!

집중해서 공부하다 보면 몸도 뻐근하고 스트레스도 많이 쌓이지?
그럴 때 유용한 짬짬이 스트레칭 방법과
기분을 전환하는 방법을 알아보자~!

1. 스마일 호흡을 하면서 기지개 켜기

다리는 어깨너비로 벌리고, 코로 숨을 깊게 들이마셨다가
내쉬면서 기지개를 크게 쭈우욱~~!
이때 발끝도 살짝 들어 올려 줘.
힘들다고 인상 쓰면 NG!
'내가 최고야!'라고 마음속으로 말하면서
자연스러운 미소가 지어지도록 하는 것이 포인트야~!

2. 서로서로 좋은 말 건네기

- ●●야, 너는 참 친절하구나.
- 웃는 얼굴이 정말 예쁘다!
- 오늘 옷이 참 잘 어울려.
- 좋은 하루 보내렴~!

3. 다양한 스트레스 해소법

- 가볍게 산책하기
- 규칙적인 생활 리듬 갖기
- 환기시키기
- 스트레스 해소에 좋은 브로콜리, 다크 초콜릿,
  견과류 등을 먹기

개념 CHECK

III·1 도형의 닮음

① 닮은 도형

한 도형을 일정한 비율로 확대하거나 축소한 도형이 다른 도형과 합동일 때, 이 두 도형은 서로 **닮음**인 관계가 있다고 하고, 서로 닮음인 관계가 있는 두 도형을 **닮은 도형**이라 한다.

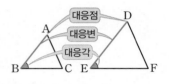

➡ △ABC와 △DEF가 서로 닮은 도형이면 △ABC∽△DEF

대응점의 순서를 맞추어 써야 해!

② 닮음의 성질

(1) 평면도형에서 닮음의 성질: 서로 닮은 두 평면도형에서

　① 대응변의 길이의 비는 일정하다.

　② 대응각의 크기는 각각 같다.

　③ 두 도형의 닮음비: 대응변의 길이의 비 ← 닮음비는 가장 간단한 자연수의 비로 나타내.

(2) 입체도형에서 닮음의 성질: 서로 닮은 두 입체도형에서

　① 대응하는 모서리의 길이의 비는 일정하다. ← 입체도형의 닮음비는 대응하는

　② 대응하는 면은 서로 닮은 도형이다. 　　　　 모서리의 길이의 비로 나타낼 수 있어.

③ 서로 닮은 도형에서 넓이의 비와 부피의 비

(1) 서로 닮은 두 평면도형의 닮음비가 $m:n$일 때

　① 둘레의 길이의 비 ➡ $m:n$ ← 닮음비와 같아~

　② 넓이의 비　　　　 ➡ $m^2:n^2$

(2) 서로 닮은 두 입체도형의 닮음비가 $m:n$일 때

　① 겉넓이의 비 ➡ $m^2:n^2$

　② 부피의 비　 ➡ $m^3:n^3$

④ 삼각형의 닮음 조건

두 삼각형은 다음의 각 경우에 서로 닮음이다. ――――→ △ABC∽△A′B′C′

(1) 세 쌍의 대응변의 길이의 비가 같다. (SSS 닮음)

　➡ $a:a'=b:b'=c:c'$

(2) 두 쌍의 대응변의 길이의 비가 같고, 그 끼인각의 크기가 같다. (SAS 닮음)

　➡ $a:a'=b:b'$, $\angle C=\angle C'$

(3) 두 쌍의 대응각의 크기가 각각 같다. (AA 닮음)

　➡ $\angle A=\angle A'$, $\angle B=\angle B'$

다음 그림에서 △ABC∽△DEF일 때

(1) △ABC와 △DEF의 닮음비

　➡ $\overline{AB}:$ ❶ $=4:$ ❷ $=$ ❸ $:$ ❹

(2) $\overline{DF}=$ ❺

(3) $\angle C=$ ❻ °

두 원기둥 A와 B가 서로 닮은 도형이고, 닮음비가 2:3일 때

• 겉넓이의 비 ➡ ❼ : ❽

• 부피의 비　 ➡ ❾ : ❿

❶ 삼각형에서 평행선과 선분의 길이의 비

$\triangle ABC$에서 $\overline{AB}$, $\overline{AC}$ 또는 그 연장선 위에 각각 점 D, E가 있을 때

(1) $\overline{BC} \parallel \overline{DE}$이면 $\overline{AB}:\overline{AD}=\overline{AC}:\overline{AE}=\overline{BC}:\overline{DE}$

(2) $\overline{BC} \parallel \overline{DE}$이면 $\overline{AD}:\overline{DB}=\overline{AE}:\overline{EC}$ ← $\overline{AD}:\overline{DB} \neq \overline{DE}:\overline{BC}$ 임에 주의해야 돼.

오른쪽 그림에서
$\overline{BC} \parallel \overline{DE}$일 때
• $a:b=c:d$
  $= $ ⓫ ☐
• $a:(b-a)$
  $=c:$ ⓬ ☐

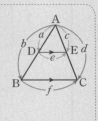

❷ 삼각형의 두 변의 중점을 연결한 선분의 성질

(1) $\triangle ABC$에서 $\overline{AM}=\overline{MB}$, $\overline{AN}=\overline{NC}$이면
  ➡ $\overline{MN} \parallel \overline{BC}$, $\overline{MN}=\dfrac{1}{2}\overline{BC}$

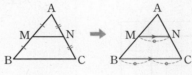

(2) $\triangle ABC$에서 $\overline{AM}=\overline{MB}$, $\overline{MN} \parallel \overline{BC}$이면
  ➡ $\overline{AN}=\overline{NC}$ → $\overline{MN}=\dfrac{1}{2}\overline{BC}$

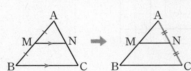

오른쪽 그림에서
$\overline{AM}=\overline{MB}$,
$\overline{MN} \parallel \overline{BC}$일 때
• $\overline{NC}=$ ⓭ ☐
• $\overline{BC}=$ ⓮ ☐

❸ 평행선 사이에 있는 선분의 길이의 비

세 개의 평행선이 다른 두 직선과 만나서
생긴 선분의 길이의 비는 같다.
  ➡ $l \parallel m \parallel n$이면 $a:b=a':b'$

❹ 삼각형의 무게중심

→ 한 꼭짓점과 그 대변의 중점을 이은 선분

(1) 삼각형의 무게중심은 세 중선의 교점이다.
(2) 삼각형의 무게중심은 세 중선의 길이를 각 꼭짓점으로부터
  각각 2 : 1로 나눈다.
  ➡ $\overline{AG}:\overline{GD}=\overline{BG}:\overline{GE}=\overline{CG}:\overline{GF}=2:1$

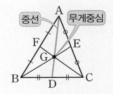
중선 / 무게중심

오른쪽 그림에서 점 G가
$\triangle ABC$의 무게중심일 때
• $\overline{AG}=$ ⓯ ☐ $\overline{AD}$
• $\overline{GD}=$ ⓰ ☐ $\overline{AD}$

❶ 피타고라스 정리 ← 직각삼각형에서만 성립해!

직각삼각형에서 직각을 낀 두 변의 길이를 각각 a, b라
하고, 빗변의 길이를 c라 하면
  ➡ $a^2+b^2=c^2$ ← 직각삼각형에서 직각을 낀 두 변의 길이의 제곱의 합은
      빗변의 길이의 제곱과 같다.

[참고] a, b, c는 변의 길이이므로 항상 양수이다.

직각의 대변 또는
길이가 가장 긴 변
빗변 / 직각

오른쪽 그림의 직각삼각형
ABC에서
☐ ⓱ ^{2}+$6^2=$ ☐ ⓲ ^{2}

❷ 직각삼각형이 되는 조건

세 변의 길이가 각각 a, b, c인 $\triangle ABC$에서 $c^2=a^2+b^2$이면 이 삼각형은 빗변의 길
이가 c인 직각삼각형이다.

정답

❶ $\overline{DE}$ ❷ 8 ❸ 1 ❹ 2 ❺ 12
❻ 40 ❼ 4 ❽ 9 ❾ 8 ❿ 27
⓫ $e:f$ ⓬ $(d-c)$ ⓭ 3 ⓮ 8
⓯ $\dfrac{2}{3}$ ⓰ $\dfrac{1}{3}$ ⓱ 8 ⓲ 10

개념 익히기

1 닮은 도형

다음 그림에서 △ABC와 △DEF가 서로 닮은 도형일 때, □ 안에 알맞은 것을 쓰시오.

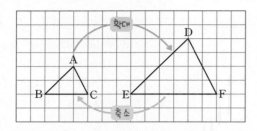

(1) △ABC∽ △DEF

(2) 점 A의 대응점 ➡ 점 D

(3) $\overline{BC}$의 대응변 ➡ $\overline{EF}$

(4) ∠C의 대응각 ➡ ∠F

기억하자!

△ABC∽△DEF

대응하는 순서대로

---

1 다음 그림에서 □ABCD와 □EFGH가 서로 닮은 도형일 때, □ 안에 알맞은 것을 쓰시오.

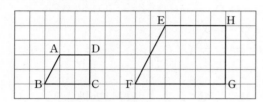

(1) □ABCD∽ ☐

(2) 점 B의 대응점 ➡ ☐

(3) $\overline{CD}$의 대응변 ➡ ☐

(4) ∠A의 대응각 ➡ ☐

2 아래 그림에서 △ABC∽△DFE일 때, 다음을 구하시오.

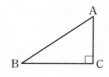

이렇게 뒤집어 놓고 생각하자 ~!

(1) 점 C의 대응점 _____

(2) $\overline{BC}$의 대응변 _____

(3) ∠A의 대응각 _____

---

3 아래 그림에서 □ABCD∽□HGFE일 때, 다음을 구하시오.

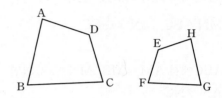

(1) 점 D의 대응점 _____

(2) $\overline{AB}$의 대응변 _____

(3) ∠F의 대응각 _____

4 다음 중 항상 서로 닮음인 것은 ○표, 아닌 것은 ×표를 ( ) 안에 쓰시오.

(1) 두 정사각형 ( )

(2) 한 내각의 크기가 같은 두 이등변삼각형 ( )

(3) 두 원 ( )

(4) 중심각의 크기가 같은 두 부채꼴 ( )

(5) 두 정사면체 ( )

(6) 밑면이 정사각형인 두 사각기둥 ( )

(7) 두 원뿔 ( )

(8) 두 구 ( )

2 평면도형에서 닮음의 성질

아래 그림에서 △ABC∽△DEF일 때, 다음을 구하시오.

 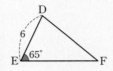

(1) △ABC와 △DEF의 닮음비 ──대응변의 길이의 비──▶ $\overline{AB} : \overline{DE} = 4 : 6 = 2 : 3$

(2) $\overline{EF}$의 길이 ──닮음비 이용──▶ $\underset{\overline{EF}의\ 대응변}{\overline{BC} : \overline{EF}} = 2 : 3$이므로 $6 : \overline{EF} = 2 : 3$ ∴ $\overline{EF} = 9$

(3) ∠B의 크기 ──대응각의 크기──▶ $\underset{∠B의\ 대응각}{∠B = ∠E} = 65°$

---

1 아래 그림에서 △ABC∽△DEF일 때, 다음을 구하시오.

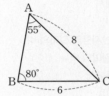

(1) △ABC와 △DEF의 닮음비 _____

(2) $\overline{DF}$의 길이 〔대응변을 찾아 닮음비 이용!〕 _____

(3) ∠F의 크기 〔삼각형의 세 내각의 크기의 합은 180°!〕 _____

2 아래 그림에서 □ABCD∽□HGFE일 때, 다음을 구하시오.

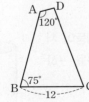

(1) □ABCD와 □HGFE의 닮음비 _____

(2) $\overline{AB}$의 길이 _____

(3) ∠D의 크기 〔사각형의 네 내각의 크기의 합은 360°!〕 _____

3 아래 그림에서 △ABC∽△DEF이고 닮음비가 1 : 2일 때, 다음을 구하시오.

 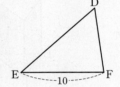

(1) $\overline{BC}$의 길이 _____

(2) △ABC의 둘레의 길이 _____

4 아래 그림에서 □ABCD∽□EFGH이고 닮음비가 3 : 2일 때, 다음을 구하시오.

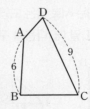

(1) $\overline{AD}$의 길이 _____

(2) $\overline{BC}$의 길이 _____

(3) □ABCD의 둘레의 길이 _____

3 입체도형에서 닮음의 성질

아래 그림에서 두 삼각기둥은 서로 닮은 도형이고 $\overline{AB}$에 대응하는 모서리가 $\overline{GH}$일 때, 다음을 구하시오.

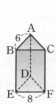 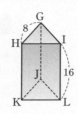

기억하자!
서로 닮은 두 입체도형에서
(1) 대응하는 모서리의 길이의 비는 일정하다.
(2) 대응하는 면은 서로 닮은 도형이다.
(3) 닮음비는 대응하는 모서리의 길이의 비이다.

(1) 두 삼각기둥의 닮음비 ―대응하는 모서리의 길이의 비→ $\overline{AB}:\overline{GH}=6:8=3:4$

(2) $\overline{CF}$의 길이 ―닮음비 이용→ $\overline{CF}:\overline{IL}=3:4$이므로 $\overline{CF}:16=3:4$ ∴ $\overline{CF}=12$
  └→ $\overline{CF}$에 대응하는 모서리

---

1 아래 그림에서 두 삼각기둥은 서로 닮은 도형이고 $\overline{AB}$에 대응하는 모서리가 $\overline{GH}$일 때, 다음을 구하시오.

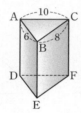

(1) □ADEB에 대응하는 면 _____

(2) 두 삼각기둥의 닮음비 _____

(3) $\overline{HI}$의 길이 _____

2 아래 그림에서 두 직육면체는 서로 닮은 도형이고 □ABCD에 대응하는 면이 □IJKL일 때, 다음을 구하시오.

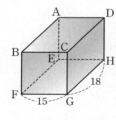 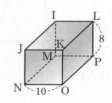

(1) 두 직육면체의 닮음비 _____

(2) $\overline{DH}$의 길이 _____

---

tip **원뿔 또는 원기둥에서의 닮음비**

① 서로 닮은 두 원뿔에서
  (닮음비)=(높이의 비)
    =(밑면의 반지름의 길이의 비)
    =(모선의 길이의 비)
② 서로 닮은 두 원기둥에서
  (닮음비)=(높이의 비)
    =(밑면의 반지름의 길이의 비)

3 오른쪽 그림에서 두 원뿔이 서로 닮은 도형일 때, 다음을 구하시오.

 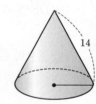

(1) 두 원뿔의 닮음비 _____

(2) 큰 원뿔의 밑면의 반지름의 길이 _____

4 오른쪽 그림에서 두 원기둥이 서로 닮은 도형일 때, 다음을 구하시오.

(1) 두 원기둥의 닮음비 _____

(2) 작은 원기둥의 밑면의 반지름의 길이 _____

4 서로 닮은 두 평면도형에서의 비

아래 그림과 같은 두 정사각형에 대하여 다음을 구하시오.

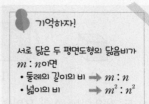

두 정사각형은 항상 서로 닮은 도형이야.

> 기억하자!
>
> 서로 닮은 두 평면도형의 닮음비가
> $m : n$이면
> • 둘레의 길이의 비 ➡ $m : n$
> • 넓이의 비 ➡ $m^2 : n^2$

(1) □ABCD와 □EFGH의 닮음비 ➡ $1 : 2$

(2) □ABCD와 □EFGH의 둘레의 길이의 비 ➡ $(4 \times 1) : (4 \times 2) = 1 : 2$

(3) □ABCD와 □EFGH의 넓이의 비 ➡ $(1 \times 1) : (2 \times 2) = 1^2 : 2^2 = 1 : 4$

1

아래 그림에서 △ABC∽△DEF일 때, 다음을 구하시오.

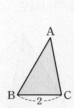 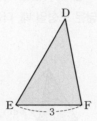

(1) △ABC와 △DEF의 닮음비 _____

(2) △ABC와 △DEF의 둘레의 길이의 비

_____

(3) △ABC와 △DEF의 넓이의 비

_____

(4) △ABC의 둘레의 길이가 8일 때, △DEF의 둘레의 길이

_____

(5) △ABC의 넓이가 3일 때, △DEF의 넓이

2

아래 그림에서 □ABCD∽□EFGH일 때, 다음을 구하시오.

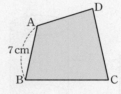 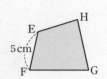

(1) □ABCD와 □EFGH의 닮음비 _____

(2) □ABCD와 □EFGH의 둘레의 길이의 비

_____

(3) □ABCD와 □EFGH의 넓이의 비

_____

(4) □ABCD의 둘레의 길이가 35 cm일 때, □EFGH의 둘레의 길이

_____

(5) □EFGH의 넓이가 50 cm²일 때, □ABCD의 넓이

5 서로 닮은 두 입체도형에서의 비

아래 그림과 같은 두 정육면체 A와 B에 대하여 다음을 구하시오.

A   B

두 정육면체는 항상
서로 닮은 도형이야.

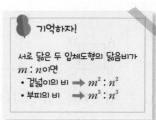
기억하자!

서로 닮은 두 입체도형의 닮음비가
$m : n$이면
• 겉넓이의 비 ➡ $m^2 : n^2$
• 부피의 비 ➡ $m^3 : n^3$

(1) 두 정육면체 A와 B의 닮음비   ➡ $1 : 2$

(2) 두 정육면체 A와 B의 겉넓이의 비 ➡ $(6 \times 1^2) : (6 \times 2^2) = 1^2 : 2^2 = 1 : 4$

(3) 두 정육면체 A와 B의 부피의 비   ➡ $1^3 : 2^3 = 1 : 8$

1 아래 그림에서 두 원기둥 A와 B가 서로 닮은 도형일 때, 다음을 구하시오.

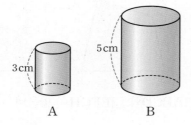

5 cm

3 cm

A   B

(1) 두 원기둥 A와 B의 닮음비   _____

(2) 두 원기둥 A와 B의 밑면의 둘레의 길이의 비

_____

(3) 두 원기둥 A와 B의 겉넓이의 비   _____

(4) 두 원기둥 A와 B의 부피의 비   _____

(5) 원기둥 A의 겉넓이가 $9\pi \, \text{cm}^2$일 때, 원기둥 B의 겉넓이

_____

(6) 원기둥 A의 부피가 $6\pi \, \text{cm}^3$일 때, 원기둥 B의 부피

2 아래 그림에서 밑면이 정사각형인 두 사각뿔 A와 B가 서로 닮은 도형일 때, 다음을 구하시오.

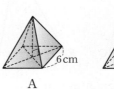 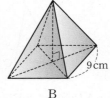

6 cm   9 cm

A   B

(1) 두 사각뿔 A와 B의 닮음비   _____

(2) 두 사각뿔 A와 B의 밑면의 넓이의 비

_____

(3) 두 사각뿔 A와 B의 겉넓이의 비   _____

(4) 두 사각뿔 A와 B의 부피의 비   _____

(5) 사각뿔 A의 겉넓이가 $80 \, \text{cm}^2$일 때, 사각뿔 B의 겉넓이

_____

(6) 사각뿔 B의 부피가 $270 \, \text{cm}^3$일 때, 사각뿔 A의 부피

_____

6 삼각형의 닮음 조건

다음 두 삼각형이 서로 닮음임을 기호 ∽를 써서 나타내고, 그때의 닮음 조건을 말하시오.

(1)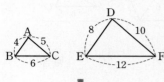

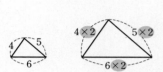

세 쌍의 대응변의
길이의 비가 같다.

△ABC∽△DEF (SSS 닮음)

(2)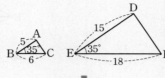

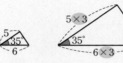

두 쌍의 대응변의 길이의 비가
같고, 그 끼인각의 크기가 같다.

△ABC∽△DEF (SAS 닮음)

(3)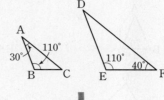

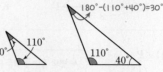

두 쌍의 대응각의
크기가 각각 같다.

△ABC∽△DEF (AA 닮음)

---

1 다음 그림에서 두 삼각형이 서로 닮은 도형일 때, ☐ 안에 알맞은 것을 쓰시오.

(1)

$\overline{AB} : \overline{FD} = 5 : 10 = \boxed{} : \boxed{}$

$\overline{BC} : \boxed{} = 3 : \boxed{} = \boxed{} : \boxed{}$

$\overline{AC} : \overline{FE} = \boxed{} : 12 = \boxed{} : 2$

$\therefore \triangle ABC \varnothing \boxed{} \ (\boxed{} \text{ 닮음})$

(2)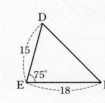

$\overline{AB} : \boxed{} = 10 : \boxed{} = 2 : \boxed{}$

$\angle A = \boxed{} = 75°$

$\overline{AC} : \boxed{} = 12 : \boxed{} = \boxed{} : \boxed{}$

$\therefore \triangle ABC \varnothing \boxed{} \ (\boxed{} \text{ 닮음})$

(3)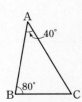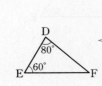

$\angle F = \boxed{}° - (80° + 60°) = \boxed{}°$이므로

$\angle A = \boxed{} = 40°$

$\angle B = \boxed{} = 80°$

$\therefore \triangle ABC \varnothing \boxed{} \ (\boxed{} \text{ 닮음})$

2 다음 그림과 같은 삼각형과 닮은 삼각형을 보기에서 찾아 기호 ∽를 써서 나타내고, 그때의 닮음 조건을 말하시오.

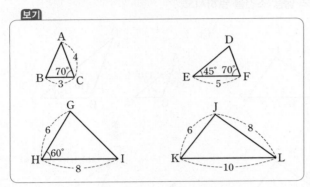

(1)

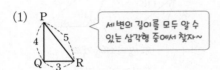

세 변의 길이를 모두 알 수 있는 삼각형 중에서 찾자~

_____

(2)

끼인각의 크기가 같은 삼각형 중에서 찾자~

_____

(3)

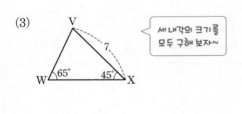

세 내각의 크기를 모두 구해 보자~

_____

3 다음 그림에서 △ABC와 닮은 삼각형을 찾아 기호 ∽를 써서 나타내고, 그때의 닮음 조건을 말하시오.

(1)

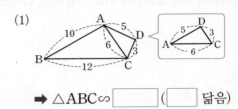

➡ △ABC∽ ☐ (☐ 닮음)

(2)

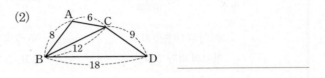

_____

(3)

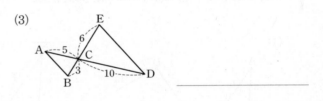

_____

(4)

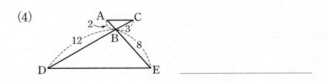

_____

(5)

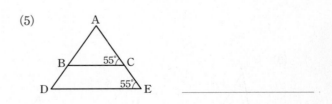

_____

7 공통인 각을 이용하여 닮은 삼각형 찾기(1) - SAS 닮음

다음 그림에서 $\overline{AC}$의 길이를 구하시오.

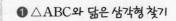

❶ △ABC와 닮은 삼각형 찾기

❷ 닮음비를 이용하여 $\overline{AC}$의 길이 구하기

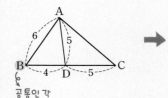

공통인 각

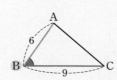

△ABC∽△DBA (SAS 닮음)

공통인 각을 끼인각으로 하는
두 쌍의 대응변의 길이의 비가 같아!

△ABC와 △DBA의 닮음비는
3 : 2이므로 ➡ $\overline{AB}:\overline{DB}=6:4=3:2$

$\overline{AC}:\overline{DA}=3:2$, $\overline{AC}:5=3:2$

∴ $\overline{AC}=\dfrac{15}{2}$

 아래 그림에 대하여 다음을 구하시오.

(1)

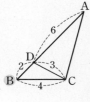
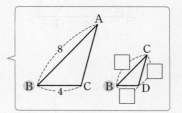

① △ABC와 닮은 삼각형 ＿＿＿＿＿

② $\overline{AC}$의 길이 ＿＿＿＿＿

(2)

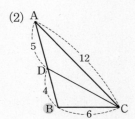

① △ABC와 닮은 삼각형 ＿＿＿＿＿

② $\overline{CD}$의 길이 ＿＿＿＿＿

(3)

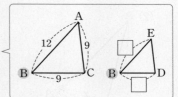

① △ABC와 닮은 삼각형 ＿＿＿＿＿

② $\overline{ED}$의 길이 ＿＿＿＿＿

(4)

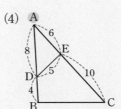

① △ABC와 닮은 삼각형 ＿＿＿＿＿

② $\overline{BC}$의 길이 ＿＿＿＿＿

2 다음 그림에서 x의 값을 구하시오.

(1)

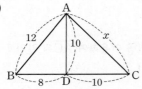

➡ $\triangle$ABC∞ ☐ (SAS 닮음)이고,

닮음비는 $\overline{AB}:\overline{DB}=12:8=$ ☐ $:2$이므로

$x:10=$ ☐ $:2$ ∴ $x=$ ☐

(2)

_____

(3)

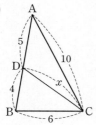

_____

(4)

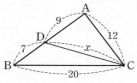

_____

(5)

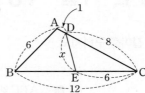

_____

(6)

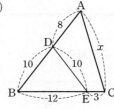

_____

(7)

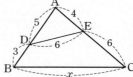

_____

(8)

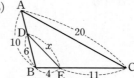

_____

8 공통인 각을 이용하여 닮은 삼각형 찾기(2) - AA 닮음

다음 그림에서 ∠B＝∠DAC일 때, $\overline{DC}$의 길이를 구하시오.

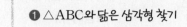

❶ △ABC와 닮은 삼각형 찾기

❷ 닮음비를 이용하여 $\overline{DC}$의 길이 구하기

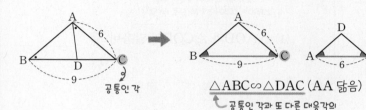

공통인 각

△ABC∽△DAC (AA 닮음)

공통인 각과 또 다른 대응각의
크기가 같아!

△ABC와 △DAC의 닮음비는

3 : 2이므로 ➡ $\overline{BC}:\overline{AC}$＝9：6＝3：2

$\overline{AC}:\overline{DC}$＝3：2, 6：$\overline{DC}$＝3：2

∴ $\overline{DC}$＝4

---

1 아래 그림에 대하여 다음을 구하시오.

(1)

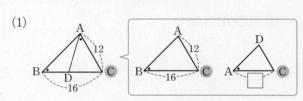

① △ABC와 닮은 삼각형 _____

② $\overline{DC}$의 길이 _____

(2)

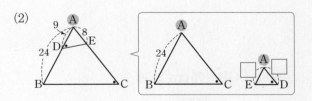

① △ABC와 닮은 삼각형 _____

② $\overline{AC}$의 길이 _____

---

2 다음 그림에서 x의 값을 구하시오.

(1)

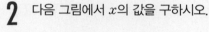

➡ △ABC∽ ☐ (AA 닮음)이고,

닮음비는 $\overline{AC}:\overline{DC}$＝6：2＝☐：1이므로

$x:6$＝☐：1   ∴ x＝☐

(2)

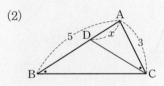

_____

(3)

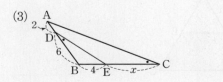

_____

3 오른쪽 그림의 △ABC에서 $\overline{BC} /\!/ \overline{DE}$이고 △ABC의 넓이는 36일 때, 다음을 구하시오.

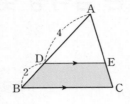

∠ADE=∠ABC(동위각),
∠A는 공통이므로 AA 닮음!

(1) △ADE와 △ABC의 닮음비 _____

(2) △ADE와 △ABC의 넓이의 비 _____

(3) △ADE의 넓이 _____

(4) □DBCE의 넓이 < △ABC－△ADE _____

4 다음 그림의 △ABC에서 색칠한 부분의 넓이를 구하시오.

(1) △ABC＝50 cm²일 때

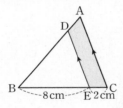
_____

(2) △ADE＝4 cm²일 때

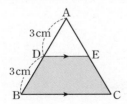
_____

5 오른쪽 그림과 같이 $\overline{AD} /\!/ \overline{BC}$인 사다리꼴 ABCD에서 △AOD의 넓이는 6 cm²일 때, 다음을 구하시오. (단, 점 O는 두 대각선의 교점이다.)

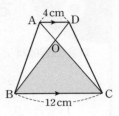

∠AOD=∠COB(맞꼭지각),
∠ADO=∠CBO(엇각)이므로 AA 닮음!

(1) △AOD와 △COB의 닮음비 _____

(2) △AOD와 △COB의 넓이의 비 _____

(3) △COB의 넓이 _____

6 다음 그림과 같이 $\overline{AD} /\!/ \overline{BC}$인 사다리꼴 ABCD에서 색칠한 부분의 넓이를 구하시오.
(단, 점 O는 두 대각선의 교점이다.)

(1) △AOD＝4 cm²일 때

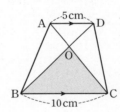
_____

(2) △COB＝75 cm²일 때

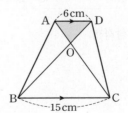
_____

9 직각삼각형 속의 닮음 관계

다음 그림의 △ABC에서 ∠A=90°이고 $\overline{AD} \perp \overline{BC}$일 때, □ 안에 알맞은 것을 쓰시오.

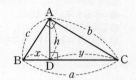

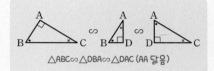

△ABC∽△DBA∽△DAC (AA 닮음)

(1) △ABC∽△DBA이므로

$a:c=c:x$ ∴ $c^2 = \boxed{ax}$

(2) △ABC∽△DAC이므로

$a:b=b:y$ ∴ $b^2 = \boxed{ay}$

(3) △DAC∽△DBA이므로

$y:h=h:x$ ∴ $h^2 = \boxed{xy}$

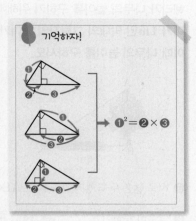

기억하자!

$①^2 = ② \times ③$

1

다음 그림의 △ABC에서 ∠A=90°이고 $\overline{AD} \perp \overline{BC}$일 때, x의 값을 구하시오.

(1)
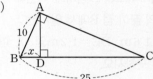

$①^2 = ② \times ③$

➡ $10^2 = x \times \boxed{}$ ∴ $x = \boxed{}$

(2)
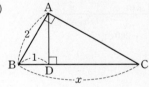

(3)
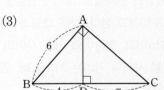

(4)
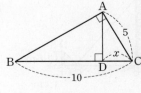

$①^2 = ② \times ③$

➡ $5^2 = x \times \boxed{}$ ∴ $x = \boxed{}$

(5)
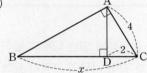

(6)

(7)
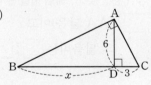

$①^2 = ② \times ③$

➡ $6^2 = x \times \boxed{}$ ∴ $x = \boxed{}$

(8)
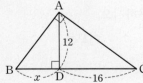

(9)
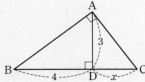

10 실생활에서 닮음의 활용

혜리가 나무의 높이를 구하기 위해 다음 그림과 같이 막대를 지면에 수직으로 세웠다. 길이가 **1m**인 막대의 그림자의 길이가 **1.5m**가 될 때, 나무의 그림자의 길이는 **6m**이었다. 이때 나무의 높이를 구하시오.

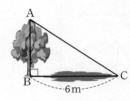

> **기억하자!**
> 닮음을 이용하여 높이를 구하는 순서
> ❶ 서로 닮은 두 도형을 찾는다.
> ❷ 닮음비를 구한다.
> ❸ 비례식을 이용하여 높이를 구한다.

❶ 서로 닮은 두 도형 찾기 ➡ $\triangle ABC \backsim \triangle DEF$ (AA 닮음)

❷ 닮음비 구하기 ➡ $\overline{BC} : \overline{EF} = 6 : 1.5 = 4 : 1$

❸ 나무의 높이 구하기 ➡ $\overline{AB} : \overline{DE} = 4 : 1$이므로 $\overline{AB} : 1 = 4 : 1$ ∴ $\overline{AB} = 4 \,(\text{m})$

---

1 키가 1.5m인 상효가 운동장에 있는 나무의 높이를 구하려고 한다. 아래 그림과 같이 나무의 그림자 끝과 상효의 그림자 끝이 일치하도록 섰을 때, 다음 물음에 답하시오.

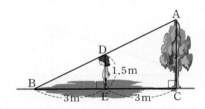

(1) △ABC와 닮은 삼각형을 찾고, 닮음비를 구하시오.

➡ $\triangle ABC \backsim \boxed{}$ (AA 닮음)이고

△ABC와 $\boxed{}$ 의 닮음비는 $\boxed{} : \boxed{}$

(2) 나무의 높이를 구하시오.

➡ $\overline{AC} : \overline{DE} = \boxed{} : \boxed{}$이므로

$\overline{AC} : 1.5 = \boxed{} : \boxed{}$

∴ $\overline{AC} = \boxed{} \,(\text{m})$

2 다음 그림과 같이 피라미드의 그림자와 지면에 수직으로 세운 막대의 그림자의 끝이 점 B에서 일치한다. $\overline{BC} = 200\,\text{m}$, $\overline{BE} = 1.6\,\text{m}$, $\overline{DE} = 1.2\,\text{m}$일 때, 피라미드의 높이는 몇 m인지 구하시오.

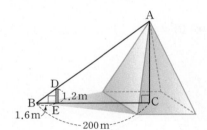

3 정훈이가 거울의 입사각과 반사각의 크기가 같음을 이용하여 건물의 높이를 구하려고 한다. 다음 그림과 같이 정훈이의 눈높이는 1.6m이고, 정훈이와 거울 사이의 거리는 1.4m, 거울과 건물 사이의 거리는 7m일 때, 건물의 높이는 몇 m인지 구하시오.

(단, 거울의 두께는 생각하지 않는다.)

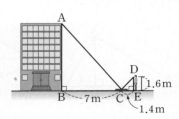

4 호수의 양 끝 지점 A, C 사이의 거리를 재기 위해 실제 6 m인 길이를 2 cm가 되도록 축도를 그렸더니 호수의 폭이 축도에서는 5 cm가 되었다. 이때 호수의 실제 폭은 몇 m인지 구하시오.

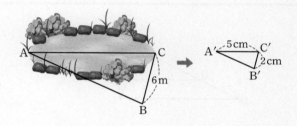

5 눈높이가 1.5 m인 지호가 나무로부터 5 m 떨어진 지점에서 나무의 꼭대기를 올려본 각의 크기가 25°이다. 나무의 높이를 구하기 위해 축도를 그렸더니 다음 그림과 같을 때, 나무의 실제 높이는 몇 m인지 구하시오.

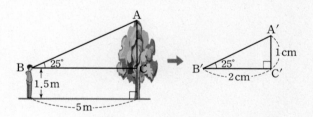

6 아래 그림은 강의 양 끝 지점 A, E 사이의 실제 거리를 구하기 위해 축척이 $\frac{1}{20000}$인 축도를 그린 것이다. $\overline{BC} /\!/ \overline{DE}$일 때, 다음 물음에 답하시오.

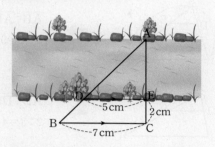

(1) △ABC와 닮은 삼각형을 찾고, 닮음비를 구하시오.

➡ △ABC∽ ⬜ 이고

△ABC와 ⬜ 의 닮음비는 ⬜ : ⬜

(2) $\overline{AE}$의 길이는 몇 cm인지 구하시오.

➡ $\overline{AE}$의 길이를 a cm라 하면

$\overline{AC} : \overline{AE} =$ ⬜ : ⬜ 이므로

$(a+2) : a =$ ⬜ : ⬜   ∴ $a=$ ⬜

∴ $\overline{AE} =$ ⬜ cm

(3) 두 지점 A, E 사이의 실제 거리는 몇 km인지 구하시오.

➡ 두 지점 A, E 사이의 실제 거리를 b cm라 하면

$\overline{AE} : b = 1 :$ ⬜ 이므로

⬜ $: b = 1 :$ ⬜   ∴ $b=$ ⬜

따라서 두 지점 A, E 사이의 실제 거리는

⬜ cm = ⬜ km이다.

7 오른쪽 그림은 어느 호숫가의 양 끝 지점 A, C 사이의 실제 거리를 구하기 위해 축척이 $\frac{1}{5000}$인 축도를 그린 것이다. $\overline{AC} /\!/ \overline{DE}$일 때, 두 지점 A, C 사이의 실제 거리는 몇 m인지 구하시오.

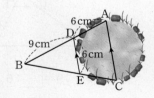

개념 익히기

11 삼각형에서 평행선과 선분의 길이의 비(1)

다음 그림에서 $\overline{BC}/\!/\overline{DE}$일 때, x의 값을 구하시오.

(1)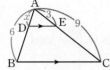

➡ $\overline{AB}:\overline{AD}=\overline{AC}:\overline{AE}$이므로
$6:x=9:3$ ∴ $x=2$

(2)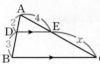

➡ $\overline{AD}:\overline{DB}=\overline{AE}:\overline{EC}$이므로
$2:3=4:x$ ∴ $x=6$

(3)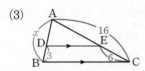

➡ $\overline{AB}:\overline{BD}=\overline{AC}:\overline{CE}$이므로
$x:3=16:6$ ∴ $x=8$

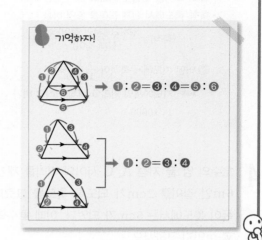
기억하자!
➡ ❶:❷=❸:❹=❺:❻
➡ ❶:❷=❸:❹

| 다음 그림에서 $\overline{BC}/\!/\overline{DE}$일 때, x의 값을 구하시오.

(1)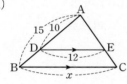

➡ $15:10=x:\boxed{}$ ∴ $x=\boxed{}$

(2)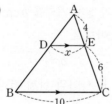

_____

(3)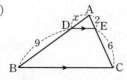

➡ $x:9=\boxed{}:6$ ∴ $x=\boxed{}$

(4)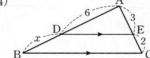

_____

(5)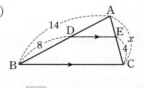

➡ $\boxed{}:8=x:4$ ∴ $x=\boxed{}$

(6)

_____

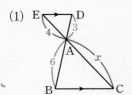

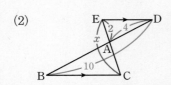

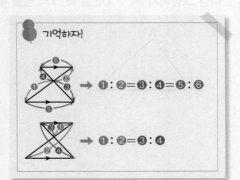

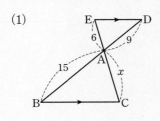

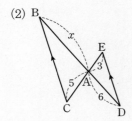

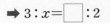

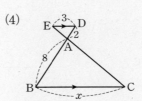

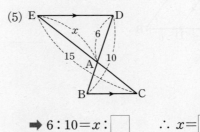

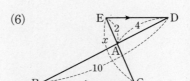

12 삼각형에서 평행선과 선분의 길이의 비(2)

다음 그림에서 $\overline{BC} /\!/ \overline{DE}$일 때, x의 값을 구하시오.

(1)

$\Rightarrow$ $\overline{AB}:\overline{AD}=\overline{AC}:\overline{AE}$이므로
$6:3=x:4$ $\therefore x=8$

(2)

$\Rightarrow$ $\overline{AD}:\overline{DB}=\overline{AE}:\overline{EC}$이므로
$4:10=2:x$ $\therefore x=5$

기억하자!

---

1 다음 그림에서 $\overline{BC} /\!/ \overline{DE}$일 때, x의 값을 구하시오.

(1)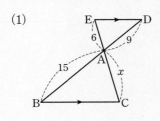

$\Rightarrow$ $15:\boxed{}=x:6$ $\therefore x=\boxed{}$

(2)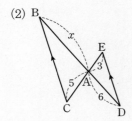

(3)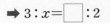

$\Rightarrow$ $3:x=\boxed{}:2$ $\therefore x=\boxed{}$

(4)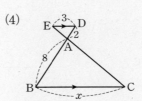

(5)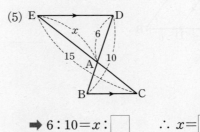

$\Rightarrow$ $6:10=x:\boxed{}$ $\therefore x=\boxed{}$

(6)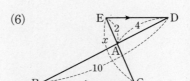

1 다음 그림에서 $\overline{BC} /\!/ \overline{DE}$일 때, x의 값을 구하시오.

(1)

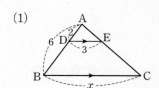

_____

(2)

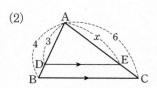

_____

(3)

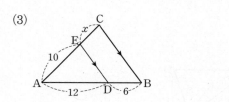

_____

(4)

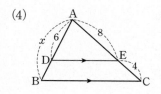

_____

(5)

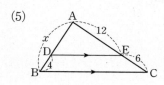

(6)

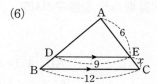

_____

(7)

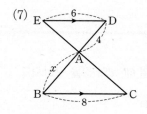

_____

(8)

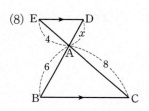

_____

(9)

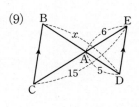

_____

(10)

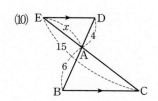

_____

13 삼각형에서 평행선 찾기

다음 그림에서 $\overline{BC} /\!/ \overline{DE}$인 것을 말하시오.

(1)

$\overline{AB} : \overline{AD} = 6 : 4 = 3 : 2$
$\overline{AC} : \overline{AE} = 9 : 6 = 3 : 2$

선분의 길이의 비가 일정해!

$\overline{BC} /\!/ \overline{DE}$이다.

(2)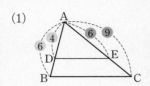

$\overline{AB} : \overline{AD} = 10 : 6 = 5 : 3$
$\overline{AC} : \overline{AE} = \ 8 : 4 = 2 : 1$

선분의 길이의 비가 일정하지 않아!

$\overline{BC} /\!/ \overline{DE}$가 아니다.

---

1 다음 그림에서 $\overline{BC} /\!/ \overline{DE}$인 것은 ○표, 아닌 것은 ×표를 ( ) 안에 쓰시오.

(1)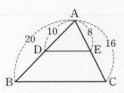

(   )

(2)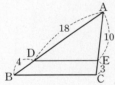

(   )

(3)

(   )

(4)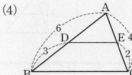

(   )

(5)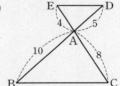

(   )

(6)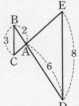

(   )

(7)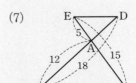

(   )

14 삼각형의 두 변의 중점을 연결한 선분의 성질

다음 그림의 △ABC에서 x의 값을 구하시오.

(1)
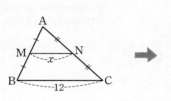
$\Rightarrow$
$\overline{AM}=\overline{MB}$, $\overline{AN}=\overline{NC}$이면 $\Rightarrow$ $\overline{MN} /\!/ \overline{BC}$, $\overline{MN}=\dfrac{1}{2}\overline{BC}$
$\Rightarrow$ $x=\dfrac{1}{2}\overline{BC}=6$

(2)
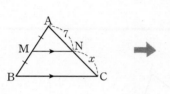
$\Rightarrow$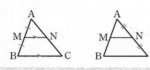
$\overline{AM}=\overline{MB}$, $\overline{MN} /\!/ \overline{BC}$이면 $\Rightarrow$ $\overline{AN}=\overline{NC}$
$\Rightarrow$ $x=\overline{AN}=7$

---

1 다음 그림의 △ABC에서 x의 값을 구하시오.

(1)
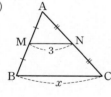
$\Rightarrow x=\dfrac{1}{2}\overline{BC}=\square$

(2)
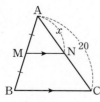
$\Rightarrow x=2\overline{MN}=\square$

(3)
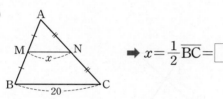
$\Rightarrow x=\dfrac{1}{2}\overline{AC}=\square$

(4)
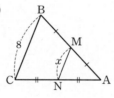

_____

(5)
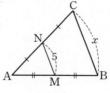

_____

(6)
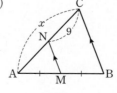

_____

2 다음 그림의 △ABC에서 $\overline{AM}=\overline{MB}$이고 $\overline{MN}$∥$\overline{BC}$일 때, x, y의 값을 각각 구하시오.

(1)

$\overline{AM}=\overline{MB}$, $\overline{MN}$∥$\overline{BC}$이면
$\overline{AN}=\overline{NC}$이므로 $\overline{MN}=\dfrac{1}{2}\overline{BC}$

_____

(2)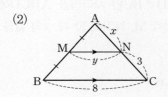

_____

(3)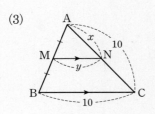

_____

(4)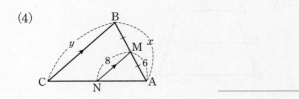

_____

조금더! **삼각형의 둘레의 길이 구하기**

다음 그림의 △ABC에서 $\overline{AB}$, $\overline{BC}$, $\overline{CA}$의 중점을 각각 P, Q, R라 할 때, △PQR의 둘레의 길이는?

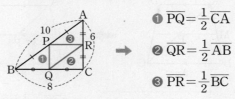

➊ $\overline{PQ}=\dfrac{1}{2}\overline{CA}$

➋ $\overline{QR}=\dfrac{1}{2}\overline{AB}$

➌ $\overline{PR}=\dfrac{1}{2}\overline{BC}$

∴ (△PQR의 둘레의 길이)$=\dfrac{1}{2}(\overline{AB}+\overline{BC}+\overline{CA})$

$\qquad\qquad\qquad\quad=\dfrac{1}{2}\times(10+8+6)=12$

(△PQR의 둘레의 길이)$=\dfrac{1}{2}\times$(△ABC의 둘레의 길이)

3 아래 그림의 △ABC에서 $\overline{AB}$, $\overline{BC}$, $\overline{CA}$의 중점을 각각 P, Q, R라 할 때, 다음을 구하시오.

(1)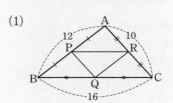

➡ (△PQR의 둘레의 길이)

$=\dfrac{1}{2}(\overline{AB}+\overline{BC}+\overline{CA})$

$=\dfrac{1}{2}\times(12+\boxed{}+10)=\boxed{}$

(2)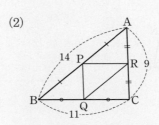

➡ (△PQR의 둘레의 길이)= _____

(3)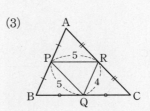

➡ (△ABC의 둘레의 길이)= _____

15 사다리꼴에서 두 변의 중점을 연결한 선분의 성질

다음 그림과 같이 $\overline{AD}$ // $\overline{BC}$인 사다리꼴 ABCD에서 $\overline{AB}$, $\overline{DC}$의 중점을 각각 M, N이라 할 때, $\overline{MN}$의 길이를 구하시오.

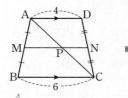 ➡ 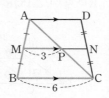 + 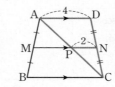 ➡ $\overline{MN}=3+2=5$

$\overline{AD}$ // $\overline{BC}$이고 점 M이 $\overline{AB}$의 중점이므로 삼각형의 두 변의 중점을 연결한 선분의 성질에 의해 $\overline{AD}$ // $\overline{MN}$ // $\overline{BC}$ 야!

$\overline{MP}=\dfrac{1}{2}\overline{BC}=3$ $\overline{PN}=\dfrac{1}{2}\overline{AD}=2$

△ABC와 △ACD에서 각각 삼각형의 두 변의 중점을 연결한 선분의 성질을 이용해야 해.

---

1 다음 그림과 같이 $\overline{AD}$ // $\overline{BC}$인 사다리꼴 ABCD에서 $\overline{AB}$, $\overline{DC}$의 중점을 각각 M, N이라 할 때, x의 값을 구하시오.

(1)

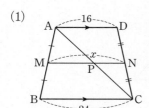

➡ $x=\overline{MP}+\overline{PN}=\boxed{}+\boxed{}=\boxed{}$

(2)

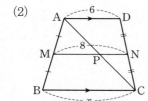

_____

(3)

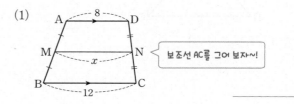

_____

2 다음 그림과 같이 $\overline{AD}$ // $\overline{BC}$인 사다리꼴 ABCD에서 $\overline{AB}$, $\overline{DC}$의 중점을 각각 M, N이라 할 때, x의 값을 구하시오.

(1)

보조선 AC를 그어 보자~!

_____

(2)

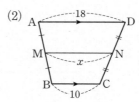

_____

(3)

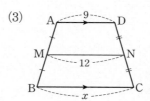

_____

16 평행선 사이에 있는 선분의 길이의 비

다음 그림에서 $l /\!/ m /\!/ n$일 때, x의 값을 구하시오.

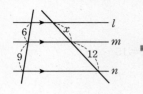 → 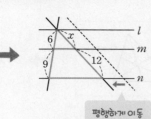 → $6 : 9 = x : 12$에서
$9x = 72$
$\therefore x = 8$

평행하게 이동

기억하자!

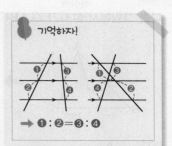
→ ① : ② = ③ : ④

---

1 다음 그림에서 $l /\!/ m /\!/ n$일 때, x의 값을 구하시오.

(1)
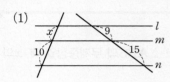

➡ $x : \boxed{} = \boxed{} : 15$ $\therefore x = \boxed{}$

(2)
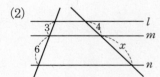

_____

(3)
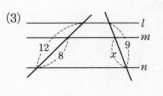

➡ $12 : \boxed{} = \boxed{} : x$ $\therefore x = \boxed{}$

(4)
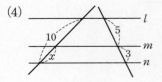

_____

2 다음 그림에서 $l /\!/ m /\!/ n$일 때, x의 값을 구하시오.

(1)
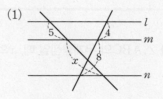

➡ $5 : x = \boxed{} : \boxed{}$ $\therefore x = \boxed{}$

(2)
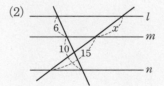

_____

(3)
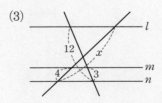

➡ $12 : \boxed{} = x : \boxed{}$ $\therefore x = \boxed{}$

(4)
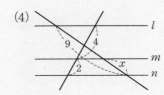

_____

17 삼각형의 무게중심

다음 그림에서 점 G가 △ABC의 무게중심일 때, x의 값을 구하시오.

(1)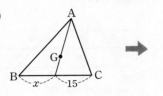

무게중심은
세 중선의 교점이다.

무게중심

$x=15$

(2)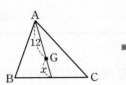

무게중심은 세 중선을
각 꼭짓점으로부터
$2:1$로 나눈다.

무게중심

$12:x=2:1$에서 $2x=12$

∴ $x=6$

---

1 다음 그림에서 점 G가 △ABC의 무게중심일 때, x의 값을 구하시오.

(1)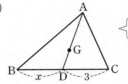

$\overline{AD}$는 △ABC의 중선!

_____

(2)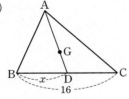

_____

(3)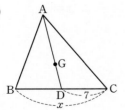

_____

2 다음 그림에서 점 G가 △ABC의 무게중심일 때, x의 값을 구하시오.

(1)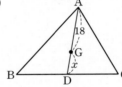

_____

(2)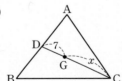

_____

(3)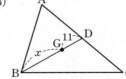

_____

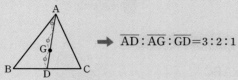
3 다음 그림에서 점 G가 △ABC의 무게중심일 때, x의 값을 구하시오.

(1)

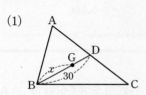

$\Rightarrow \overline{BD} : \overline{BG} = 3 : \boxed{}$ 이므로

$30 : x = 3 : \boxed{}$ $\therefore x = \boxed{}$

(2)

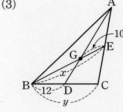

_____

(3)

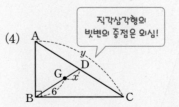

_____

(4)

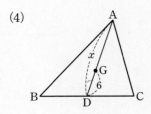

_____

4 다음 그림에서 점 G가 △ABC의 무게중심일 때, x, y의 값을 각각 구하시오.

(1)

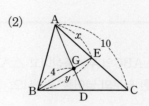

점 G는 세 중선의 교점이야~

_____

(2)

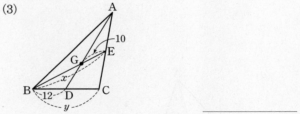

_____

(3)

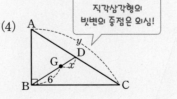

_____

(4)

직각삼각형의 빗변의 중점은 외심!

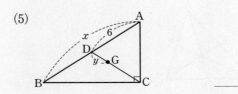

_____

(5)

_____

18 삼각형의 무게중심과 넓이

다음 그림에서 점 G는 △ABC의 무게중심이고 △ABC의 넓이가 6일 때, 색칠한
부분의 넓이를 구하시오.

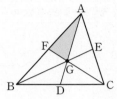

세 중선에 의해 나누어지는
6개의 삼각형의 넓이는 같다.

$$\triangle GAF = \frac{1}{6}\triangle ABC$$
$$= \frac{1}{6} \times 6 = 1$$

기억하자!

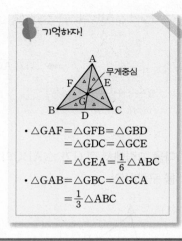

무게중심

• △GAF=△GFB=△GBD
  =△GDC=△GCE
  =△GEA=$\frac{1}{6}$△ABC

• △GAB=△GBC=△GCA
  =$\frac{1}{3}$△ABC

---

1 다음 그림에서 점 G는 △ABC의 무게중심이고 △ABC
의 넓이가 18일 때, 색칠한 부분의 넓이를 구하시오.

(1)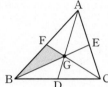

_____

(2)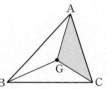

_____

(3)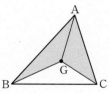

_____

(4)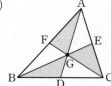

_____

2 다음 그림에서 점 G가 △ABC의 무게중심일 때, △ABC
의 넓이를 구하시오.

(1) △GBC=5일 때

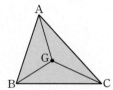

_____

(2) △GBD=6일 때

_____

(3) □FBDG=9일 때

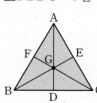

_____

19 평행사변형에서 삼각형의 무게중심의 응용

다음 그림의 평행사변형 ABCD에서 $\overline{BC}$, $\overline{DC}$의 중점을 각각 M, N이라 할 때, $\overline{PQ}$의 길이를 구하시오.

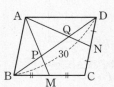 →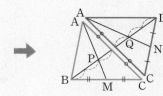

두 점 P, Q는 각각
△ABC, △ACD의 무게중심이다.

→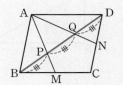

$\overline{BP}=\overline{PQ}=\overline{QD}$이므로

$\overline{PQ}=\dfrac{1}{3}\overline{BD}=10$

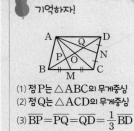

기억하자!

(1) 점 P는 △ABC의 무게중심
(2) 점 Q는 △ACD의 무게중심
(3) $\overline{BP}=\overline{PQ}=\overline{QD}=\dfrac{1}{3}\overline{BD}$

---

1 다음 그림의 평행사변형 ABCD에서 x의 값을 구하시오.
(단, 점 O는 두 대각선의 교점이다.)

(1)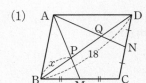

_____

(2)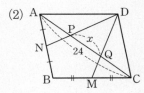

_____

(3)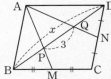

_____

(4)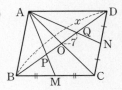

_____

2 평행사변형 ABCD의 넓이가 아래와 같을 때, 다음을 구하시오. (단, 점 O는 두 대각선의 교점이다.)

(1) □ABCD=60일 때

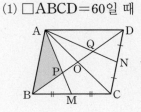

두 점 P, Q는 각각
△ABC, △ACD의 무게중심!

❶ △ABC=$\dfrac{1}{2}$□ABCD=□

❷ △ABP=$\dfrac{1}{□}$△ABC=□

(2) □ABCD=24일 때

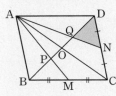

❶ △ACD의 넓이

_____

❷ △DQN의 넓이

_____

개념 익히기

20 피타고라스 정리

다음 그림의 직각삼각형 ABC에서 x의 값을 구하시오.

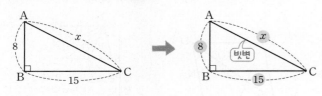

$8^2+15^2=x^2$이므로

$x^2=8^2+15^2=289$

이때 $x>0$이므로 $x=17$

↑

변의 길이는 양수!

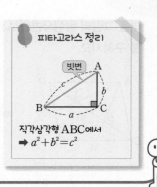

피타고라스 정리

직각삼각형 ABC에서

➡ $a^2+b^2=c^2$

---

1 다음 그림의 직각삼각형 ABC에서 x^2의 값을 구하시오.

(1)

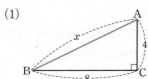

_____

(2)

_____

(3)

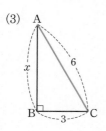

_____

(4)

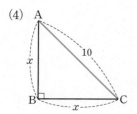

_____

---

2 다음 그림의 직각삼각형 ABC에서 x의 값을 구하시오.

(1)

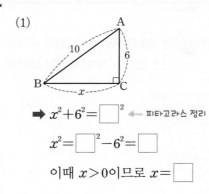

➡ $x^2+6^2=\boxed{}^2$ ← 피타고라스 정리

$x^2=\boxed{}^2-6^2=\boxed{}$

이때 $x>0$이므로 $x=\boxed{}$

(2)

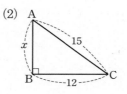

_____

(3)

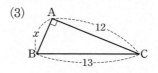

_____

21 삼각형을 나누었을 때, 변의 길이 구하기

다음 그림의 $\triangle ABC$에서 $\overline{AD} \perp \overline{BC}$일 때, x, y의 값을 각각 구하시오.

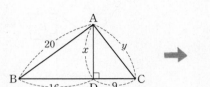

❶ $\triangle ABD$에서 x의 값 구하기

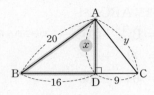

❷ $\triangle ADC$에서 y의 값 구하기

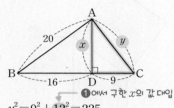

$\triangle ABD$에서 $16^2 + x^2 = 20^2 \rightarrow x^2 = 20^2 - 16^2 = 144$

이때 $x > 0$이므로 $x = 12$

❶에서 구한 x의 값 대입

$y^2 = 9^2 + 12^2 = 225$

이때 $y > 0$이므로 $y = 15$

---

1 다음 그림의 $\triangle ABC$에서 $\overline{AD} \perp \overline{BC}$일 때, x, y의 값을 각각 구하시오.

(1)

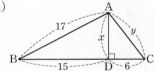

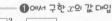

❶ x의 값 구하기

$\triangle ABD$에서 $x^2 = \boxed{}^2 - 15^2 = \boxed{}$

이때 $x > 0$이므로 $x = \boxed{}$

❷ y의 값 구하기

❶에서 구한 x의 값 대입

$\triangle ADC$에서 $y^2 = 6^2 + \boxed{}^2 = \boxed{}$

이때 $y > 0$이므로 $y = \boxed{}$

(2)

---

2 다음 그림의 $\triangle ABC$에서 x, y의 값을 각각 구하시오.

(1)

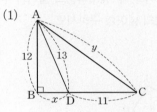

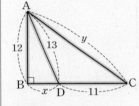

❶ x의 값 구하기

$\triangle ABD$에서 $x^2 = 13^2 - \boxed{}^2 = \boxed{}$

이때 $x > 0$이므로 $x = \boxed{}$

❷ y의 값 구하기

❶에서 구한 x의 값 대입

$\triangle ABC$에서 $y^2 = 12^2 + (\boxed{} + 11)^2 = \boxed{}$

이때 $y > 0$이므로 $y = \boxed{}$

(2)

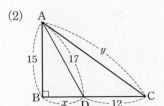

22 피타고라스 정리의 이해 (1) - 유클리드의 방법

다음 그림과 같이 직각삼각형 ABC의 각 변을 한 변으로 하는 세 정사각형의 넓이를 각각 P, Q, R라 하자. $Q=64$, $R=36$일 때, P의 값을 구하시오.

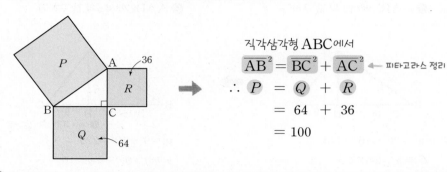

직각삼각형 ABC에서

$\overline{AB}^2 = \overline{BC}^2 + \overline{AC}^2$ ← 피타고라스 정리

$\therefore P = Q + R$

$= 64 + 36$

$= 100$

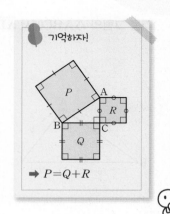

기억하자!

➡ $P = Q + R$

---

1 다음 그림은 직각삼각형 ABC의 각 변을 한 변으로 하는 세 정사각형을 그린 것이다. 두 정사각형의 넓이가 주어졌을 때, 색칠한 정사각형의 넓이를 구하시오.

(1)

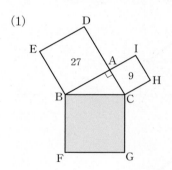

➡ □BFGC $= 27 + \boxed{} = \boxed{}$

(2)

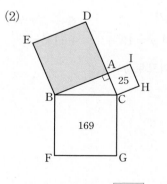

➡ □ADEB $= \boxed{} - 25 = \boxed{}$

(3)

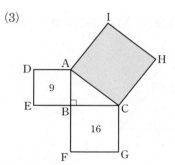

(4)

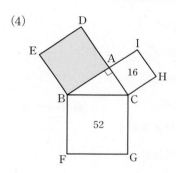

(5)

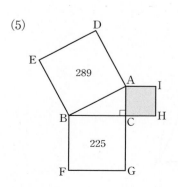

23 피타고라스 정리의 이해 (2) - 피타고라스의 방법

다음 그림의 정사각형 ABCD에서 $\overline{AE}=\overline{BF}=\overline{CG}=\overline{DH}=4cm$이고
$\overline{AH}=\overline{BE}=\overline{CF}=\overline{DG}=3cm$일 때, $\square EFGH$의 넓이를 구하시오.

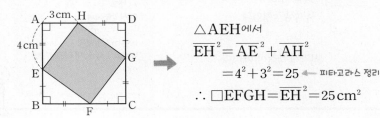

$\triangle AEH$에서
$\overline{EH}^2=\overline{AE}^2+\overline{AH}^2$
$=4^2+3^2=25$ ← 피타고라스 정리
$\therefore \square EFGH=\overline{EH}^2=25cm^2$

기억하자!

정사각형 ABCD에서
$\overline{AE}=\overline{BF}=\overline{CG}=\overline{DH}$일 때

$\triangle AEH\equiv\triangle BFE\equiv\triangle CGF$
$\equiv\triangle DHG$ (SAS 합동)
➡ $\square EFGH$는 정사각형

---

1 다음 그림의 정사각형 ABCD에서 4개의 직각삼각형이 모두 합동일 때, $\square EFGH$의 넓이를 구하시오.

(1)
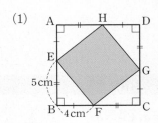

$\triangle BFE$에서
$\overline{EF}^2=\overline{EB}^2+\overline{BF}^2=\boxed{}^2+\boxed{}^2=\boxed{}$이므로
$\square EFGH=\overline{EF}^2=\boxed{}cm^2$

(2)
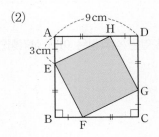

_____

(3)
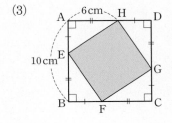

2 다음 그림의 정사각형 ABCD에서 4개의 직각삼각형이 모두 합동이고 $\square EFGH$의 넓이가 주어졌을 때, x의 값을 구하시오.

(1)
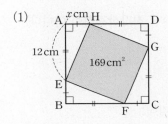

$\square EFGH=\overline{EH}^2=\boxed{}cm^2$
$\triangle AEH$에서
$x^2=\overline{EH}^2-\overline{AE}^2=\boxed{}-12^2=\boxed{}$
이때 $x>0$이므로 $x=\boxed{}$

(2)
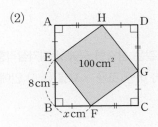

_____

(3)
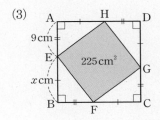

_____

24 직각삼각형이 되는 조건

세 변의 길이가 다음과 같은 삼각형이 직각삼각형인지 아닌지 말하시오.

(1) 3, 4, 5 → 가장 긴 변의 길이 ⑤ → $\underset{25}{5^2} = \underset{25}{3^2+4^2}$ → 빗변의 길이가 5인 직각삼각형이다.

(2) 4, 6, 9 → 가장 긴 변의 길이 ⑨ → $\underset{81}{9^2} \neq \underset{52}{4^2+6^2}$ → 직각삼각형이 아니다.

> 기억하자!
>
> 세 변의 길이가 각각 a, b, c 인 삼각형에서
> $$c^2 = a^2 + b^2$$
> 이면 이 삼각형은 빗변의 길이가 c인 직각삼각형이야!

1 삼각형의 세 변의 길이가 다음과 같을 때, 가장 긴 변의 길이를 찾은 후 ◯ 안에 =, ≠ 중 알맞은 것을 쓰고 ( ) 안의 옳은 것에 ◯표를 하시오.

(1) 2, 3, 4

➡ 가장 긴 변의 길이: _____

➡ 4^2 ◯ 2^2+3^2

➡ (직각삼각형이다, 직각삼각형이 아니다).

(2) 5, 12, 13

➡ 가장 긴 변의 길이: _____

➡ 13^2 ◯ 5^2+12^2

➡ (직각삼각형이다, 직각삼각형이 아니다).

2 세 변의 길이가 다음과 같은 삼각형 중에서 직각삼각형인 것은 ◯표, 직각삼각형이 아닌 것은 ×표를 ( ) 안에 쓰시오.

(1) 6, 8, 10 ( )

(2) 9, 15, 17 ( )

(3) 7, 24, 25 ( )

3 세 변의 길이가 각각 9, 12, x인 삼각형이 직각삼각형이 되도록 하는 x의 값을 구하시오. (단, $x>12$)

_____

> 조금더! **세 변의 길이에 따른 삼각형의 종류**
>
> △ABC에서 $\overline{AB}=c$, $\overline{BC}=a$, $\overline{CA}=b$ 이고 c가 가장 긴 변의 길이일 때
>
> (1) $c^2 < a^2+b^2$이면 ∠C<90°
>   ➡ 예각삼각형
>
> (2) $c^2 = a^2+b^2$이면 ∠C=90°
>   ➡ 직각삼각형
>
> (3) $c^2 > a^2+b^2$이면 ∠C>90°
>   ➡ 둔각삼각형

4 세 변의 길이가 다음과 같은 삼각형은 어떤 삼각형인지 말하시오.

(1) 3, 5, 7 _____

(2) 7, 8, 9 _____

(3) 8, 15, 17 _____

(4) 9, 9, 13 _____

멋진 헤어스타일을 완성해 보자~!

아래의 얼굴에 요즘 유행하는 헤어스타일을 완성해 보자.
평소에 해 보고 싶었던 헤어스타일을 그려 봐도 좋아~!

표정에 어울리게
그려주면 더욱 좋아~!

IV 확률

1. 경우의 수
2. 확률

IV·1 경우의 수

❶ 사건과 경우의 수

(1) **사건**: 같은 조건에서 반복할 수 있는 실험이나 관찰에서 나타나는 결과

(2) **경우의 수**: 어떤 사건이 일어나는 가짓수 → 경우의 수를 구할 때는 빠짐없이, 중복되지 않게~!

  예 주사위 한 개를 던질 때 홀수의 눈이 나오는 경우의 수
   실험·관찰   사건

  ➡ · ·. ∴ 이므로 경우의 수는 3이다.

❷ 사건 A 또는 사건 B가 일어나는 경우의 수

두 사건 A, B가 동시에 일어나지 않을 때, 사건 A가 일어나는 경우의 수를 a, 사건 B가 일어나는 경우의 수를 b라 하면

└ 각 사건이 일어나는 경우의 수를 더한다.

➡ (사건 A 또는 사건 B가 일어나는 경우의 수)$=a+b$

참고 일반적으로 문제에 '또는', '~이거나'라는 표현이 있으면 각 사건이 일어나는 경우의 수를 더한다.

❸ 사건 A와 사건 B가 동시에 일어나는 경우의 수

사건 A가 일어나는 경우의 수를 a, 그 각각에 대하여 사건 B가 일어나는 경우의 수를 b라 하면

└ 각 사건이 일어나는 경우의 수를 곱한다.

➡ (사건 A와 사건 B가 동시에 일어나는 경우의 수)$=a \times b$(가지)

참고 일반적으로 문제에 '동시에', '그리고', '~와', '~하고 나서'라는 표현이 있으면 각 사건이 일어나는 경우의 수를 곱한다.

IV·2 확률

❶ 확률의 뜻

(1) 같은 조건에서 실험이나 관찰을 여러 번 반복할 때, 어떤 사건이 일어나는 상대도수가 일정한 값에 가까워지면 이 일정한 값을 그 사건이 일어날 **확률**이라 한다.

(2) 어떤 실험이나 관찰에서 각 경우가 일어날 가능성이 같을 때, 일어날 수 있는 모든 경우의 수를 n, 사건 A가 일어나는 경우의 수를 a라 하면 사건 A가 일어날 확률 p는

➡ $p = \dfrac{(사건\ A가\ 일어나는\ 경우의\ 수)}{(모든\ 경우의\ 수)} = \dfrac{a}{n}$

참고 확률은 보통 분수, 소수, 백분율로 나타낸다.

빨간 구슬 3개, 노란 구슬 2개, 파란 구슬 5개가 들어 있는 주머니에서 한 개의 구슬을 임의로 꺼낼 때, 노란 구슬 또는 파란 구슬이 나오는 경우의 수는

➡ (노란 구슬이 나오는 경우의 수)

  +(파란 구슬이 나오는 경우의 수)

  $=2+$ ❶ $=$ ❷

서로 다른 티셔츠 3장과 바지 2벌이 있을 때, 티셔츠와 바지를 짝 지어 입는 경우의 수는

➡ (티셔츠를 고르는 경우의 수)

  ×(바지를 고르는 경우의 수)

  $=$ ❸ $\times 2 =$ ❹

1부터 5까지의 자연수가 각각 하나씩 적힌 5장의 카드 중에서 한 장을 임의로 뽑을 때

➡ (짝수가 적힌 카드가 나올 확률)$=$ ❺

② 확률의 성질

(1) 어떤 사건 A가 일어날 확률을 p라 하면 $0 \leq p \leq 1$이다.

(2) 반드시 일어나는 사건의 확률은 **1**이다.

(3) 절대로 일어나지 않는 사건의 확률은 **0**이다.

예 주사위 한 개를 던질 때

① 6 이하의 눈이 나올 확률은 1이다.

② 7의 눈이 나올 확률은 0이다.

참고 확률이 음수이거나 1보다 큰 경우는 없다.

③ 어떤 사건이 일어나지 않을 확률

사건 A가 일어날 확률을 p라 하면

➡ (사건 A가 일어나지 않을 확률)$=1-p$

참고 · 사건 A가 일어날 확률을 p, 사건 A가 일어나지 않을 확률을 q라 하면 ➡ $p+q=1$

· 일반적으로 문제에 '적어도 ~일', '최소한 ~일', '~ 않을', '~ 못할'이라는 표현이 있으면 어떤 사건이 일어나지 않을 확률을 이용하는 것이 편리하다.

④ 사건 A 또는 사건 B가 일어날 확률

두 사건 A, B가 동시에 일어나지 않을 때,

사건 A가 일어날 확률을 p, 사건 B가 일어날 확률을 q라 하면

➡ (사건 A **또는** 사건 B가 일어날 확률)$=p+q$ ← 확률의 덧셈

참고 일반적으로 문제에 '또는', '~이거나'라는 표현이 있으면 각 사건이 일어날 확률을 더한다.

⑤ 사건 A와 사건 B가 동시에 일어날 확률

두 사건 A, B가 서로 영향을 끼치지 않을 때,

사건 A가 일어날 확률을 p, 사건 B가 일어날 확률을 q라 하면

➡ (사건 A와 사건 B가 **동시에** 일어날 확률)$=p \times q$ ← 확률의 곱셈

참고 일반적으로 문제에 '동시에', '그리고', '~와', '~하고 나서'라는 표현이 있으면 각 사건이 일어날 확률을 곱한다.

개념 CHECK

3개의 불량품이 섞여 있는 20개의 제품 중에서 한 개를 임의로 고를 때

➡ (불량품을 고르지 않을 확률)

$=1-\dfrac{\boxed{⑥}}{20}=\boxed{⑦}$

주사위 한 개를 던질 때, 3 이하의 눈 또는 5 이상의 눈이 나올 확률은

➡ (3 이하의 눈이 나올 확률)

　＋(5 이상의 눈이 나올 확률)

$=\dfrac{3}{6}+\boxed{⑧}=\boxed{⑨}$

동전 한 개와 주사위 한 개를 동시에 던질 때, 동전은 뒷면이 나오고 주사위는 2의 눈이 나올 확률은

➡ (동전에서 뒷면이 나올 확률)

　×(주사위에서 2의 눈이 나올 확률)

$=\dfrac{1}{2}\times\boxed{⑩}=\boxed{⑪}$

정답 😊

❶ 5 　❷ 7 　❸ 3 　❹ 6 　❺ $\dfrac{2}{5}$

❻ 3 　❼ $\dfrac{17}{20}$ 　❽ $\dfrac{2}{6}$ 　❾ $\dfrac{5}{6}$ 　❿ $\dfrac{1}{6}$

⓫ $\dfrac{1}{12}$

개념 익히기

1 사건과 경우의 수

100원짜리 동전 한 개를 던질 때, 다음의 각 사건에 대하여 경우의 수를 구하시오.

사건	경우	경우의 수
앞면이 나온다.	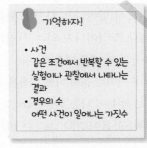	1
뒷면이 나온다.		1
일어날 수 있는 모든 경우		2

기억하자!

• 사건
같은 조건에서 반복할 수 있는 실험이나 관찰에서 나타나는 결과
• 경우의 수
어떤 사건이 일어나는 가짓수

1
한 개의 주사위를 던질 때, 다음 사건이 일어나는 경우의 수를 구하시오.

(1) 3 이상의 눈이 나온다.

> 3 이상의 눈은 ☐, ☐, ☐, ☐
> ➡ 3 이상의 눈이 나오는 경우의 수는 ☐

(2) 2보다 크고 5보다 작은 수의 눈이 나온다.

—————

(3) 6의 약수의 눈이 나온다.

—————

(4) 짝수의 눈이 나온다.

—————

(5) 3의 배수의 눈이 나온다.

—————

2
1부터 10까지의 자연수가 각각 하나씩 적힌 10장의 카드가 있다. 이 중에서 한 장의 카드를 뽑을 때, 다음 사건이 일어나는 경우의 수를 구하시오.

(1) 3의 배수가 적힌 카드가 나온다.

> 3의 배수는 ☐, ☐, ☐
> ➡ 3의 배수가 적힌 카드가 나오는 경우의 수는 ☐

(2) 5 이상 9 이하의 수가 적힌 카드가 나온다.

—————

(3) 두 자리의 자연수가 적힌 카드가 나온다.

—————

(4) 10의 약수가 적힌 카드가 나온다.

—————

(5) 소수가 적힌 카드가 나온다.
┗ 1보다 큰 자연수 중에서 약수가 1과 자기 자신뿐인 수!

—————

3 서로 다른 두 개의 동전을 동시에 던질 때, 다음 물음에 답하시오.

(1) 일어날 수 있는 모든 경우의 수를 구하시오.

> 모든 경우를 순서쌍으로 나타내면 (앞면, 앞면),
> (앞면, ☐), (뒷면, ☐), (☐ , ☐)
> ➡ 모든 경우의 수는 ☐

(2) 앞면이 1개만 나오는 경우의 수를 구하시오.

_____

4 미라와 민정이가 가위바위보를 한 번 할 때, 다음 물음에 답하시오.

(1) 다음 나뭇가지 모양의 그림을 완성하고, 일어날 수 있는 모든 경우의 수를 구하시오.

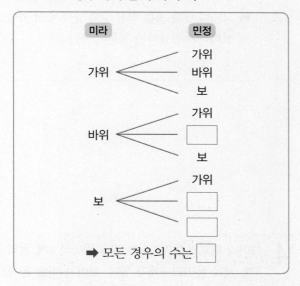

미라	민정
가위	가위 / 바위 / 보
바위	가위 / ☐ / 보
보	가위 / ☐ / ☐

➡ 모든 경우의 수는 ☐

(2) 민정이가 이기는 경우의 수를 구하시오.

_____

(3) 미라와 민정이가 비기는 경우의 수를 구하시오.

_____

5 아래 표는 두 개의 주사위 A, B를 동시에 던질 때, 일어날 수 있는 모든 경우를 순서쌍으로 나타낸 것이다. 표를 완성하고, 다음 물음에 답하시오.

A   B

A\B	⚀	⚁	⚂	⚃	⚄	⚅
⚀	(1, 1)	(1, 2)				
⚁	(2, 1)					
⚂						
⚃						
⚄						
⚅						

(1) 일어날 수 있는 모든 경우의 수를 구하시오.

_____

(2) 나온 두 눈의 수가 같은 경우를 표에서 찾아 그 경우의 수를 구하시오.

_____

(3) 나온 두 눈의 수의 합이 10인 경우를 표에서 찾아 그 경우의 수를 구하시오.

_____

(4) 나온 두 눈의 수의 차가 3인 경우를 표에서 찾아 그 경우의 수를 구하시오.

_____

(5) 나온 두 눈의 수의 곱이 25 이상인 경우를 표에서 찾아 그 경우의 수를 구하시오.

_____

정답과 해설 20쪽

2 사건 A 또는 사건 B가 일어나는 경우의 수

혜리가 부산으로 갈 때 이용할 수 있는 기차는 3종류, 고속버스는 2종류이다. 혜리가 기차 또는 고속버스를 이용하여 부산으로 가는 경우의 수를 구하시오.

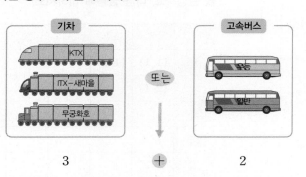

기차

| KTX |
| ITX-새마을 |
| 무궁화호 |

또는

고속버스

| 우등 |
| 일반 |

3 + 2 = 5

기억하자!

문제에 '또는', '~이거나'라는 표현이 있으면
➡ 각 사건이 일어나는 경우의 수를 더하자~!

---

1 어느 분식점 메뉴에 김밥은 4종류, 면은 5종류가 있다. 이 중에서 하나를 골라 주문하는 모든 경우의 수를 구하시오.

• 김밥 •	• 면 •
김치김밥	쫄면
참치김밥	라면
치즈김밥	우동
멸치김밥	냉면
	멸치국수

김밥 중에서 하나를 고르는 경우의 수는 ☐ ,

면 중에서 하나를 고르는 경우의 수는 ☐

➡ 김밥 또는 면 중에서 하나를 골라 주문하는 경우의 수는

☐ + ☐ = ☐

2 상효는 현장 체험 학습으로 역사 체험 4가지, 자연 체험 3가지 중 한 가지를 선택하여 가려고 한다. 상효가 현장 체험 학습을 선택하는 경우의 수를 구하시오.

_____

3 어느 영화관에서 3편의 코미디 영화, 2편의 액션 영화, 2편의 공포 영화를 상영하고 있다. 코미디 영화 또는 액션 영화 중에서 한 편을 선택하여 관람하는 경우의 수를 구하시오.

코미디 영화 중에서 한 편을 선택하는 경우의 수는 ☐ ,

액션 영화 중에서 한 편을 선택하는 경우의 수는 ☐

➡ 코미디 영화 또는 액션 영화 중에서 한 편을 선택하여 관람하는 경우의 수는

☐ + ☐ = ☐

4 보아네 학교의 동아리에는 미술 동아리 3개, 음악 동아리 5개, 체육 동아리 6개가 있다. 보아가 미술 동아리 또는 체육 동아리에 가입하는 경우의 수를 구하시오.

_____

5 오른쪽 그림과 같이 각 면에 1부터 12까지의 자연수가 각각 하나씩 적힌 정십이면체 모양의 주사위를 한 번 던질 때, 다음을 구하시오.

(1) 4보다 작은 수의 눈이 나오는 경우의 수

➡ 1, ☐, ☐ 이므로 ☐

    ↳ 4보다 작은 수의   ↳ 그 경우의 수
       눈이 나오는 경우

(2) 8보다 큰 수의 눈이 나오는 경우의 수

➡ 9, 10, ☐, ☐ 이므로 ☐

(3) 4보다 작거나 8보다 큰 수의 눈이 나오는 경우의 수

➡ ☐ + ☐ = ☐

6 1부터 20까지의 자연수가 각각 하나씩 적힌 20장의 카드 중에서 한 장을 뽑을 때, 다음을 구하시오.

(1) 4 이하이거나 15 이상의 수가 적힌 카드가 나오는 경우의 수

_____

(2) 5의 배수 또는 9의 배수가 적힌 카드가 나오는 경우의 수

_____

(3) 7의 배수 또는 12의 약수가 적힌 카드가 나오는 경우의 수

_____

7 서로 다른 두 개의 주사위를 동시에 던질 때, 다음을 구하시오.

(1) 나온 두 눈의 수의 합이 4인 경우의 수

➡ (1, 3), ☐, ☐ 이므로 ☐

(2) 나온 두 눈의 수의 합이 5인 경우의 수

➡ (1, 4), ☐, ☐, ☐ 이므로 ☐

(3) 나온 두 눈의 수의 합이 4 또는 5인 경우의 수

➡ ☐ + ☐ = ☐

8 서로 다른 두 개의 주머니에 1, 2, 3, 4의 숫자가 각각 하나씩 적힌 네 개의 공이 들어 있다. 각 주머니에서 공을 한 개씩 임의로 꺼낼 때, 다음을 구하시오.

(1) 꺼낸 공에 적힌 두 수의 합이 2 또는 6인 경우의 수

_____

(2) 꺼낸 공에 적힌 두 수의 차가 1 또는 2인 경우의 수

_____

(3) 꺼낸 공에 적힌 두 수의 곱이 8 또는 16인 경우의 수

_____

3 사건 *A*와 사건 *B*가 동시에 일어나는 경우의 수

하람이가 송편을 빚으려고 쑥, 오미자로 각각 색을 낸 2가지 반죽과 잣, 콩, 밤의 3가지 소를 준비하였다.
반죽과 소를 각각 한 종류씩 골라 송편을 빚는 경우의 수를 구하시오.

반죽과 소를 동시에 골라야 해~

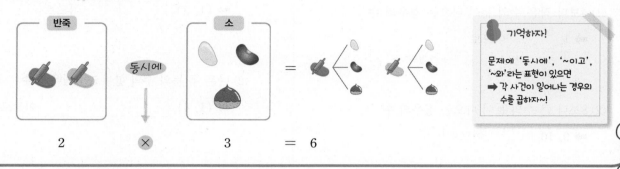

반죽	동시에	소		
2	×	3	=	6

기억하자!

문제에 '동시에', '~이고',
'~와'라는 표현이 있으면
➡ 각 사건이 일어나는 경우의
수를 곱하자~!

---

1 2개의 자음 ㄱ, ㄴ과 4개의 모음 ㅏ, ㅑ, ㅓ, ㅕ에서 자음과 모음을 각각 한 개씩 골라 **짝 지어** 글자를 만들려고 한다. 다음 나뭇가지 모양의 그림을 완성하고, 만들 수 있는 글자의 수를 구하시오.

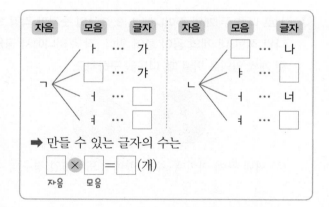

자음	모음	글자	자음	모음	글자
	ㅏ … 가			☐ … 나	
ㄱ	☐ … 갸		ㄴ	ㅑ … ☐	
	ㅓ … ☐			ㅓ … 너	
	ㅕ … ☐			ㅕ … ☐	

➡ 만들 수 있는 글자의 수는

☐ × ☐ = ☐ (개)
자음 모음

2 A 지점에서 B 지점으로 가는 길이 4가지, B 지점에서 C 지점으로 가는 길이 3가지가 있을 때, A 지점에서 B 지점을 지나 C 지점으로 가는 모든 경우의 수를 구하시오.
(단, 같은 지점은 두 번 이상 지나지 않는다.)

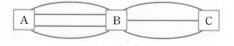

---

3 동전 한 개와 주사위 한 개를 동시에 던질 때, 일어날 수 있는 모든 경우의 수를 구하시오.

4 지현이네 동아리 학생들이 학교 축제에서 아이스크림을 팔려고 한다. 바닐라, 딸기, 초콜릿 아이스크림 중 한 가지를 골라서 콘과 컵 중 한 가지에 담는 경우의 수를 구하시오.

5 어느 선물 가게에는 상자 6종류, 리본 8종류가 있다. 이 선물 가게에서 선물을 상자에 담아 리본을 매어 포장하는 모든 경우의 수를 구하시오.

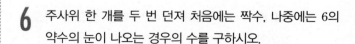

6 주사위 한 개를 두 번 던져 처음에는 짝수, 나중에는 6의 약수의 눈이 나오는 경우의 수를 구하시오.

4 한 줄로 세우는 경우의 수

A, B, C 세 명을 한 줄로 세우는 경우의 수를 구하시오.

첫 번째 자리에는 A, B, C의 3명 중 1명,
두 번째 자리에는 첫 번째에 세운 사람을 제외한 2명 중 1명,
세 번째 자리에는 마지막에 남은 1명을 세운다.

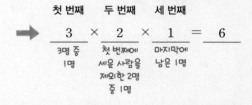

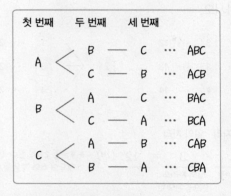

---

1 세 개의 알파벳 B, O, Y를 일렬로 나열하는 경우의 수를 구하시오.

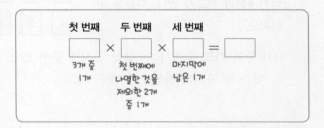

2 서현, 하람, 지현, 선주 네 명이 놀이기구를 타기 위해 한 줄로 서는 경우의 수를 구하시오.

첫 번째 두 번째 세 번째 네 번째
☐ × ☐ × ☐ × ☐ = ☐

3 노란색, 보라색, 연두색의 3개의 깃발을 일렬로 세우는 경우의 수를 구하시오.

---

4 시윤, 가연, 라희, 원형이가 일렬로 서서 사진을 찍으려고 할 때, 가능한 모든 경우의 수를 구하시오.

_____

5 윤정이네 반 학생 5명이 이어달리기를 하려고 한다. 5명이 달리는 순서를 정하는 경우의 수를 구하시오.

_____

6 A, B, C, D, E 다섯 명이 있다. 다음을 구하시오.

(1) 다섯 명 중 두 명을 뽑아 한 줄로 세우는 경우의 수

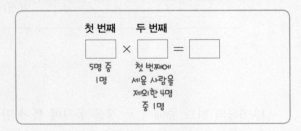

(2) 다섯 명 중 세 명을 뽑아 한 줄로 세우는 경우의 수

첫 번째 두 번째 세 번째
☐ × ☐ × ☐ = ☐

5 카드를 뽑아 자연수를 만드는 경우의 수

1, 2, 3, 4의 숫자가 각각 하나씩 적힌 4장의 카드가 있다. 이 중에서 두 장을 동시에 뽑아 만들 수 있는 두 자리의 자연수의 개수를 구하시오.

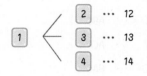

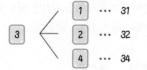

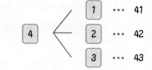

➡ 십의 자리   일의 자리

$$\underset{\substack{\text{모두 가능}}}{4} \times \underset{\substack{\text{십의 자리의}\\\text{숫자를 제외한}\\\text{3개 중 1개}}}{3} = 12 \text{ (개)} \longrightarrow \substack{\text{4개 중 2개를 뽑아 한 줄로 세우는}\\\text{경우의 수와 같은 문제야~!}}$$

---

1 1부터 5까지의 자연수가 각각 하나씩 적힌 5장의 카드가 있다. 다음을 구하시오.

| 1 | 2 | 3 |
| 4 | 5 |

(1) 5장의 카드 중에서 두 장을 동시에 뽑아 만들 수 있는 두 자리의 자연수의 개수

십의 자리   일의 자리

$$\underset{\substack{\text{모두 가능}}}{\boxed{}} \times \underset{\substack{\text{십의 자리의}\\\text{숫자를 제외한}\\\text{4개 중 1개}}}{\boxed{}} = \boxed{} \text{(개)}$$

(2) 5장의 카드 중에서 세 장을 동시에 뽑아 만들 수 있는 세 자리의 자연수의 개수

백의 자리   십의 자리   일의 자리

$$\boxed{} \times \boxed{} \times \boxed{} = \boxed{} \text{(개)}$$

(3) 5장의 카드 중에서 두 장을 동시에 뽑아 만들 수 있는 40 이상인 두 자리의 자연수의 개수

십의 자리   일의 자리

$$\underset{\substack{\text{4 또는 5}}}{\boxed{}} \times \boxed{} = \boxed{} \text{(개)}$$

2 1부터 6까지의 자연수가 각각 하나씩 적힌 6장의 카드가 있다. 다음을 구하시오.

| 1 | 2 | 3 |
| 4 | 5 | 6 |

(1) 6장의 카드 중에서 두 장을 동시에 뽑아 만들 수 있는 두 자리의 자연수의 개수

_____ 개

(2) 6장의 카드 중에서 세 장을 동시에 뽑아 만들 수 있는 세 자리의 자연수의 개수

_____ 개

(3) 6장의 카드 중에서 두 장을 동시에 뽑아 만들 수 있는 50 이상인 두 자리의 자연수의 개수

_____ 개

(4) 6장의 카드 중에서 두 장을 동시에 뽑아 만들 수 있는 두 자리의 자연수 중 짝수의 개수 ➡ 일의 자리의 숫자가 짝수!

십의 자리   일의 자리

$$\underset{\substack{\text{일의 자리의}\\\text{숫자를 제외한}\\\text{5개 중 1개}}}{\boxed{}} \times 3 = \boxed{} \text{(개)}$$

일의 자리에 올 수 있는 숫자의 개수부터 결정하자.

숫자 0을 포함하는 경우

0을 포함하는 서로 다른 숫자가 적힌 카드를 뽑아 자연수를 만들 때, 맨 앞자리에는 0이 올 수 없어.

예 0, 1, 2, 3의 숫자가 각각 하나씩 적힌 4장의 카드 중에서 두 장을 동시에 뽑아 만들 수 있는 두 자리의 자연수의 개수

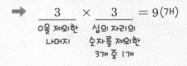

십의 자리　일의 자리

➡ $\underbrace{3}_{\substack{0을\ 제외한\\나머지}} \times \underbrace{3}_{\substack{십의\ 자리의\\숫자를\ 제외한\\3개\ 중\ 1개}} = 9(개)$

3 0, 1, 2, 3, 4의 숫자가 각각 하나씩 적힌 5장의 카드가 있다. 다음을 구하시오.

0 1 2
3 4

(1) 5장의 카드 중에서 두 장을 동시에 뽑아 만들 수 있는 두 자리의 자연수의 개수

십의 자리　일의 자리

$\boxed{} \times \boxed{} = \boxed{}$ (개)

0을 제외한　십의 자리의
나머지　숫자를 제외한
　　　　　4개 중 1개

(2) 5장의 카드 중에서 세 장을 동시에 뽑아 만들 수 있는 세 자리의 자연수의 개수

백의 자리　십의 자리　일의 자리

$\boxed{} \times \boxed{} \times \boxed{} = \boxed{}$ (개)

(3) 5장의 카드 중에서 두 장을 동시에 뽑아 만들 수 있는 30보다 작은 두 자리의 자연수의 개수

십의 자리　일의 자리

$\boxed{} \times \boxed{} = \boxed{}$ (개)

1 또는 2

4 0, 1, 2, 3, 4, 5의 숫자가 각각 하나씩 적힌 6장의 카드가 있다. 다음을 구하시오.

0 1 2
3 4 5

(1) 6장의 카드 중에서 두 장을 동시에 뽑아 만들 수 있는 두 자리의 자연수의 개수

_____ 개

(2) 6장의 카드 중에서 세 장을 동시에 뽑아 만들 수 있는 세 자리의 자연수의 개수

_____ 개

(3) 6장의 카드 중에서 두 장을 동시에 뽑아 만들 수 있는 두 자리의 자연수 중 홀수의 개수

일의 자리의 숫자는 홀수,
십의 자리에 0은 제외!

_____ 개

5 0, 2, 4, 6, 8의 숫자가 각각 하나씩 적힌 5장의 카드가 있다. 다음을 구하시오.

(1) 5장의 카드 중에서 두 장을 동시에 뽑아 만들 수 있는 두 자리의 자연수의 개수

_____ 개

(2) 5장의 카드 중에서 두 장을 동시에 뽑아 만들 수 있는 80 미만인 두 자리의 자연수의 개수

_____ 개

6 대표를 뽑는 경우의 수

자격이 다른 대표를 뽑는 경우 → 뽑는 순서와 관계가 있어~!

A, B, C 세 명 중에서 회장 1명, 부회장 1명을 뽑는 경우의 수를 구하시오.

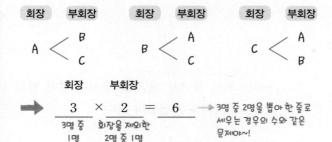

$$\underset{\substack{3명 중 \\ 1명}}{3} \times \underset{\substack{회장을 제외한 \\ 2명 중 1명}}{2} = 6$$

→ 3명 중 2명을 뽑아 한 줄로 세우는 경우의 수와 같은 문제야~!

자격이 같은 대표를 뽑는 경우 → 뽑는 순서와 관계가 없어~!

A, B, C 세 명 중에서 대표 2명을 뽑는 경우의 수를 구하시오.

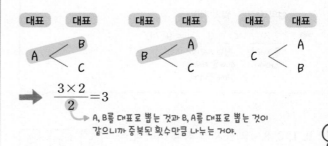

$$\frac{3 \times 2}{2} = 3$$

→ A, B를 대표로 뽑는 것과 B, A를 대표로 뽑는 것이 같으니까 중복된 횟수만큼 나누는 거야.

---

1 네 명의 후보 A, B, C, D 중에서 2명의 임원을 뽑으려고 한다. 다음과 같이 뽑는 경우의 수를 구하시오.

(1) 회장 1명, 부회장 1명

$$\boxed{} \times \boxed{} = \boxed{}$$

4명 중 1명　회장을 제외한 3명 중 1명

(2) 대표 2명

$$\frac{\boxed{} \times \boxed{}}{\boxed{}} = \boxed{}$$

→ 중복된 횟수만큼 나누는 거 잊지 마~!!

2 태현, 승윤, 민호, 승훈, 진우 5명의 학생이 학급 임원 후보에 올랐다. 다음과 같이 뽑는 경우의 수를 구하시오.

(1) 반장 1명, 부반장 1명

$$\boxed{} \times \boxed{} = \boxed{}$$

(2) 대표 2명

$$\frac{\boxed{} \times \boxed{}}{\boxed{}} = \boxed{}$$

3 나경이네 동아리에서는 남자 4명과 여자 3명의 후보 중에서 대표를 뽑으려고 한다. 다음과 같이 뽑는 경우의 수를 구하시오.

(1) 남자 대표 1명, 여자 대표 1명

_____

(2) 대표 2명 ← 성별에 관계없이 2명을 뽑는 경우!

_____

4 어느 중학교 미술 대회에서 각 반의 대표로 나온 9개의 작품 중 시상을 하려고 한다. 다음과 같이 뽑는 경우의 수를 구하시오.

(1) 대상 1개, 최우수상 1개

_____

(2) 최우수상 2개

_____

7 확률의 뜻

주머니 속에 모양과 크기가 같은 빨간 공 3개, 파란 공 5개가 들어 있다.
이 주머니에서 한 개의 공을 임의로 꺼낼 때, 다음을 구하시오.

(1) 빨간 공이 나올 확률 → $\dfrac{(빨간\ 공이\ 나오는\ 경우의\ 수)}{(모든\ 경우의\ 수)} = \dfrac{3}{8}$

(2) 파란 공이 나올 확률 → $\dfrac{(파란\ 공이\ 나오는\ 경우의\ 수)}{(모든\ 경우의\ 수)} = \dfrac{5}{8}$

확률은 보통 분수, 소수, 백분율(%) 등으로 나타내.

> **기억하자!**
>
> 사건 A가 일어날 확률을 구할 때는
> ❶ 일어날 수 있는 모든 경우의 수를 구하고
> ❷ 사건 A가 일어나는 경우의 수를 구하여
> ❸ $\dfrac{❷}{❶}$ 를 한다.

1 상자 속에 1부터 15까지의 자연수가 각각 하나씩 적힌 15개의 공이 들어 있다. 이 상자에서 한 개의 공을 임의로 꺼낼 때, 다음을 구하시오.

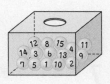

(1) 6의 배수가 적힌 공이 나올 확률

> ❶ 모든 경우의 수
> ➡ ☐
> ❷ 6의 배수가 적힌 공이 나오는 경우의 수
> ➡ 6, ☐ 이므로 ☐
> ❸ 6의 배수가 적힌 공이 나올 확률
> ➡ ☐

(2) 짝수가 적힌 공이 나올 확률

──────────

(3) 소수가 적힌 공이 나올 확률

──────────

2 서로 다른 두 개의 주사위를 동시에 던질 때, 다음을 구하시오.

(1) 나온 두 눈의 수의 차가 4일 확률

> ❶ 모든 경우의 수
> ➡ ☐ × ☐ = ☐
> ❷ 두 눈의 수의 차가 4인 경우의 수
> ➡ (1, 5), ☐ , ☐ , ☐ 이므로 ☐
> ❸ 두 눈의 수의 차가 4일 확률
> ➡ $\dfrac{☐}{36} = ☐$

(2) 나온 두 눈의 수가 같을 확률

──────────

(3) 나온 두 눈의 수의 합이 8일 확률

──────────

3 서로 다른 두 개의 동전을 동시에 던질 때, 다음을 구하시오.

(1) 모두 앞면이 나올 확률

_____

(2) 서로 다른 면이 나올 확률

_____

4 현아와 지호가 가위바위보를 한 번 할 때, 다음을 구하시오.

(1) 현아가 이길 확률

_____

(2) 두 사람이 비길 확률

_____

5 1부터 6까지의 자연수가 각각 하나씩 적힌 6장의 카드 중에서 두 장을 동시에 뽑아 두 자리의 자연수를 만들려고 한다. 다음을 구하시오.

| 1 | 2 | 3 |
| 4 | 5 | 6 |

(1) 두 자리의 자연수가 30 이하일 확률

_____

(2) 두 자리의 자연수가 홀수일 확률

_____

6 다음 표는 어느 중학교의 2학년 학생 300명의 동아리 가입 상황을 조사하여 나타낸 것이다. 이 중에서 한 명을 임의로 선택할 때, 그 학생이 가입한 동아리가 논술 동아리일 확률을 구하시오.

동아리	논술	춤	등산	미술	합계
학생 수(명)	165	84	36	15	300

_____

7 오른쪽 도수분포표는 어느 중학교 학생들의 통학 시간을 조사하여 나타낸 것이다. 이 중에서 한 명을 임의로 선택할 때, 그 학생의 통학 시간이 15분 이상 20분 미만일 확률을 구하시오.

통학 시간(분)	학생 수(명)
0^{이상} ~ 5^{미만}	12
5 ~ 10	68
10 ~ 15	95
15 ~ 20	16
20 ~ 25	6
25 ~ 30	3
합계	200

_____

8 오른쪽 그림과 같이 12등분한 원판에 1부터 12까지의 자연수가 각각 적혀 있다. 원판의 바늘을 한 번 돌릴 때, 다음을 구하시오. (단, 바늘이 경계선을 가리키는 경우는 생각하지 않는다.)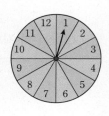

(1) 3의 배수를 가리킬 확률

_____

(2) 12의 약수를 가리킬 확률

_____

8 확률의 성질

바구니 안에 모양과 크기가 같은 복숭아 맛 사탕 30개와 레몬 맛 사탕 70개가 들어 있다.
이 바구니에서 사탕 한 개를 임의로 꺼낼 때, 다음을 구하시오.

(1) 자두 맛 사탕이 나올 확률 <u>절대로 일어날 수 없는 사건의 확률</u> → $\frac{0}{100} = \mathbf{0}$

(2) 과일 맛 사탕이 나올 확률 <u>반드시 일어나는 사건의 확률</u> → $\frac{100}{100} = \mathbf{1}$

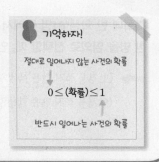

> 기억하자!
> 절대로 일어나지 않는 사건의 확률
> ↓
> $0 \leq (\text{확률}) \leq 1$
> ↑
> 반드시 일어나는 사건의 확률

1 10개의 제비가 들어 있는 상자에서 한 개의 제비를 임의로 뽑을 때, 상자 안에 다음과 같이 당첨 제비가 들어 있는 경우 당첨 제비를 뽑을 확률을 구하시오.

(1) 당첨 제비가 3개인 경우 _____

(2) 당첨 제비가 하나도 없는 경우 _____

(3) 10개 모두 당첨 제비인 경우 _____

2 오른쪽 그림과 같이 상자 A 에는 파란 공 5개, 노란 공 3개가 들어 있고, 상자 B에는 파란 공 7개가 들어 있을 때, 다음을 구하시오.

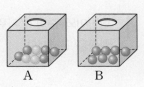

(1) 상자 A에서 한 개의 공을 임의로 꺼낼 때, 꺼낸 공이 노란 공일 확률

_____

(2) 상자 B에서 한 개의 공을 임의로 꺼낼 때, 꺼낸 공이 노란 공일 확률

_____

(3) 상자 B에서 한 개의 공을 임의로 꺼낼 때, 꺼낸 공이 파란 공일 확률

_____

3 다음을 구하시오.

(1) 주사위 한 개를 던질 때, 7의 눈이 나올 확률

_____

(2) 주사위 한 개를 던질 때, 홀수의 눈이 나올 확률

_____

(3) 주사위 한 개를 던질 때, 6 이하의 눈이 나올 확률

_____

(4) 서로 다른 두 개의 주사위를 동시에 던질 때, 나온 두 눈의 수의 합이 1이 될 확률

_____

(5) 서로 다른 두 개의 주사위를 동시에 던질 때, 나온 두 눈의 수의 합이 13보다 작을 확률

_____

(6) 동전 한 개를 던질 때, 앞면 또는 뒷면이 나올 확률

_____

9 어떤 사건이 일어나지 않을 확률

다희네 반 학생 34명 중에서 안경을 쓰는 학생은 21명이다. 다희네 반 학생 중에서 한 명을 임의로 선택할 때, 안경을 쓰지 <u>않은</u> 학생일 확률을 구하시오.

➡️ (안경을 쓰지 않은 학생일 확률)+(안경을 쓴 학생일 확률)=1이므로 ➡️ 반드시 일어나는 사건의 확률은 1이야.

(안경을 쓰지 않은 학생일 확률)=1−(안경을 쓴 학생일 확률)

$$=1-\frac{21}{34}=\frac{13}{34}$$

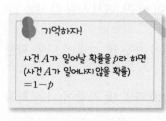

기억하자!

사건 A가 일어날 확률을 p라 하면
(사건 A가 일어나지 않을 확률)
$=1-p$

---

1 지원이네 반과 진환이네 반이 축구 경기를 하려고 한다. 진환이네 반이 이길 확률이 $\frac{3}{7}$일 때, 지원이네 반이 이길 확률을 구하시오. (단, 비기는 경우는 없다.)

(지원이네 반이 이길 확률)

$=\boxed{}-$ (진환이네 반이 이길 확률)

$=\boxed{}-\dfrac{\boxed{}}{7}$

$=\boxed{}$

---

2 농구 동아리 회원인 우람이가 자유투를 던질 때, 성공할 확률은 89%라 한다. 우람이가 자유투를 던질 때, 실패할 확률을 구하시오.

우람이가 자유투를 던질 때 성공할 확률은 89%, 즉

$\dfrac{89}{\boxed{}}$ 이므로

(자유투를 던질 때 실패할 확률)

$=\boxed{}-$ (자유투를 던질 때 성공할 확률)

$=\boxed{}-\dfrac{89}{\boxed{}}$

$=\boxed{}$

---

3 1부터 30까지의 자연수가 각각 하나씩 적힌 30장의 카드 중에서 한 장을 임의로 뽑을 때, 30의 약수가 아닌 수가 적힌 카드를 뽑을 확률을 구하시오.

(30의 약수가 아닌 수가 적힌 카드를 뽑을 확률)

$=1-$ (30의 약수가 적힌 카드를 뽑을 확률)

$=1-\boxed{}$

$=\boxed{}$

---

4 한빈이와 준회가 가위바위보를 한 번만 하여 승부가 날 확률을 구하시오. ➡️ 비기지 않을 확률과 같아!

---

5 서로 다른 두 개의 주사위를 동시에 던질 때, 나온 두 눈의 수가 서로 다를 확률을 구하시오.

---

6 1부터 50까지의 자연수가 각각 하나씩 적힌 50장의 행운권 중 일의 자리의 숫자가 7인 수가 적힌 행운권을 뽑으면 당첨된다고 한다. 한 장의 행운권을 임의로 뽑을 때, 당첨되지 않을 확률을 구하시오.

_____

> **조금 더!** **'적어도 ~일' 확률**
>
> '적어도 ~일'이라는 표현이 있으면 어떤 사건이 일어나지 않을 확률을 이용하자~!
>
> ➡ (적어도 하나는 ~일 확률)=1−(모두 ~가 아닐 확률)
>
> 예 한 개의 동전을 두 번 던질 때, 적어도 한 번은 앞면이 나올 확률
>
> ➡ 1−(두 번 모두 뒷면이 나올 확률)
>
> $=1-\dfrac{1}{4}=\dfrac{3}{4}$

7 서로 다른 세 개의 동전을 동시에 던질 때, 다음을 구하시오.

(1) 모두 앞면이 나올 확률

모든 경우의 수는

$\Box \times \Box \times \Box = \Box$

모두 앞면이 나오는 경우의 수는 1

➡ 모두 앞면이 나올 확률은 $\Box$

(2) 적어도 하나는 뒷면이 나올 확률

(적어도 하나는 뒷면이 나올 확률)

$= \Box -$ (모두 앞면이 나올 확률)

$= \Box - \dfrac{1}{\Box} = \Box$

8 오른쪽 그림과 같이 각 면에 1부터 8까지의 자연수가 각각 하나씩 적힌 정팔면체 모양의 주사위를 두 번 던질 때, 다음을 구하시오.

(1) 두 번 모두 홀수의 눈이 나올 확률

_____

(2) 적어도 한 번은 짝수의 눈이 나올 확률

_____

9 남학생 6명과 여학생 4명 중에서 2명의 대표를 뽑을 때, 다음을 구하시오.

(1) 2명 모두 남학생을 뽑을 확률

_____

(2) 적어도 한 명은 여학생을 뽑을 확률

_____

10 답란에 ○, ×를 표시하는 3개의 문제가 있다. 민주가 임의로 각 문제의 답란에 ○, × 중 하나를 표시할 때, 다음을 구하시오.

(1) 3개의 문제를 모두 틀릴 확률

_____

(2) 적어도 한 문제는 맞힐 확률

_____

10 사건 A 또는 사건 B가 일어날 확률

각 면에 1부터 20까지의 자연수가 각각 하나씩 적힌 정이십면체 모양의 주사위를 던질 때, 4의 배수 또는 7의 배수의 눈이 나올 확률을 구하시오.

4의 배수의 눈이 나올 확률		7의 배수의 눈이 나올 확률	
4, 8, 12, 16, 20	또는	7, 14	
$\dfrac{5}{20}$	$+$	$\dfrac{2}{20}$	$=\dfrac{7}{20}$

각 사건의 확률을 약분하지 않고
더하면 계산이 더 편리해.
하지만 계산 결과는 꼭 약분해야 해~!

---

1 성범이가 가지고 있는 스마트폰 앱에는 가요 17곡, 팝송 9곡, 클래식 9곡이 들어 있다. 이 스마트폰 앱에서 임의로 음악 한 곡을 재생할 때, 다음을 구하시오.

(1) 가요를 듣게 될 확률 _____

(2) 팝송을 듣게 될 확률 _____

(3) 가요 또는 팝송을 듣게 될 확률 _____

2 다음 표는 동수네 반 학생들의 혈액형을 조사하여 나타낸 것이다. 이 중에서 한 명을 임의로 선택할 때, 그 학생의 혈액형이 A형 또는 O형일 확률을 구하시오.

혈액형	A형	B형	O형	AB형
학생 수(명)	11	8	9	4

_____

3 오른쪽 그림은 어느 해 9월의 달력이다. 이 달력에서 하루를 임의로 선택할 때, 선택한 요일이 수요일 또는 금요일일 확률을 구하시오.

4 1부터 12까지의 자연수가 각각 하나씩 적힌 12개의 공이 들어 있는 상자가 있다. 이 상자에서 한 개의 공을 임의로 꺼낼 때, 3보다 작거나 10보다 큰 수가 적힌 공이 나올 확률을 구하시오.

_____

5 각 면에 1부터 8까지의 자연수가 각각 하나씩 적힌 정팔면체 모양의 주사위를 두 번 던질 때, 다음 물음에 답하시오.

(1) 아래 표를 완성하시오.   순서쌍으로 나타내어 보자!

사건	일어나는 경우	확률
두 눈의 수의 합이 10이다.		
두 눈의 수의 합이 16이다.		

(2) 두 눈의 수의 합이 10 또는 16일 확률을 구하시오.

_____

6 서로 다른 두 개의 주사위를 동시에 던질 때, 나온 두 눈의 수의 차가 3 또는 5일 확률을 구하시오.

_____

11 사건 A와 사건 B가 동시에 일어날 확률

A 주머니에는 흰 구슬 3개와 검은 구슬 4개가 들어 있고, B 주머니에는 흰 구슬 4개와 검은 구슬 5개가 들어 있다. 두 주머니에서 각각 한 개의 구슬을 임의로 꺼낼 때, A 주머니에서는 흰 구슬이 나오고, B 주머니에서는 검은 구슬이 나올 확률을 구하시오.

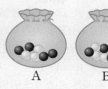
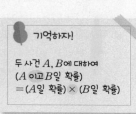

A   B

A에서 흰 구슬이 나올 확률		B에서 검은 구슬이 나올 확률
총 7개의 구슬 중 흰 구슬은 3개	이고	총 9개의 구슬 중 검은 구슬은 5개
$\dfrac{3}{7}$	×	$\dfrac{5}{9}$

$= \dfrac{5}{21}$

기억하자!

두 사건 A, B에 대하여
(A 이고 B일 확률)
$=$ (A일 확률) $\times$ (B일 확률)

---

1 어느 팥빙수 가게에서는 바닐라, 딸기, 초코, 커피 맛의 4가지 시럽 중에서 한 가지와 과일, 떡, 아몬드의 3가지 토핑 중에서 한 가지를 골라 팥빙수 위에 뿌릴 수 있다고 한다. 다음을 구하시오.

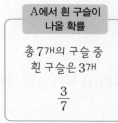

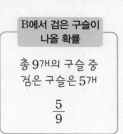

시럽   토핑

(1) 시럽 중에서 초코 맛 시럽을 고를 확률

_____

(2) 토핑 중에서 과일 토핑을 고를 확률

_____

(3) 초코 맛 시럽을 고르고 과일 토핑을 고를 확률

_____

2 두 개의 주사위 A, B를 동시에 던질 때, 주사위 A는 짝수의 눈이 나오고 주사위 B는 소수의 눈이 나올 확률을 구하시오.

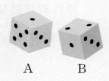

A   B

_____

3 다음 그림과 같이 원판 A는 4등분, 원판 B는 3등분되어 있다. 두 원판을 각각 회전시킨 다음 정지했을 때, 두 바늘이 모두 홀수를 가리킬 확률을 구하시오.
(단, 바늘이 경계선을 가리키는 경우는 생각하지 않는다.)

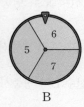

A   B

_____

4 두 사격 선수 A, B의 명중률은 각각 $\dfrac{3}{4}$, $\dfrac{7}{10}$이다. 두 선수가 각각 한 발씩 쏘았을 때, 다음을 구하시오.

(1) 두 선수 모두 명중시킬 확률

_____

(2) 선수 A만 명중시킬 확률 → 선수 A는 명중시키고, 선수 B는 명중시키지 못할 확률!

선수 B가 명중시키지 못할 확률은

$\boxed{} - \dfrac{7}{10} = \boxed{}$

∴ (선수 A만 명중시킬 확률)

= (선수 A가 명중시킬 확률)

× (선수 B가 명중시키지 못할 확률)

= $\boxed{} \times \boxed{} = \boxed{}$

(3) 두 선수 모두 명중시키지 못할 확률

선수 A가 명중시키지 못할 확률은 $\boxed{}$

선수 B가 명중시키지 못할 확률은 $\boxed{}$

∴ (두 선수 모두 명중시키지 못할 확률)

= (선수 A가 명중시키지 못할 확률)

× (선수 B가 명중시키지 못할 확률)

= $\boxed{} \times \boxed{} = \boxed{}$

5 기상청에서 오늘 비가 올 확률이 80%, 내일 비가 올 확률이 70%라고 예보했을 때, 다음을 구하시오. (단, 오늘 비가 오는 사건은 내일 비가 오는 사건에 영향을 끼치지 않는다.)

(1) 오늘과 내일 모두 비가 올 확률

_____

(2) 오늘은 비가 오고 내일은 비가 오지 않을 확률

_____

6 어느 야구 선수가 타석에 한 번 설 때, 안타를 칠 확률은 $\dfrac{2}{5}$이다. 이 선수가 타석에 두 번 설 때, 다음을 구하시오.

(1) 두 번 모두 안타를 칠 확률

_____

(2) 두 번째에만 안타를 칠 확률

_____

(3) 적어도 한 번은 안타를 칠 확률 → 사건이 일어나지 않을 확률을 이용하자!

_____

7 10개의 제비 중 2개의 당첨 제비가 들어 있는 주머니가 있다. 이 주머니에서 선영이가 먼저 임의로 한 개를 뽑아 확인하고 다시 넣은 후에 규리가 임의로 한 개를 뽑을 때, 다음을 구하시오. → (처음 조건)=(나중 조건)

(1) 선영이와 규리가 모두 당첨 제비를 뽑을 확률

_____

(2) 적어도 한 명은 당첨 제비를 뽑을 확률

_____

빠르고 쉽게 익히는
교과서 개념 완성 프로젝트

교과서 개념 잡기

정답과 해설

중등수학

2·2

visang

교과서 개념 잡기

정답과 해설

중등수학

2·2

I 삼각형의 성질

I·1 삼각형의 성질

8쪽~9쪽

개념 익히기 1. 이등변삼각형의 성질

1 (1) 65, 50 (2) 90° (3) 180, 75 (4) 35°
2 (1) 115, 65, 65 (2) $\angle x=60°$, $\angle y=60°$
    (3) 125, 55, 55, 70 (4) $\angle x=40°$, $\angle y=100°$
    (5) 180, 42, 42, 138 (6) $\angle x=69°$, $\angle y=111°$
3 (1) 4 (2) 22 (3) 90 (4) 90, 62, 62 (5) 20

1 (2) $\angle x=180°-2\times45°=90°$
(4) $\angle x=\dfrac{1}{2}\times(180°-110°)=35°$

2 (2) $\angle x=180°-120°=60°$
$\angle y=\angle x=60°$
(4) $\angle x=\angle ABC=180°-140°=40°$
$\angle y=180°-2\times40°=100°$
[확인] $\angle y$의 크기를 구할 때, 삼각형의 외각의 성질을 이용해도 된다.
$\angle x+\angle y=140°$이므로 $40°+\angle y=140°$
$\therefore \angle y=140°-40°=100°$
(6) $\angle x=\dfrac{1}{2}\times(180°-42°)=69°$
$\angle y=180°-\angle x=180°-69°=111°$

3 (5) $\triangle ABD\equiv\triangle ACD$(SAS 합동)이므로
$\angle CAD=\angle BAD=20°$ $\therefore x=20$

10쪽~11쪽

개념 익히기 2. 이등변삼각형의 성질을 이용하여 각의 크기 구하기

1 (1) 50, 65 (2) 73° (3) 80°
2 (1) 30, 75, 30, 75, 30, 45 (2) 50° (3) 30°
3 (1) 40, 80, 80, 20 (2) $\angle x=25°$, $\angle y=80°$
    (3) $\angle x=32°$, $\angle y=116°$
4 (1) 64, 32, 32, 96 (2) 105° (3) 105° (4) 69° (5) 87°

1 (2) $\angle x=\angle C=\dfrac{1}{2}\times(180°-34°)=73°$
(3) $\angle x=\angle B=\dfrac{1}{2}\times(180°-20°)=80°$

2 (2) $\triangle BCD$에서 $\angle C=\dfrac{1}{2}\times(180°-50°)=65°$
$\triangle ABC$에서 $\angle x=180°-2\times65°=50°$

3 (2) $\triangle DBC$에서 $\angle DBC=180°-2\times70°=40°$
$\triangle ABC$에서 $\angle ABC=\angle ACB=70°$
$\therefore \angle x=70°-40°=30°$

3 (2) $\triangle DBC$에서 $\angle x=\angle B=25°$
삼각형의 외각의 성질에 의하여
$\angle ADC=25°+25°=50°$
$\triangle ADC$에서 $\angle y=180°-2\times50°=80°$
(3) $\triangle DBC$에서 삼각형의 외각의 성질에 의하여
$\angle ADC=16°+16°=32°$
$\triangle ADC$에서 $\angle x=\angle ADC=32°$이므로
$\angle y=180°-2\times32°=116°$

4 (2) $\triangle ABC$에서
$\angle ACB=\angle B=70°$이므로
$\angle DCB=\dfrac{1}{2}\times70°=35°$
$\therefore \angle x=70°+35°=105°$
(3) $\triangle ABC$에서
$\angle ABC=\dfrac{1}{2}\times(180°-80°)=50°$이므로
$\angle ABD=\dfrac{1}{2}\times50°=25°$
$\therefore \angle x=80°+25°=105°$
(4) $\triangle ABC$에서
$\angle ABC=\dfrac{1}{2}\times(180°-32°)=74°$이므로
$\angle ABD=\dfrac{1}{2}\times74°=37°$
$\therefore \angle x=32°+37°=69°$
(5) $\triangle ABC$에서
$\angle ACB=\dfrac{1}{2}\times(180°-56°)=62°$이므로
$\angle ACD=\dfrac{1}{2}\times62°=31°$
$\therefore \angle x=56°+31°=87°$

12쪽~13쪽

개념 익히기 3. 이등변삼각형이 되는 조건

1 (1) 7 (2) 1 (3) 20, 20, 3 (4) 9
2 (1) 25, 50, 11 (2) 5 (3) 2 (4) 4
3 (1) ❶ 180, 72, 36, $\overline{AD}$ ❷ 36, 72, $\overline{BD}$ (2) 4 (3) 3
4 (1) $\angle CBD$, $\angle CBD$, 5 (2) 10 (3) 8

1 (1) $\angle B=180°-(75°+30°)=75°$
즉, $\angle A=\angle B$이므로 $x=\overline{BC}=7$

(2) $\angle C=180°-(30°+120°)=30°$

즉, $\angle A=\angle C$이므로 $x=\overline{AB}=1$

(4) $\angle A=110°-55°=55°$

즉, $\angle A=\angle B$이므로 $x=\overline{BC}=9$

2 (2)

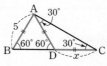

$\angle ADB=30°+30°=60°$ ∴ $x=\overline{AD}=\overline{AB}=5$

(3)

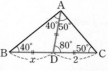

$\angle ADC=40°+40°=80°$

$\triangle ADC$에서 $\angle ACD=180°-(50°+80°)=50°$

∴ $x=\overline{AD}=\overline{DC}=2$

(4)

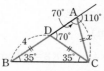

$\angle DCB=70°-35°=35°$

$\angle DAC=180°-110°=70°$

∴ $x=\overline{DC}=\overline{DB}=4$

3 (2)

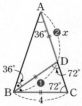

❶ $\angle ABC=\dfrac{1}{2}\times(180°-36°)=72°$,

$\angle ABD=\dfrac{1}{2}\times72°=36°$

또 $\angle BDC=36°+36°=72°$이므로

$\triangle BCD$에서 $\overline{BD}=\overline{BC}=4$

❷ $\triangle ABD$에서 $x=\overline{BD}=4$

(3)

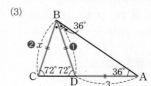

❶ $\angle A=180°-2\times72°=36°$

$\angle B=\angle C=72°$이므로 $\angle ABD=\dfrac{1}{2}\times72°=36°$

∴ $\overline{BD}=\overline{DA}=3$

❷ $\angle BDC=36°+36°=72°$이므로

$\triangle BCD$에서 $x=\overline{BD}=3$

4 (2)

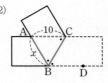

$\angle ABC=\angle CBD$(접은 각)

$\overline{AC}\,/\!/\,\overline{BD}$이므로 $\angle ACB=\angle CBD$(엇각)

∴ $\angle ABC=\angle ACB$

따라서 $\triangle ABC$는 $\overline{AB}=\overline{AC}$인 이등변삼각형이므로

$x=10$

(3)

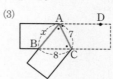

$\angle BAC=\angle DAC$(접은 각)

$\overline{AD}\,/\!/\,\overline{BC}$이므로 $\angle BCA=\angle DAC$(엇각)

∴ $\angle BAC=\angle BCA$

따라서 $\triangle ABC$는 $\overline{BA}=\overline{BC}$인 이등변삼각형이므로

$x=8$

14쪽~15쪽

4. 직각삼각형의 합동 조건

1 (1) $\angle E$, $\overline{DF}$, $\angle D$, $\triangle DFE$, RHA

(2) $\triangle ABC\equiv\triangle EFD$(RHA 합동)

(3) $\angle E$, $\overline{DF}$, $\overline{EF}$, RHS

(4) $\triangle ABC\equiv\triangle EFD$(RHS 합동)

2 (1) 12 (2) 7 (3) 15 (4) 60

3 (1) $\triangle ABC\equiv\triangle QRP$(RHS 합동),

$\triangle DEF\equiv\triangle JKL$(RHA 합동)

(2) $\triangle ABC\equiv\triangle FDE$(RHS 합동),

$\triangle GHI\equiv\triangle NMO$(RHA 합동)

1 (2)

$\angle E=180°-(90°+40°)=50°$이므로

$\triangle ABC\equiv\triangle EFD$(RHA 합동)

(4)

$\triangle ABC\equiv\triangle EFD$(RHS 합동)

2 (1)

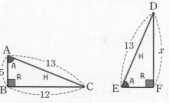

$\triangle ABC\equiv\triangle EFD$(RHA 합동)이므로

$x=\overline{BC}=12$

(2)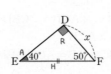

$\angle E = 180° - (90° + 50°) = 40°$이므로

$\triangle ABC \equiv \triangle EDF$(RHA 합동)

$\therefore x = \overline{BC} = 7$

(3)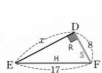

$\triangle ABC \equiv \triangle EFD$(RHS 합동)이므로

$x = \overline{AC} = 15$

(4)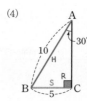

$\triangle ABC \equiv \triangle FDE$(RHS 합동)이므로

$\angle D = \angle B = 180° - (30° + 90°) = 60°$

$\therefore x = 60$

3 (1)

$\therefore \triangle ABC \equiv \triangle QRP$(RHS 합동)

$\angle K = 180° - (90° + 35°) = 55°$이므로

$\triangle DEF \equiv \triangle JKL$(RHA 합동)

(2)

$\therefore \triangle ABC \equiv \triangle FDE$(RHS 합동)

$\angle O = 180° - (90° + 50°) = 40°$이므로

$\triangle GHI \equiv \triangle NMO$(RHA 합동)

개념 익히기 **5. 직각삼각형의 합동 조건의 응용 (1) - RHA 합동**

1 (1) $\triangle BEC$, 5, 3, 8 (2) 9 (3) 6

2 (1) EC, 7, 7, 42 (2) 32 cm² (3) $\dfrac{25}{2}$ cm²

1 (2) $\triangle ADB \equiv \triangle CEA$(RHA 합동)이므로

$x = \overline{AE} = \overline{BD} = 9$

(3) $\triangle ADB \equiv \triangle CEA$(RHA 합동)이므로

$\overline{AE} = \overline{BD} = 7$

$\therefore x = \overline{DA} = \overline{DE} - \overline{AE} = 13 - 7 = 6$

2 (2)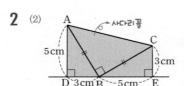

$\triangle ADB \equiv \triangle BEC$(RHA 합동)이므로

$\overline{DE} = \overline{DB} + \overline{BE} = 3 + 5 = 8$(cm)

$\therefore$ (색칠한 부분의 넓이)$= \dfrac{1}{2} \times (5+3) \times 8 = 32$(cm²)

(3)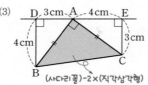

$\triangle ADB \equiv \triangle CEA$(RHA 합동)이므로

$\overline{DE} = \overline{DA} + \overline{AE} = 3 + 4 = 7$(cm)

$\therefore \triangle ABC = \underbrace{\dfrac{1}{2} \times (4+3) \times 7}_{\text{사다리꼴 DBCE의 넓이}} - 2 \times \underbrace{\left(\dfrac{1}{2} \times 3 \times 4\right)}_{\triangle ADB의 넓이}$

$= \dfrac{49}{2} - 12 = \dfrac{25}{2}$(cm²)

개념 익히기 **6. 직각삼각형의 합동 조건의 응용 (2) - RHS 합동**

1 (1) $\triangle AED$, 20, 20 (2) 44 (3) 70 (4) 60 (5) 2 (6) 5

1 (2) $\triangle ABD \equiv \triangle AED$(RHS 합동)이므로

$\angle EAD = \angle BAD = 23°$

$\angle C = 180° - (90° + 2 \times 23°) = 44°$　$\therefore x = 44$

(3) $\triangle EDC \equiv \triangle BDC$(RHS 합동)이므로

$\angle ECD = \angle BCD = 20°$

$\triangle EDC$에서

$\angle EDC = 180° - (90° + 20°) = 70°$　$\therefore x = 70$

(4) $\triangle ADE \equiv \triangle ACE$(RHS 합동)이므로

$\angle DAE = \angle CAE = 30°$

$\triangle ABC$에서

$\angle B = 180° - (90° + 2 \times 30°) = 30°$

$\triangle DBE$에서

$\angle BED = 180° - (90° + 30°) = 60°$　$\therefore x = 60$

(5) △ADE≡△ACE(RHS 합동)이므로
$x=\overline{DE}=2$

(6) △ABD≡△AED(RHS 합동)이므로
$x=\overline{AB}=5$

18쪽

개념 익히기 **7.** 각의 이등분선의 성질

1 (1) △CBD, 2 (2) 4 (3) 5
2 (1) 6 (2) 4 (3) 11 (4) 7

---

2 (2) △CDE≡△CDB(RHA 합동)이므로
$\overline{EC}=\overline{BC}=6$ ∴ $x=10-6=4$

(3) △DBE≡△CBE(RHA 합동)이므로
$\overline{BD}=\overline{BC}=9$ ∴ $x=9+2=11$

(4) △ADE≡△ACE(RHA 합동)이므로
$\overline{DE}=\overline{CE}=7$
△DBE에서 ∠DEB=180°−(90°+45°)=45°이므로
△DBE는 $\overline{DB}=\overline{DE}$인 이등변삼각형이다.
∴ $x=\overline{DE}=7$

19쪽~20쪽

개념 익히기 **8.** 삼각형의 외심의 뜻과 성질

1 수직이등분선, ㅁ, 꼭짓점, ㄷ, ㄷ, ㅁ
2 (1) 3 (2) 10 (3) 8 (4) 12
3 (1) 180, 25 (2) 144° (3) 25, 50 (4) 80°
4 (1) ○ (2) × (3) ○ (4) × (5) × (6) ○ (7) × (8) ○

---

2 (2) $x=2\overline{DB}=2\times5=10$

(4) 직각삼각형의 외심은 빗변의 중점이므로
$\overline{OA}=\overline{OB}=\overline{OC}=6$
∴ $x=\overline{OA}+\overline{OB}=2\overline{OA}=2\times6=12$

3 (2) △OAB는 $\overline{OA}=\overline{OB}$인 이등변삼각형이므로
∠x=180°−2×18°=144°

(4) △OAB는 $\overline{OA}=\overline{OB}$인 이등변삼각형이므로
∠x=∠OAB+∠OBA=40°+40°=80°

4 (6) △OBC는 $\overline{OB}=\overline{OC}$인 이등변삼각형이므로
∠OBC=∠OCB

(8) △OAF와 △OCF에서
∠OFA=∠OFC=90° ➡ R
$\overline{OA}=\overline{OC}$ ➡ H
$\overline{OF}$는 공통 ➡ S
∴ △OAF≡△OCF (RHS 합동)

21쪽

개념 익히기 **9.** 삼각형의 외심을 이용하여 각의 크기 구하기 (1)

1 (1) 20, 90, 20 (2) 38° (3) 65° (4) 27° (5) 23°
(6) 25, 35, 35, 30 (7) 40°

---

1 (2) 18°+34°+∠x=90° ∴ ∠x=38°
(3) 11°+14°+∠x=90° ∴ ∠x=65°
(4) 28°+35°+∠x=90° ∴ ∠x=27°
(5) ∠x+19°+48°=90° ∴ ∠x=23°
(7) ∠OCB=∠ACB−∠ACO=50°−12°=38°이므로
∠x+38°+12°=90° ∴ ∠x=40°

22쪽

개념 익히기 **10.** 삼각형의 외심을 이용하여 각의 크기 구하기 (2)

1 (1) 70, 140 (2) 130° (3) 80, 40 (4) 58° (5) 20, 40, 120
(6) 110° (7) 75, 150, 150, 15 (8) 60°

---

1 (2) ∠x=2×(40°+25°)=130°

(4) ∠x=$\frac{1}{2}$×116°=58°

(6) ∠x=2×(∠BAO+∠CAO)=2×(25°+30°)=110°

(8) ∠OCB=∠OBC=30°이므로
∠BOC=180°−2×30°=120°
∴ ∠x=$\frac{1}{2}$∠BOC=$\frac{1}{2}$×120°=60°

23쪽~24쪽

개념 익히기 **11.** 삼각형의 내심의 뜻과 성질

1 이등분선, ㅂ, 변, ㄱ, ㄱ, ㅂ
2 (1) 4 (2) 2 (3) △AFI, $\overline{AD}$, 10 (4) 8
3 (1) ∠x=28°, ∠y=42° (2) 32, 64, 30
(3) ∠x=18°, ∠y=29° (4) 21, 21, 24
(5) ∠x=24°, ∠y=26°
4 (1) × (2) ○ (3) × (4) ○ (5) × (6) ○ (7) × (8) ○

---

2 (4) △DBI≡△EBI(RHA 합동)이므로
$x=\overline{DB}=8$

3 (3) ∠x=18°, ∠y=$\frac{1}{2}$×58°=29°

(5) ∠x=24°, ∠y=∠IBC=180°−(130°+24°)=26°

4 (6) △IBD와 △IBE에서
∠IDB=∠IEB=90° ➡ R
$\overline{IB}$는 공통 ➡ H
∠IBD=∠IBE ➡ A
∴ △IBD≡△IBE(RHA 합동)

(8) (6)과 같은 방법으로
△IAD≡△IAF(RHA 합동)이므로
$\overline{AD}=\overline{AF}$

[확인] (1) $\overline{IA}=\overline{IB}=\overline{IC}$, (3) $\overline{BE}=\overline{CE}$, (5) ∠IAD=∠IBD,
(7) △IAF≡△ICF는 점 I가 △ABC의 외심일 때 성립한다.

개념 익히기 **12. 삼각형의 내심을 이용하여 각의 크기 구하기 (1)**

1 (1) 30, 90, 25 (2) $36°$ (3) $55°$ (4) $31°$

(5) 90, 42, 42, 84 (6) $31°$

1 (2) $∠x+21°+33°=90°$ ∴ $∠x=36°$

(3) $20°+∠x+15°=90°$ ∴ $∠x=55°$

(4) $27°+32°+∠x=90°$ ∴ $∠x=31°$

(6) $∠ICA=\dfrac{1}{2}∠ACB=\dfrac{1}{2}×48°=24°$이므로

$35°+∠x+24°=90°$ ∴ $∠x=31°$

개념 익히기 **13. 삼각형의 내심을 이용하여 각의 크기 구하기 (2)**

1 (1) 68, 124 (2) $131°$ (3) 109, 38 (4) $72°$

2 (1) 74, 127, 127, 20 (2) $∠x=130°$, $∠y=80°$

(3) $∠x=25°$, $∠y=60°$

1 (2) $∠x=90°+\dfrac{1}{2}×82°=131°$

(4) $126°=90°+\dfrac{1}{2}∠x$에서 $\dfrac{1}{2}∠x=36°$ ∴ $∠x=72°$

2 (2) $∠IBC=∠IBA=20°$이므로

△IBC에서 $∠x=180°-(20°+30°)=130°$

$130°=90°+\dfrac{1}{2}∠y$에서 $\dfrac{1}{2}∠y=40°$ ∴ $∠y=80°$

(3) $∠IBC=∠IBA=35°$, $∠ICB=∠ICA=∠x$이므로

△IBC에서 $∠x=180°-(120°+35°)=25°$

$120°=90°+\dfrac{1}{2}∠y$에서 $\dfrac{1}{2}∠y=30°$ ∴ $∠y=60°$

개념 익히기 **14. 삼각형의 내심과 내접원**

1 (1) 3, 6, 5, 4, 3, 6, 6, 6, 1 (2) 2 (3) 3

2 (1) 2, 24, 24 (2) 32 (3) 40

1 (2) ㉠ △ABC$=\dfrac{1}{2}×12×5=30$

㉡ △ABC$=\dfrac{1}{2}×5×r+\dfrac{1}{2}×12×r+\dfrac{1}{2}×13×r=15r$

➡ ㉠=㉡이므로 $30=15r$ ∴ $r=2$

(3) ㉠ △ABC$=\dfrac{1}{2}×15×8=60$

㉡ △ABC$=\dfrac{1}{2}×17×r+\dfrac{1}{2}×15×r+\dfrac{1}{2}×8×r=20r$

➡ ㉠=㉡이므로 $60=20r$ ∴ $r=3$

2 (2) △ABC$=\dfrac{1}{2}×3×(\overline{AB}+\overline{BC}+\overline{CA})=48$

∴ $\overline{AB}+\overline{BC}+\overline{CA}=32$

(3) △ABC$=\dfrac{1}{2}×4×(\overline{AB}+\overline{BC}+\overline{CA})=80$

∴ $\overline{AB}+\overline{BC}+\overline{CA}=40$

개념 익히기 **15. 삼각형의 외심과 내심**

1 (1) $∠x=112°$, $∠y=118°$ (2) $∠x=140°$, $∠y=125°$

(3) $∠x=48°$, $∠y=114°$ (4) $∠x=60°$, $∠y=120°$

(5) 50, 50, 100, 50, 115 (6) $∠x=72°$, $∠y=27°$

1 (1) $∠x=2×56°=112°$

$∠y=90°+\dfrac{1}{2}×56°=118°$

(2) $∠x=2×70°=140°$

$∠y=90°+\dfrac{1}{2}×70°=125°$

(3) $∠x=\dfrac{1}{2}×96°=48°$

$∠y=90°+\dfrac{1}{2}×48°=114°$

(4) $120°=90°+\dfrac{1}{2}∠x$에서 $\dfrac{1}{2}∠x=30°$ ∴ $∠x=60°$

$∠y=2×60°=120°$

(6) $∠x=\dfrac{1}{2}×144°=72°$

$∠B=\dfrac{1}{2}×(180°-72°)=54°$이므로

$∠y=\dfrac{1}{2}∠B=\dfrac{1}{2}×54°=27°$

II 사각형의 성질

II·1 사각형의 성질

개념 익히기 1. 평행사변형의 성질

1. (1) $x=9$, $y=12$ (2) $x=6$, $y=8$ (3) $x=5$, $y=12$
2. (1) $126°$ (2) $100°$ (3) $115°$ (4) $60°$ (5) $70°$
3. (1) $x=7$, $y=70$ (2) $x=5$, $y=70$ (3) $x=4$, $y=105$
   (4) $x=10$, $y=96$ (5) $x=9$, $y=85$
4. (1) × (2) ○ (3) ○ (4) × (5) ○ (6) ○ (7) ×

2. (2) $\angle x+80°=180°$
   $\therefore \angle x=100°$

(3) △ABD에서
   $\angle A=180°-(35°+30°)=115°$
   $\therefore \angle x=\angle A=115°$

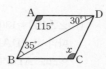

(4) $\angle A=180°-75°=105°$이므로
   $\angle x=105°-45°=60°$

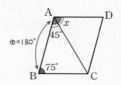

3. (2) $\overline{AB}=\overline{DC}$이므로 $x=5$
   △ABC에서
   $\angle B=180°-(50°+60°)=70°$이므로
   $\angle D=\angle B=70°$
   $\therefore y=70$

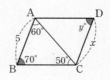

(3) $x=\frac{1}{2}\overline{AC}=\frac{1}{2}\times8=4$
   또 △ABD에서
   $\angle A=180°-(40°+35°)=105°$
   이므로 $\angle C=\angle A=105°$
   $\therefore y=105$

(4) $x=2\overline{OD}=2\times5=10$
   또 $\overline{AB}\parallel\overline{DC}$이므로
   $\angle CDB=\angle ABD=43°$(엇각)
   $\angle AOD$는 △CDO의 한 외각이므로
   $\angle AOD=53°+43°=96°$
   $\therefore y=96$

(5) $\overline{AD}=\overline{BC}$이므로 $x=9$
   또 $\angle D=180°-115°=65°$이므로
   △AED에서
   $\angle AED=180°-(30°+65°)$
   $=85°$
   $\therefore y=85$

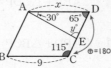

개념 익히기 2. 평행사변형의 성질의 응용

1. (1) 6 (2) 5 (3) 2
2. (1) ❶ 7 ❷ 7, 2 (2) 3 (3) 4
3. (1) ❶ 6 ❷ 6, 12 (2) 14 (3) 4
4. (1) ❶ 3, 3 ❷ 180, 3, 180, 45 (2) $60°$ (3) $80°$

1. (1) △ABE는 이등변삼각형이고,
   $\overline{AB}=\overline{DC}=6$이므로
   $x=\overline{AB}=6$

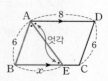

(2) △ABE는 이등변삼각형이고,
   $\overline{BC}=\overline{AD}=9$이므로
   $\overline{BE}=9-4=5$
   $\therefore x=\overline{BE}=5$

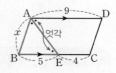

(3) △ABE는 이등변삼각형이므로
   $\overline{AE}=\overline{AB}=4$
   $\overline{AD}=\overline{BC}=6$이므로
   $x=6-4=2$

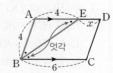

2. (2) △EBC는 이등변삼각형이므로
   $\overline{EC}=\overline{BC}=10$
   $\overline{DC}=\overline{AB}=7$이므로
   $x=10-7=3$

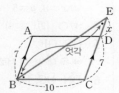

(3) △AED는 이등변삼각형이므로
   $\overline{DE}=\overline{AD}=12$
   $\overline{DC}=\overline{AB}=8$이므로
   $x=12-8=4$

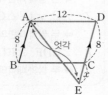

3. (2) △ABE≡△FCE(ASA 합동)이므로
   $\overline{CF}=\overline{BA}=7$
   $\overline{DC}=\overline{AB}=7$이므로
   $x=7+7=14$

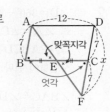

(3) △AED≡△FEC(ASA 합동)
   이므로 $\overline{CF}=\overline{DA}=x$
   $\overline{BC}=\overline{AD}=x$이므로
   $2x=8$ $\therefore x=4$

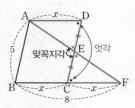

4. (2) $\angle A:\angle B=1:2$이므로
   $\angle B=2\angle A=2\angle x$
   $\angle A+\angle B=180°$이므로
   $\angle x+2\angle x=180°$, $3\angle x=180°$ $\therefore \angle x=60°$

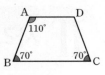

(3) $\angle A: \angle B=5:4$이므로

내항, 외항

$4\angle A=5\angle B=5\angle x$ ← $\angle B=\angle D=\angle x$

$\therefore \angle A=\dfrac{5}{4}\angle x$

$\angle A+\angle B=180°$이므로

$\dfrac{5}{4}\angle x+\angle x=180°, \dfrac{9}{4}\angle x=180°$

$\therefore \angle x=180°\times\dfrac{4}{9}=80°$

개념 익히기 **3. 평행사변형이 되는 조건**

36쪽~38쪽

1 (1) $\overline{BC}$ (2) $\overline{DC}$ (3) $\angle D$ (4) $\overline{CO}$ (5) $\overline{BC}$

2 (2) 두 쌍의 대각의 크기가 각각 같다.
  (3) 두 대각선이 서로 다른 것을 이등분한다.
  (4) 한 쌍의 대변이 평행하고, 그 길이가 같다.

3 (1) $x=50, y=30$ (2) $x=10, y=16$ (3) $x=108, y=72$
  (4) $x=8, y=5$ (5) $x=35, y=7$

4 (1) ○ (2) ○ (3) × (4) × (5) ○ (6) × (7) ○

5 $\overline{OB}, \overline{OF}$
  ➡ 두 대각선이 서로 다른 것을 이등분한다.

6 $\overline{DN}, \overline{DC}, \overline{DN}$
  ➡ 한 쌍의 대변이 평행하고, 그 길이가 같다.

7 $\angle C, \angle D, \triangle CGF, \triangle DHG, \overline{GF}, \overline{GH}$
  ➡ 두 쌍의 대변의 길이가 각각 같다.

8 $\angle EDF, \angle EDF, \angle CFD, \angle BFD$
  ➡ 두 쌍의 대각의 크기가 각각 같다.

---

2 (2) $\angle D=360°-(120°+60°+120°)=60°$
  $\therefore \angle A=\angle C, \angle B=\angle D$
  즉, □ABCD는 두 쌍의 대각의 크기가 각각 같으므로 평행사변형이 된다.

(4) $\angle BAC=\angle DCA=65°$이므로
  $\overline{AB}/\!/\overline{DC}$ ← 엇각의 크기가 같으면 두 직선은 평행하다.
  또 $\overline{AB}=\overline{DC}=3$
  즉, □ABCD는 한 쌍의 대변이 평행하고, 그 길이가 같으므로 평행사변형이 된다.

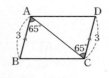

4 (1) 두 쌍의 대변의 길이가 각각 같으므로 평행사변형이 된다.

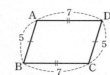

(2) $\angle C=360°-(125°+55°+55°)$
    $=125°$
  즉, 두 쌍의 대각의 크기가 각각 같으므로 평행사변형이 된다.

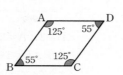

---

(3) $\angle A\neq\angle C$이므로 평행사변형이 아니다.

(4) $\overline{AO}\neq\overline{CO}, \overline{BO}\neq\overline{DO}$이므로 평행사변형이 아니다.

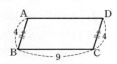

(5) 한 쌍의 대변이 평행하고, 그 길이가 같으므로 평행사변형이 된다.

(6) $\overline{AD}\neq\overline{BC}$이므로 평행사변형이 아니다.

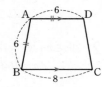

(7) $\angle ABE=180°-80°=100°$
  따라서 $\angle DAB=\angle ABE=100°$이므로 $\overline{AD}/\!/\overline{BC}$
  즉, 한 쌍의 대변이 평행하고, 그 길이가 같으므로 평행사변형이 된다.

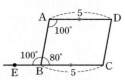

개념 익히기 **4. 평행사변형과 넓이**

39쪽

1 (1) 9 (2) 18 **2** 24cm² **3** 16cm² **4** 24cm²

1 (1) $\triangle OBC=\dfrac{1}{4}\square ABCD=\dfrac{1}{4}\times36=9$

(2) $\triangle ABO=\triangle DOC=\dfrac{1}{4}\square ABCD=\dfrac{1}{4}\times36=9$
  $\therefore \triangle ABO+\triangle DOC=9+9=18$

2 $\square ABCD=4\triangle AOD=4\times6=24(\text{cm}^2)$

3 $\triangle ABP+\triangle CDP=\dfrac{1}{2}\square ABCD=\dfrac{1}{2}\times32=16(\text{cm}^2)$

4 $\triangle APD+\triangle BCP=\dfrac{1}{2}\square ABCD$이므로
  $16+\triangle BCP=\dfrac{1}{2}\times80=40(\text{cm}^2)$
  $\therefore \triangle BCP=40-16=24(\text{cm}^2)$

개념 익히기 5. 직사각형의 성질

1 (1) $x=5$, $y=8$ (2) $x=10$, $y=8$ (3) $x=58$, $y=90$

     (4) $x=5$, $y=40$ (5) $x=12$, $y=55$ (6) $x=50$, $y=40$

     (7) $x=42$, $y=84$ (8) $x=30$, $y=120$

2 (1) 90   (2) 9   (3) 4

3 (1) ○   (2) ○   (3) ×   (4) ○   (5) ○   (6) ×   (7) ×

4 (1) 180°   (2) 180, 90, 90, 90   (3) 180, 90, 90, 90

     (4) 90, 90, 90, 직사각형   (5) 5

---

1 (3) 네 내각의 크기가 모두 90°이므로

$\angle A=90°$ $\therefore y=90$

$\angle C=90°$이므로 △DBC에서

$\angle BDC=180°-(32°+90°)=58°$

$\therefore x=58$

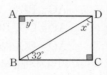

(4) $\overline{OC}=\overline{OD}$이므로 $x=5$

$\overline{OC}=\overline{OB}$이므로 $\angle OCB=40°$

$\therefore y=40$

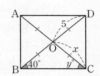

(5) $\overline{AC}=\overline{BD}=2\,\overline{OB}$이므로

$x=2\times6=12$

$\overline{OB}=\overline{OC}$이므로 $\angle OBC=35°$

$\angle OBA=90°-35°=55°$

$\therefore y=55$

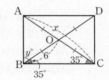

(6) $\overline{OA}=\overline{OD}$이므로 $\angle OAD=50°$

$\therefore x=50$

$\angle D=90°$이므로

$\angle ODC=90°-50°=40°$

$\overline{OC}=\overline{OD}$이므로 $\angle OCD=40°$

$\therefore y=40$

(7) $\overline{OB}=\overline{OC}$이므로 $\angle OCB=42°$

$\therefore x=42$

$\angle DOC$는 △OBC의 한 외각이므로

$\angle DOC=42°+42°=84°$

$\therefore y=84$

(8) $\angle A=90°$이므로

$\angle DAO=90°-60°=30°$

$\overline{OD}=\overline{OA}$이므로 $\angle ODA=30°$

$\therefore x=30$

△AOD에서

$\angle AOD=180°-(30°+30°)=120°$

$\therefore y=120$

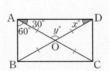

3 (2) $\angle A=\angle C$, $\angle B=\angle D$이므로

$\angle A=\angle B$이면 $\angle A=\angle B=\angle C=\angle D$

따라서 평행사변형 ABCD는 직사각형이 된다.

(3) 평행사변형 ABCD가 $\angle A=\angle C$를 이미 만족시키므로

$\angle A=\angle C$는 직사각형이 되는 조건이 아니다.

---

(5) $\overline{AO}=\overline{CO}$, $\overline{BO}=\overline{DO}$이므로

$\overline{AO}=\overline{BO}$이면 $\overline{AO}=\overline{BO}=\overline{CO}=\overline{DO}$

$\therefore \overline{AC}=\overline{BD}$

따라서 평행사변형 ABCD는 직사각형이 된다.

(6) 평행사변형 ABCD가 $\overline{AO}=\overline{CO}$를 이미 만족시키므로

$\overline{AO}=\overline{CO}$는 직사각형이 되는 조건이 아니다.

4 (5) 직사각형은 두 대각선의 길이가 같으므로 □EFGH에서

$\overline{HF}=\overline{EG}=5$

개념 익히기 6. 마름모의 성질

1 (1) $x=4$, $y=4$ (2) $x=20$, $y=140$ (3) $x=110$, $y=35$

     (4) $x=6$, $y=8$ (5) $x=90$, $y=25$ (6) $x=50$, $y=40$

     (7) $x=4$, $y=25$ (8) $x=30$, $y=60$

2 (1) 90   (2) 6   (3) 8

3 (1) ○   (2) ×   (3) ○   (4) ×   (5) ○   (6) ×   (7) ○

4 (1) $\angle ABF$, $\overline{AF}$, $\angle BAE$, $\overline{BE}$, $\overline{BE}$

     (2) $\overline{BE}$, $\overline{AF}$, 평행사변형, $\overline{AF}$, 마름모 (3) ㄱ, ㄴ

---

1 (2) $\overline{AB}=\overline{AD}$이므로

$\angle ABD=\dfrac{1}{2}\times(180°-140°)$

        $=20°$

$\therefore x=20$

$\angle C=\angle A=140°$

$\therefore y=140$

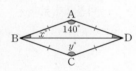

(3) $\overline{CB}=\overline{CD}$이므로

$\angle C=180°-2\times35°=110°$

$\therefore x=110$

$\overline{AD}/\!/\overline{BC}$이므로

$\angle ADB=35°$(엇각) $\therefore y=35$

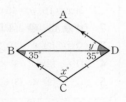

(5) 두 대각선이 수직으로 만나므로

$\angle AOD=90°$ $\therefore x=90$

$\overline{CD}=\overline{CB}$이므로

$\angle CDB=25°$ $\therefore y=25$

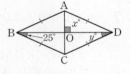

(6) △ABO에서 $\angle AOB=90°$이므로

$\angle BAO=180°-(40°+90°)=50°$

$\therefore x=50$

$\overline{AB}/\!/\overline{DC}$이므로

$\angle BDC=40°$(엇각) $\therefore y=40$

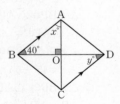

(7) $\overline{OC}=\overline{OA}$이므로 $x=4$

$\overline{AB}=\overline{AD}$이므로

$\angle ABO=\angle ADO$

△ABO에서 $\angle AOB=90°$이므로

$\angle ABO=180°-(65°+90°)=25°$

$\therefore y=25$

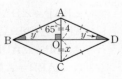

(8) $\overline{\text{AD}} /\!/ \overline{\text{BC}}$이므로

$\angle \text{BCA}=\angle \text{DAC}=30°$(엇각)

$\overline{\text{AB}}=\overline{\text{BC}}$이므로 $\angle \text{BAO}=30°$

$\therefore x=30$

$\triangle \text{OBC}$에서 $\angle \text{BOC}=90°$이므로

$\angle \text{OBC}=180°-(90°+30°)=60°$

$\therefore y=60$

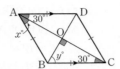

3 (4) $\angle \text{A}=\angle \text{C}$, $\angle \text{B}=\angle \text{D}$이므로

$\angle \text{A}=\angle \text{B}$이면 $\angle \text{A}=\angle \text{B}=\angle \text{C}=\angle \text{D}$

따라서 평행사변형 ABCD는 직사각형은 되지만 마름모는 되지 않는다.

(6) $\angle \text{OAB}=\angle \text{OBA}$이면 $\overline{\text{AO}}=\overline{\text{BO}}$

이때 $\overline{\text{AO}}=\overline{\text{CO}}$, $\overline{\text{BO}}=\overline{\text{DO}}$이므로

$\overline{\text{AO}}=\overline{\text{BO}}=\overline{\text{CO}}=\overline{\text{DO}}$　$\therefore \overline{\text{AC}}=\overline{\text{BD}}$

따라서 평행사변형 ABCD는 직사각형은 되지만 마름모는 되지 않는다.

(7) $\overline{\text{AD}} /\!/ \overline{\text{BC}}$이므로 $\angle \text{DAC}=\angle \text{BCA}$(엇각)

이때 $\angle \text{DAC}=\angle \text{BAC}$이면 $\angle \text{BAC}=\angle \text{BCA}$이므로

$\triangle \text{ABC}$에서 $\overline{\text{AB}}=\overline{\text{BC}}$이다.

즉, 이웃하는 두 변의 길이가 같으므로 평행사변형 ABCD는 마름모가 된다.

44쪽~45쪽

개념 익히기 **7. 정사각형의 성질**

1 (1) $x=5$, $y=90$　(2) $x=4$, $y=90$

(3) $x=16$, $y=45$　(4) $x=45$, $y=7$

2 (1) ❶ 45　❷ △PDC, 30　❸ 45, 75　(2) $100°$　(3) $25°$

3 (1) ○　(2) ×　(3) ○　(4) ×

4 (1) ×　(2) ○　(3) ×　(4) ○

5 (1) ○　(2) ×　(3) ○　(4) ×　(5) ×　(6) ○　(7) ○

2 (2) $\triangle \text{ABP}$와 $\triangle \text{ADP}$에서

$\overline{\text{AB}}=\overline{\text{AD}}$,

$\angle \text{BAP}=\angle \text{DAP}=45°$,

$\overline{\text{AP}}$는 공통이므로

$\triangle \text{ABP}\equiv\triangle \text{ADP}$(SAS 합동)

$\therefore \angle \text{ADP}=\angle \text{ABP}=55°$

$\angle x$는 $\triangle \text{APD}$의 한 외각이므로

$\angle x=45°+55°=100°$

(3) $\triangle \text{ABP}$와 $\triangle \text{ADP}$에서

$\overline{\text{AB}}=\overline{\text{AD}}$,

$\angle \text{BAP}=\angle \text{DAP}=45°$,

$\overline{\text{AP}}$는 공통이므로

$\triangle \text{ABP}\equiv\triangle \text{ADP}$(SAS 합동)

$\therefore \angle \text{ABP}=\angle \text{ADP}=\angle x$

$\triangle \text{ABP}$에서 외각의 성질에 의하여

$45°+\angle x=70°$　$\therefore \angle x=25°$

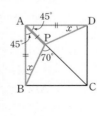

3 (2) 직사각형 ABCD가 $\overline{\text{AC}}=\overline{\text{BD}}$를 이미 만족시키므로

$\overline{\text{AC}}=\overline{\text{BD}}$는 정사각형이 되는 조건이 아니다.

(4) 직사각형 ABCD가 $\overline{\text{AO}}=\overline{\text{BO}}$를 이미 만족시키므로

$\overline{\text{AO}}=\overline{\text{BO}}$는 정사각형이 되는 조건이 아니다.

4 (1) 마름모 ABCD가 $\angle \text{BAC}=\angle \text{DAC}$를 이미 만족시키므로

$\angle \text{BAC}=\angle \text{DAC}$는 정사각형이 되는 조건이 아니다.

(2) $\angle \text{A}=\angle \text{C}$, $\angle \text{B}=\angle \text{D}$이므로

$\angle \text{A}=\angle \text{B}$이면 $\angle \text{A}=\angle \text{B}=\angle \text{C}=\angle \text{D}$

따라서 마름모 ABCD는 정사각형이 된다.

(3) 마름모 ABCD가 $\overline{\text{AC}}\perp\overline{\text{BD}}$를 이미 만족시키므로

$\overline{\text{AC}}\perp\overline{\text{BD}}$는 정사각형이 되는 조건이 아니다.

(4) $\overline{\text{AO}}=\overline{\text{CO}}$, $\overline{\text{BO}}=\overline{\text{DO}}$이므로

$\overline{\text{AO}}=\overline{\text{BO}}$이면 $\overline{\text{AO}}=\overline{\text{BO}}=\overline{\text{CO}}=\overline{\text{DO}}$　$\therefore \overline{\text{AC}}=\overline{\text{BD}}$

따라서 마름모 ABCD는 정사각형이 된다.

5 (1) 평행사변형 ABCD에서

$\overline{\text{AB}}=\overline{\text{BC}}$이면 마름모가 되고,

$\overline{\text{AC}}=\overline{\text{BD}}$이면 직사각형이 되므로

$\overline{\text{AB}}=\overline{\text{BC}}$, $\overline{\text{AC}}=\overline{\text{BD}}$이면 정사각형이 된다.

(2) 평행사변형 ABCD에서 $\overline{\text{AB}}=\overline{\text{AD}}$, $\overline{\text{AC}}\perp\overline{\text{BD}}$이면

마름모가 된다.

(3) 평행사변형 ABCD에서

$\overline{\text{AC}}=\overline{\text{BD}}$이면 직사각형이 되고,

$\overline{\text{AC}}\perp\overline{\text{BD}}$이면 마름모가 되므로

$\overline{\text{AC}}=\overline{\text{BD}}$, $\overline{\text{AC}}\perp\overline{\text{BD}}$이면 정사각형이 된다.

(4) 평행사변형 ABCD에서 $\overline{\text{AO}}=\overline{\text{BO}}=\overline{\text{CO}}=\overline{\text{DO}}$이면

$\overline{\text{AC}}=\overline{\text{BD}}$이므로 직사각형이 된다.

(5) 평행사변형 ABCD에서 $\angle \text{B}=90°$, $\overline{\text{AC}}=\overline{\text{BD}}$이면

직사각형이 된다.

(6) 평행사변형 ABCD에서

$\angle \text{A}=90°$이면 직사각형이 되고,

$\overline{\text{AC}}\perp\overline{\text{BD}}$이면 마름모가 되므로

$\angle \text{A}=90°$, $\overline{\text{AC}}\perp\overline{\text{BD}}$이면 정사각형이 된다.

(7) 평행사변형 ABCD에서

$\angle \text{C}=\angle \text{D}$이면 $\angle \text{A}=\angle \text{B}=\angle \text{C}=\angle \text{D}$이므로 직사각형이 되고, $\angle \text{AOB}=90°$이면 마름모가 되므로

$\angle \text{C}=\angle \text{D}$, $\angle \text{AOB}=90°$이면 정사각형이 된다.

46쪽

개념 익히기 **8. 등변사다리꼴의 성질**

1 (1) 20　(2) 9　(3) 3　(4) 50

2 (1) 8　(2) 6

1 (1) $\angle \text{ACB}=\angle \text{DAC}=50°$(엇각)이고

$\angle \text{C}=\angle \text{B}=70°$이므로

$\angle \text{ACD}=70°-50°=20°$

$\therefore x=20$

(4) $\overline{BA}$의 연장선 위에 점 E를 잡으면

∠EAD=∠B(동위각)

∠EAD=180°−130°=50°이므로

∠B=50°   ∴ x=50

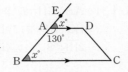

2 (1) □ABCD는 등변사다리꼴이므로

∠C=∠B=60°

$\overline{AB}$와 평행하게 $\overline{DE}$를 그으면

□ABED는 평행사변형이므로

$\overline{BE}=\overline{AD}$=3, $\overline{DE}=\overline{AB}$=5

또 ∠DEC=∠B=60°(동위각)이므로 △DEC는 정삼각형

이다.

∴ $\overline{EC}=\overline{DE}$=5

∴ x=3+5=8

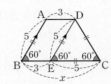

(2) $\overline{AB}$와 평행하게 $\overline{DE}$를 그으면

□ABED는 평행사변형이므로

$\overline{BE}=\overline{AD}=x$, $\overline{DE}=\overline{AB}$=9

∠A+∠B=180°이므로 ∠B=60°

∴ ∠C=∠B=60°

또 ∠DEC=∠B=60°(동위각)이므로 △DEC는 정삼각형

이다.

∴ $\overline{EC}=\overline{DE}$=9

즉, x+9=15이므로 x=6

9. 여러 가지 사각형 사이의 관계

1 (1) ㄱ (2) ㄹ (3) ㄴ (4) ㄴ (5) ㄹ

2 (1) 마름모 (2) 직사각형 (3) 직사각형

(4) 마름모 (5) 직사각형 (6) 정사각형

(7) 정사각형 (8) 직사각형 (9) 마름모

(10) 정사각형

3 (1) ○ (2) × (3) ○ (4) ○ (5) × (6) ○ (7) ○ (8) ×

(9) ×

4 (1) ㄱ, ㄴ, ㄷ, ㄹ (2) ㄴ, ㄹ, ㅁ (3) ㄷ, ㄹ (4) ㄴ, ㄹ

(5) ㄹ

2 (6) 평행사변형 ABCD에서

$\overline{AC}=\overline{BD}$이면 직사각형이 되고,

$\overline{AC}\perp\overline{BD}$이면 마름모가 되므로

$\overline{AC}=\overline{BD}$, $\overline{AC}\perp\overline{BD}$이면 정사각형이 된다.

(7) 평행사변형 ABCD에서

∠A=90°이면 직사각형이 되고,

$\overline{AB}=\overline{BC}$이면 마름모가 되므로

∠A=90°, $\overline{AB}=\overline{BC}$이면 정사각형이 된다.

(8) 평행사변형 ABCD에서

∠C=90°, $\overline{AC}=\overline{BD}$이면 직사각형이 된다.

(9) 평행사변형 ABCD에서

$\overline{AB}=\overline{BC}$, ∠AOB=90°, 즉 $\overline{AC}\perp\overline{BD}$이면 마름모가 된다.

(10) 평행사변형 ABCD에서

∠A=90°이면 직사각형이 되고,

$\overline{AC}\perp\overline{BD}$이면 마름모가 되므로

∠A=90°, $\overline{AC}\perp\overline{BD}$이면 정사각형이 된다.

10. 평행선과 삼각형의 넓이

1 (1) △DBC (2) △ACD (3) △DOC

2 (1) 30 cm² (2) 90 cm² (3) 196 cm²

3 (1) △ACE (2) △DCE (3) □ABCD (4) △FCE

4 (1) 35 cm² (2) 20 cm² (3) 36 cm² (4) 30 cm²

1 (3) △ABO=△ABC−△OBC

=△DBC−△OBC

=△DOC

2 (1) △DOC=△DBC−△OBC

=△ABC−△OBC

=85−55=30(cm²)

(2) △OBC=△ABC−△ABO

=△DBC−△ABO

=140−50=90(cm²)

(3) △DOC=△DBC−△OBC

=△ABC−△OBC

=126−81=45(cm²)

∴ □ABCD=△ABC+△DOC+△AOD

=126+45+25

=196(cm²)

3 (3) △ABE=△ABC+△ACE

=△ABC+△ACD

=□ABCD

(4) △AFD=△ACD−△ACF

=△ACE−△ACF

=△FCE

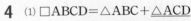

4 (1) □ABCD=△ABC+△ACD

=△ABC+△ACE

=21+14=35(cm²)

(2) △ACE=△ACD

=□ABCD−△ABC

=50−30=20(cm²)

(3) △ABC=□ABCD−△ACD

=□ABCD−△ACE

=60−24=36(cm²)

(4) △DBC=△DAC

=□ACED−△DCE

=54−24=30(cm²)

III 도형의 닮음과 피타고라스 정리

III·1 도형의 닮음

개념 익히기 1. 닮은 도형

1 (1) □EFGH (2) 점 F (3) $\overline{GH}$ (4) ∠E
2 (1) 점 E (2) $\overline{FE}$ (3) ∠D
3 (1) 점 E (2) $\overline{HG}$ (3) ∠C
4 (1) ○ (2) × (3) ○ (4) ○ (5) ○ (6) × (7) × (8) ○

개념 익히기 2. 평면도형에서 닮음의 성질

1 (1) 2 : 1 (2) 4 (3) 45° **2** (1) 4 : 3 (2) 16 (3) 95°
3 (1) 5 (2) 15 **4** (1) 3 (2) 6 (3) 24

1 (1) $\overline{BC} : \overline{EF} = 6 : 3 = 2 : 1$
(2) $\overline{AC} : \overline{DF} = 2 : 1$이므로 $8 : \overline{DF} = 2 : 1$
$2\overline{DF} = 8$ ∴ $\overline{DF} = 4$
(3) △ABC에서 ∠C = 180° − (55° + 80°) = 45°이므로
∠F = ∠C = 45°

2 (1) $\overline{BC} : \overline{GF} = 12 : 9 = 4 : 3$
(2) $\overline{AB} : \overline{HG} = 4 : 3$이므로 $\overline{AB} : 12 = 4 : 3$
$3\overline{AB} = 48$ ∴ $\overline{AB} = 16$
(3) ∠C = ∠F = 70°이므로 □ABCD에서
∠D = 360° − (120° + 75° + 70°) = 95°

3 (1) $\overline{BC} : \overline{EF} = 1 : 2$이므로 $\overline{BC} : 10 = 1 : 2$
$2\overline{BC} = 10$ ∴ $\overline{BC} = 5$
(2) △ABC의 둘레의 길이는
$\overline{AB} + \overline{BC} + \overline{CA} = 6 + 5 + 4 = 15$

4 (1) $\overline{AD} : \overline{EH} = 3 : 2$이므로 $\overline{AD} : 2 = 3 : 2$ ∴ $\overline{AD} = 3$
(2) $\overline{BC} : \overline{FG} = 3 : 2$이므로 $\overline{BC} : 4 = 3 : 2$
$2\overline{BC} = 12$ ∴ $\overline{BC} = 6$
(3) □ABCD의 둘레의 길이는
$\overline{AB} + \overline{BC} + \overline{CD} + \overline{DA} = 6 + 6 + 9 + 3 = 24$

개념 익히기 3. 입체도형에서 닮음의 성질

1 (1) □GJKH (2) 2 : 1 (3) 4 **2** (1) 3 : 2 (2) 12
3 (1) 4 : 7 (2) 7 **4** (1) 5 : 2 (2) $\dfrac{6}{5}$

1 (2) $\overline{AB} : \overline{GH} = 6 : 3 = 2 : 1$
(3) $\overline{BC} : \overline{HI} = 2 : 1$이므로 $8 : \overline{HI} = 2 : 1$
$2\overline{HI} = 8$ ∴ $\overline{HI} = 4$

2 (1) $\overline{FG} : \overline{NO} = 15 : 10 = 3 : 2$
(2) $\overline{DH} : \overline{LP} = 3 : 2$이므로 $\overline{DH} : 8 = 3 : 2$
$2\overline{DH} = 24$ ∴ $\overline{DH} = 12$

3 (1) 두 원뿔의 닮음비는 모선의 길이의 비와 같으므로
$8 : 14 = 4 : 7$
(2) 두 원뿔의 밑면의 반지름의 길이의 비도 4 : 7이므로
큰 원뿔의 밑면의 반지름의 길이를 x라 하면
$4 : x = 4 : 7$ ∴ $x = 7$

4 (1) 두 원기둥의 닮음비는 높이의 비와 같으므로
$15 : 6 = 5 : 2$
(2) 두 원기둥의 밑면의 반지름의 길이의 비도 5 : 2이므로
작은 원기둥의 밑면의 반지름의 길이를 x라 하면
$3 : x = 5 : 2, 5x = 6$ ∴ $x = \dfrac{6}{5}$

개념 익히기 4. 서로 닮은 두 평면도형에서의 비

1 (1) 2 : 3 (2) 2 : 3 (3) 4 : 9 (4) 12 (5) $\dfrac{27}{4}$
2 (1) 7 : 5 (2) 7 : 5 (3) 49 : 25 (4) 25 cm (5) 98 cm²

1 (4) △DEF의 둘레의 길이를 x라 하면
$8 : x = 2 : 3, 2x = 24$ ∴ $x = 12$
(5) △DEF의 넓이를 y라 하면
$3 : y = 4 : 9, 4y = 27$ ∴ $y = \dfrac{27}{4}$

2 (4) □EFGH의 둘레의 길이를 x cm라 하면
$35 : x = 7 : 5, 7x = 175$ ∴ $x = 25$
따라서 □EFGH의 둘레의 길이는 25 cm이다.
(5) □ABCD의 넓이를 y cm²라 하면
$y : 50 = 49 : 25, 25y = 2450$ ∴ $y = 98$
따라서 □ABCD의 넓이는 98 cm²이다.

개념 익히기 5. 서로 닮은 두 입체도형에서의 비

1 (1) 3 : 5 (2) 3 : 5 (3) 9 : 25 (4) 27 : 125
(5) 25π cm² (6) $\dfrac{250}{9}\pi$ cm³
2 (1) 2 : 3 (2) 4 : 9 (3) 4 : 9 (4) 8 : 27
(5) 180 cm² (6) 80 cm³

1 (5) 원기둥 B의 겉넓이를 x cm²라 하면
$9\pi : x = 9 : 25$ ∴ $x = 25\pi$
따라서 원기둥 B의 겉넓이는 25π cm²이다.

(6) 원기둥 B의 부피를 $y\,\mathrm{cm}^3$라 하면

$6\pi : y = 27 : 125$, $27y = 750\pi$　　∴ $y = \dfrac{250}{9}\pi$

따라서 원기둥 B의 부피는 $\dfrac{250}{9}\pi\,\mathrm{cm}^3$이다.

2 (5) 사각뿔 B의 겉넓이를 $x\,\mathrm{cm}^2$라 하면

$80 : x = 4 : 9$, $4x = 720$　　∴ $x = 180$

따라서 사각뿔 B의 겉넓이는 $180\,\mathrm{cm}^2$이다.

(6) 사각뿔 A의 부피를 $y\,\mathrm{cm}^3$라 하면

$y : 270 = 8 : 27$　　∴ $y = 80$

따라서 사각뿔 A의 부피는 $80\,\mathrm{cm}^3$이다.

△FDE에서 ∠D$=180°-(70°+45°)=65°$이므로

∠W$=$∠D$=65°$,

∠X$=$∠E$=45°$

➡ △VWX∽△FDE (AA 닮음)

3 (2) △ABC와 △CBD에서

$\overline{AB}:\overline{CB}=8:12=2:3$, $\overline{BC}:\overline{BD}=12:18=2:3$,

$\overline{AC}:\overline{CD}=6:9=2:3$

➡ △ABC∽△CBD (SSS 닮음)

(3) △ABC와 △DEC에서

$\overline{AC}:\overline{DC}=5:10=1:2$, ∠ACB$=$∠DCE (맞꼭지각),

$\overline{BC}:\overline{EC}=3:6=1:2$

➡ △ABC∽△DEC (SAS 닮음)

(4) △ABC와 △EBD에서

$\overline{AB}:\overline{EB}=2:8=1:4$, ∠ABC$=$∠EBD (맞꼭지각),

$\overline{BC}:\overline{BD}=3:12=1:4$

➡ △ABC∽△EBD (SAS 닮음)

(5) △ABC와 △ADE에서

∠A는 공통, ∠ACB$=$∠AED$=55°$

➡ △ABC∽△ADE (AA 닮음)

59쪽~60쪽

개념 익히기 6. 삼각형의 닮음 조건

1 (1) 1, 2, $\overline{DE}$, 6, 1, 2, 6, 1, △FDE, SSS

(2) $\overline{ED}$, 15, 3, ∠E, $\overline{EF}$, 18, 2, 3, △EDF, SAS

(3) 180, 40, ∠F, ∠D, △FDE, AA

2 (1) △PQR∽△LJK (SSS 닮음)

(2) △STU∽△GIH (SAS 닮음)

(3) △VWX∽△FDE (AA 닮음)

3 (1) △DAC, SSS

(2) △ABC∽△CBD (SSS 닮음)

(3) △ABC∽△DEC (SAS 닮음)

(4) △ABC∽△EBD (SAS 닮음)

(5) △ABC∽△ADE (AA 닮음)

2 (1)

$\overline{PQ}:\overline{LJ}=4:8=1:2$, $\overline{QR}:\overline{JK}=3:6=1:2$,

$\overline{PR}:\overline{LK}=5:10=1:2$

➡ △PQR∽△LJK (SSS 닮음)

(2)

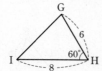

$\overline{SU}:\overline{GH}=3:6=1:2$, ∠U$=$∠H$=60°$,

$\overline{TU}:\overline{IH}=4:8=1:2$

➡ △STU∽△GIH (SAS 닮음)

(3)

61쪽~62쪽

개념 익히기 7. 공통인 각을 이용하여 닮은 삼각형 찾기 (1) - SAS 닮음

1 (1) 그림은 풀이 참조　① △CBD　② 6

(2) ① △CBD　② 8

(3) 그림은 풀이 참조　① △EBD　② 6

(4) ① △AED　② 10

2 (1) △DBA, 3, 3, 15　(2) $\dfrac{3}{2}$　(3) $\dfrac{20}{3}$　(4) 15　(5) 4

(6) 15　(7) 12　(8) 8

1 (1)

① △ABC와 △CBD에서

$\overline{AB}:\overline{CB}=8:4=2:1$, ∠B는 공통,

$\overline{BC}:\overline{BD}=4:2=2:1$이므로

△ABC∽△CBD (SAS 닮음)

② △ABC와 △CBD의 닮음비는 2 : 1이므로

$\overline{AC}:\overline{CD}=2:1$, $\overline{AC}:3=2:1$　　∴ $\overline{AC}=6$

(2)

① △ABC와 △CBD에서
$\overline{AB}:\overline{CB}=9:6=3:2$, ∠B는 공통,
$\overline{BC}:\overline{BD}=6:4=3:2$이므로
△ABC∽△CBD (SAS 닮음)
② △ABC와 △CBD의 닮음비는 3:2이므로
$\overline{AC}:\overline{CD}=3:2$, $12:\overline{CD}=3:2$
$3\overline{CD}=24$ ∴ $\overline{CD}=8$

(3)

① △ABC와 △EBD에서
$\overline{AB}:\overline{EB}=12:8=3:2$, ∠B는 공통,
$\overline{BC}:\overline{BD}=9:6=3:2$이므로
△ABC∽△EBD (SAS 닮음)
② △ABC와 △EBD의 닮음비는 3:2이므로
$\overline{AC}:\overline{ED}=3:2$, $9:\overline{ED}=3:2$
$3\overline{ED}=18$ ∴ $\overline{ED}=6$

(4)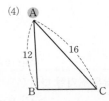

① △ABC와 △AED에서
$\overline{AB}:\overline{AE}=12:6=2:1$, ∠A는 공통,
$\overline{AC}:\overline{AD}=16:8=2:1$이므로
△ABC∽△AED (SAS 닮음)
② △ABC와 △AED의 닮음비는 2:1이므로
$\overline{BC}:\overline{ED}=2:1$, $\overline{BC}:5=2:1$
∴ $\overline{BC}=10$

2 (1)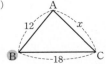

△ABC와 △DBA에서
$\overline{AB}:\overline{DB}=12:8=3:2$, ∠B는 공통,
$\overline{BC}:\overline{BA}=18:12=3:2$
따라서 △ABC∽△DBA (SAS 닮음)이고,
닮음비는 3:2이므로 $\overline{AC}:\overline{DA}=3:2$
$x:10=3:2$, $2x=30$ ∴ $x=15$

(2)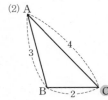

△ABC와 △BDC에서
$\overline{AC}:\overline{BC}=4:2=2:1$, ∠C는 공통,
$\overline{BC}:\overline{DC}=2:1$
따라서 △ABC∽△BDC (SAS 닮음)이고,
닮음비는 2:1이므로 $\overline{AB}:\overline{BD}=2:1$
$3:x=2:1$, $2x=3$ ∴ $x=\dfrac{3}{2}$

(3)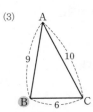

△ABC와 △CBD에서
$\overline{AB}:\overline{CB}=9:6=3:2$, ∠B는 공통,
$\overline{BC}:\overline{BD}=6:4=3:2$
따라서 △ABC∽△CBD (SAS 닮음)이고,
닮음비는 3:2이므로 $\overline{AC}:\overline{CD}=3:2$
$10:x=3:2$, $3x=20$ ∴ $x=\dfrac{20}{3}$

(4)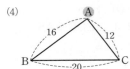

△ABC와 △ACD에서
$\overline{AB}:\overline{AC}=16:12=4:3$, ∠A는 공통,
$\overline{AC}:\overline{AD}=12:9=4:3$
따라서 △ABC∽△ACD (SAS 닮음)이고,
닮음비는 4:3이므로 $\overline{BC}:\overline{CD}=4:3$
$20:x=4:3$, $4x=60$ ∴ $x=15$

(5)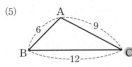

△ABC와 △EDC에서
$\overline{AC}:\overline{EC}=9:6=3:2$, ∠C는 공통,
$\overline{BC}:\overline{DC}=12:8=3:2$
따라서 △ABC∽△EDC (SAS 닮음)이고,
닮음비는 3:2이므로 $\overline{AB}:\overline{ED}=3:2$
$6:x=3:2$, $3x=12$ ∴ $x=4$

(6)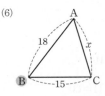

△ABC와 △EBD에서
$\overline{AB}:\overline{EB}=18:12=3:2$, ∠B는 공통,
$\overline{BC}:\overline{BD}=15:10=3:2$
따라서 △ABC∽△EBD (SAS 닮음)이고,
닮음비는 3:2이므로 $\overline{AC}:\overline{ED}=3:2$
$x:10=3:2$, $2x=30$ ∴ $x=15$

(7)

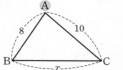

△ABC와 △AED에서

$\overline{AB}:\overline{AE}=8:4=2:1$, ∠A는 공통,

$\overline{AC}:\overline{AD}=10:5=2:1$

따라서 △ABC∽△AED (SAS 닮음)이고,

닮음비는 2:1이므로 $\overline{BC}:\overline{ED}=2:1$

$x:6=2:1$ ∴ $x=12$

(8)

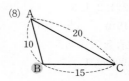

△ABC와 △EBD에서

$\overline{AB}:\overline{EB}=10:4=5:2$, ∠B는 공통,

$\overline{BC}:\overline{BD}=15:6=5:2$

따라서 △ABC∽△EBD (SAS 닮음)이고,

닮음비는 5:2이므로 $\overline{AC}:\overline{ED}=5:2$

$20:x=5:2$, $5x=40$ ∴ $x=8$

63쪽~64쪽

개념 익히기

8. 공통인 각을 이용하여 닮은 삼각형 찾기 (2)
- AA 닮음

1 (1) 12 ① △DAC ② 9
 (2) 그림은 풀이 참조 ① △AED ② 27

2 (1) △DAC, 3, 3, 18 (2) $\frac{9}{5}$ (3) 8

3 (1) 2:3 (2) 4:9 (3) 16 (4) 20

4 (1) 18cm² (2) 12cm²

5 (1) 1:3 (2) 1:9 (3) 54cm²

6 (1) 16cm² (2) 12cm²

1 (1)

① △ABC와 △DAC에서

 ∠ABC=∠DAC, ∠C는 공통이므로

 △ABC∽△DAC (AA 닮음)

② △ABC와 △DAC의 닮음비는

 $\overline{BC}:\overline{AC}=16:12=4:3$이므로

 $\overline{AC}:\overline{DC}=4:3$, $12:\overline{DC}=4:3$

 $4\overline{DC}=36$ ∴ $\overline{DC}=9$

(2)

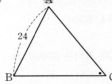

① △ABC와 △AED에서

 ∠ACB=∠ADE, ∠A는 공통이므로

 △ABC∽△AED (AA 닮음)

② △ABC와 △AED의 닮음비는

 $\overline{AB}:\overline{AE}=24:8=3:1$이므로

 $\overline{AC}:\overline{AD}=3:1$, $\overline{AC}:9=3:1$ ∴ $\overline{AC}=27$

2 (1)

△ABC와 △DAC에서

∠ABC=∠DAC, ∠C는 공통

따라서 △ABC∽△DAC (AA 닮음)이고,

닮음비는 $\overline{AC}:\overline{DC}=6:2=3:1$이므로

$\overline{BC}:\overline{AC}=3:1$, $x:6=3:1$ ∴ $x=18$

(2)

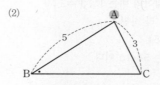

△ABC와 △ACD에서

∠ABC=∠ACD, ∠A는 공통

따라서 △ABC∽△ACD (AA 닮음)이고,

닮음비는 $\overline{AB}:\overline{AC}=5:3$이므로 $\overline{AC}:\overline{AD}=5:3$

$3:x=5:3$, $5x=9$ ∴ $x=\frac{9}{5}$

(3)

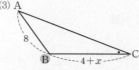

△ABC와 △EBD에서

∠ACB=∠EDB, ∠B는 공통

따라서 △ABC∽△EBD (AA 닮음)이고,

닮음비 는 $\overline{AB}:\overline{EB}=8:4=2:1$이므로

$\overline{BC}:\overline{BD}=2:1$, $(4+x):6=2:1$

$4+x=12$ ∴ $x=8$

3 (1) $\overline{AD}:\overline{AB}=4:6=2:3$
 (3) △ADE의 넓이를 x라 하면
  $x:36=4:9$, $9x=144$ ∴ $x=16$
 (4) □DBCE=△ABC−△ADE=36−16=20

4 (1) △ABC와 △DBE에서
  ∠BAC=∠BDE (동위각), ∠B는 공통이므로
  △ABC∽△DBE (AA 닮음)
  이때 △ABC와 △DBE의 닮음비는
  $\overline{BC}:\overline{BE}=10:8=5:4$이므로
  넓이의 비는 $5^2:4^2=25:16$
  △DBE의 넓이를 $x$cm²라 하면
  $50:x=25:16$, $25x=800$ ∴ $x=32$
  ∴ □DECA=△ABC−△DBE=50−32=18(cm²)

(2) △ABC와 △ADE에서

∠ABC=∠ADE (동위각), ∠A는 공통이므로

△ABC∽△ADE (AA 닮음)

이때 △ABC와 △ADE의 닮음비는

$\overline{AB}:\overline{AD}=6:3=2:1$이므로

넓이의 비는 $2^2:1^2=4:1$

△ABC의 넓이를 $x\,\mathrm{cm}^2$라 하면

$x:4=4:1$ ∴ $x=16$

∴ □DBCE=△ABC-△ADE=16-4=12(cm^2)

5 (1) △AOD와 △COB에서

∠AOD=∠COB (맞꼭지각),

∠ADO=∠CBO (엇각)이므로

△AOD∽△COB (AA 닮음)

이때 △AOD와 △COB의 닮음비는

$\overline{AD}:\overline{CB}=4:12=1:3$

(2) △AOD와 △COB의 넓이의 비는 $1^2:3^2=1:9$

(3) △COB의 넓이를 $x\,\mathrm{cm}^2$라 하면

$6:x=1:9$ ∴ $x=54$

따라서 △COB의 넓이는 54cm^2이다.

6 (1) △AOD와 △COB에서

∠AOD=∠COB (맞꼭지각),

∠ADO=∠CBO (엇각)이므로

△AOD∽△COB (AA 닮음)

이때 △AOD와 △COB의 닮음비는

$\overline{AD}:\overline{CB}=5:10=1:2$이므로

넓이의 비는 $1^2:2^2=1:4$

△COB의 넓이를 $x\,\mathrm{cm}^2$라 하면

$4:x=1:4$ ∴ $x=16$

따라서 △COB의 넓이는 16cm^2이다.

(2) △AOD와 △COB에서

∠AOD=∠COB (맞꼭지각),

∠ADO=∠CBO (엇각)이므로

△AOD∽△COB (AA 닮음)

이때 △AOD와 △COB의 닮음비는

$\overline{AD}:\overline{CB}=6:15=2:5$이므로

넓이의 비는 $2^2:5^2=4:25$

△AOD의 넓이를 $x\,\mathrm{cm}^2$라 하면

$x:75=4:25$, $25x=300$ ∴ $x=12$

따라서 △AOD의 넓이는 12cm^2이다.

65쪽

9. 직각삼각형 속의 닮음 관계

1 (1) 25, 4 (2) 4 (3) 5 (4) 10, $\dfrac{5}{2}$ (5) 8 (6) 16

(7) 3, 12 (8) 9 (9) $\dfrac{9}{4}$

1 (2) $2^2=1\times x$ ∴ $x=4$

(3) $6^2=4\times(4+x)$, $36=16+4x$

$4x=20$ ∴ $x=5$

(5) $4^2=2\times x$, $16=2x$ ∴ $x=8$

(6) $6^2=2\times(2+x)$, $36=4+2x$

$2x=32$ ∴ $x=16$

(8) $12^2=x\times16$, $144=16x$ ∴ $x=9$

(9) $3^2=4\times x$, $9=4x$ ∴ $x=\dfrac{9}{4}$

66쪽~67쪽

10. 실생활에서 닮음의 활용

1 (1) △DBE, △DBE, 2, 1 (2) 2, 1, 2, 1, 3

2 150m **3** 8m **4** 15m **5** 4m

6 (1) △ADE, △ADE, 7, 5 (2) 7, 5, 7, 5, 5, 5

(3) 20000, 5, 20000, 100000, 100000, 1

7 500m

2 △ABC∽△DBE (AA 닮음)이고,

△ABC와 △DBE의 닮음비는

$\overline{BC}:\overline{BE}=200:1.6=125:1$이므로

$\overline{AC}:\overline{DE}=125:1$에서 $\overline{AC}:1.2=125:1$

∴ $\overline{AC}=150(\mathrm{m})$

따라서 피라미드의 높이는 150m이다.

3 △ABC∽△DEC (AA 닮음)이고,

△ABC와 △DEC의 닮음비는

$\overline{BC}:\overline{EC}=7:1.4=5:1$이므로

$\overline{AB}:\overline{DE}=5:1$에서 $\overline{AB}:1.6=5:1$ ∴ $\overline{AB}=8(\mathrm{m})$

따라서 건물의 높이는 8m이다.

4 △ABC∽△A′B′C′이고, $\overline{BC}=6\,\mathrm{m}=600\,\mathrm{cm}$이므로

△ABC와 △A′B′C′의 닮음비는

$\overline{BC}:\overline{B'C'}=600:2=300:1$

따라서 $\overline{AC}:\overline{A'C'}=300:1$이므로 $\overline{AC}:5=300:1$

∴ $\overline{AC}=1500(\mathrm{cm})=15(\mathrm{m})$

따라서 호수의 실제 폭은 15m이다.

5 △ABC∽△A′B′C′이고, $\overline{BC}=5\,\mathrm{m}=500\,\mathrm{cm}$이므로

△ABC와 △A′B′C′의 닮음비는

$\overline{BC}:\overline{B'C'}=500:2=250:1$

따라서 $\overline{AC}:\overline{A'C'}=250:1$이므로 $\overline{AC}:1=250:1$

∴ $\overline{AC}=250(\mathrm{cm})=2.5(\mathrm{m})$

따라서 나무의 실제 높이는 2.5+1.5=4(m)이다.

7 △ABC∽△DBE이고, △ABC와 △DBE의 닮음비는

$\overline{BA}:\overline{BD}=15:9=5:3$이므로

$\overline{AC}:\overline{DE}=5:3$에서 $\overline{AC}:6=5:3$

$3\overline{AC}=30$ ∴ $\overline{AC}=10(\mathrm{cm})$

이때 두 지점 A, C 사이의 실제 거리를 $x\,\mathrm{cm}$라 하면

$\overline{AC}:x=1:5000$이므로 $10:x=1:5000$

∴ $x=50000$

따라서 두 지점 A, C 사이의 실제 거리는 50000cm=500m

이다.

Ⅲ·2 평행선 사이의 선분의 길이의 비

68쪽

개념 익히기 11. 삼각형에서 평행선과 선분의 길이의 비 (1)

1 (1) 12, 18 (2) 4 (3) 2, 3 (4) 4 (5) 14, 7 (6) 16

1 (2) $(4+6):4=10:x$ ∴ $x=4$
  (4) $6:x=3:2$, $3x=12$ ∴ $x=4$
  (6) $x:6=(20+12):12$, $12x=192$ ∴ $x=16$

69쪽

개념 익히기 12. 삼각형에서 평행선과 선분의 길이의 비 (2)

1 (1) 9, 10 (2) 10 (3) 6, 1 (4) 12 (5) 15, 9 (6) 5

1 (2) $x:6=5:3$, $3x=30$ ∴ $x=10$
  (4) $8:2=x:3$, $2x=24$ ∴ $x=12$
  (6) $4:10=2:x$, $4x=20$ ∴ $x=5$

70쪽

집중연습 삼각형에서 평행선과 선분의 길이의 비

1 (1) 9 (2) $\dfrac{9}{2}$ (3) 5 (4) 9 (5) 12
  (6) 2 (7) $\dfrac{16}{3}$ (8) 3 (9) $\dfrac{25}{2}$ (10) 6

1 (1) $6:2=x:3$, $2x=18$ ∴ $x=9$
  (2) $4:3=6:x$, $4x=18$ ∴ $x=\dfrac{9}{2}$
  (3) $12:6=10:x$, $12x=60$ ∴ $x=5$
  (4) $x:6=(8+4):8$, $8x=72$ ∴ $x=9$
  (5) $x:4=(12+6):6$, $6x=72$ ∴ $x=12$
  (6) $(6+x):6=12:9$, $9(6+x)=72$
    $54+9x=72$, $9x=18$ ∴ $x=2$
  (7) $x:4=8:6$, $6x=32$ ∴ $x=\dfrac{16}{3}$
  (8) $6:x=8:4$, $8x=24$ ∴ $x=3$
  (9) $5:x=6:15$, $6x=75$ ∴ $x=\dfrac{25}{2}$
  (10) $4:(4+6)=x:15$, $10x=60$ ∴ $x=6$

71쪽

개념 익히기 13. 삼각형에서 평행선 찾기

1 (1) ○ (2) × (3) × (4) ○ (5) ○ (6) × (7) ○

1 (1) $\overline{AB}:\overline{AD}=20:10=\underline{2:1}$
    $\overline{AC}:\overline{AE}=16:8=\underline{2:1}$ ➡ $\overline{BC}/\!/\overline{DE}$이다.
  (2) $\overline{AD}:\overline{DB}=18:4=\underline{9:2}$
    $\overline{AE}:\overline{EC}=\underline{10:3}$ ➡ $\overline{BC}/\!/\overline{DE}$가 아니다.

(3) $\overline{AB}:\overline{AD}=\underline{9:7}$
  $\overline{BC}:\overline{DE}=\underline{10:7}$ ➡ $\overline{BC}/\!/\overline{DE}$가 아니다.
(4) $\overline{AB}:\overline{BD}=6:3=\underline{2:1}$
  $\overline{AC}:\overline{CE}=4:2=\underline{2:1}$ ➡ $\overline{BC}/\!/\overline{DE}$이다.
(5) $\overline{AB}:\overline{AD}=10:5=\underline{2:1}$
  $\overline{AC}:\overline{AE}=8:4=\underline{2:1}$ ➡ $\overline{BC}/\!/\overline{DE}$이다.
(6) $\overline{AB}:\overline{AD}=2:6=\underline{1:3}$
  $\overline{BC}:\overline{DE}=\underline{3:8}$ ➡ $\overline{BC}/\!/\overline{DE}$가 아니다.
(7) $\overline{AD}:\overline{DB}=6:18=\underline{1:3}$
  $\overline{AE}:\overline{EC}=5:15=\underline{1:3}$ ➡ $\overline{BC}/\!/\overline{DE}$이다.

72쪽~73쪽

개념 익히기 14. 삼각형의 두 변의 중점을 연결한 선분의 성질

1 (1) 10 (2) 6 (3) 10 (4) 4 (5) 10 (6) 18
2 (1) $x=8$, $y=14$ (2) $x=3$, $y=4$
  (3) $x=5$, $y=5$ (4) $x=12$, $y=16$
3 (1) 16, 19 (2) 17 (3) 28

3 (2) △PQR의 둘레의 길이는
  $\dfrac{1}{2}(\overline{AB}+\overline{BC}+\overline{CA})=\dfrac{1}{2}\times(14+11+9)=17$
  (3) △ABC의 둘레의 길이는
  $2(\overline{QR}+\overline{RP}+\overline{PQ})=2\times(4+5+5)=28$

74쪽

개념 익히기 15. 사다리꼴에서 두 변의 중점을 연결한 선분의 성질

1 (1) 12, 8, 20 (2) 10 (3) 10
2 (1) 10 (2) 14 (3) 15

1 (2) $\overline{PN}=\dfrac{1}{2}\overline{AD}=\dfrac{1}{2}\times6=3$이므로
  $\overline{MP}=8-3=5$
  ∴ $x=2\overline{MP}=2\times5=10$

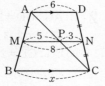

  (3) $\overline{MP}=\dfrac{1}{2}\overline{BC}=\dfrac{1}{2}\times24=12$이므로
  $\overline{PN}=17-12=5$
  ∴ $x=2\overline{PN}=2\times5=10$

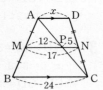

2 (1) 오른쪽 그림과 같이 $\overline{AC}$를 그어 $\overline{MN}$
  과 만나는 점을 P라 하면
  $\overline{MP}=\dfrac{1}{2}\overline{BC}=\dfrac{1}{2}\times12=6$
  $\overline{PN}=\dfrac{1}{2}\overline{AD}=\dfrac{1}{2}\times8=4$
  ∴ $x=6+4=10$

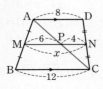

(2) 오른쪽 그림과 같이 $\overline{AC}$를 그어 $\overline{MN}$
과 만나는 점을 P라 하면

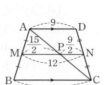

$\overline{MP}=\dfrac{1}{2}\overline{BC}=\dfrac{1}{2}\times10=5$

$\overline{PN}=\dfrac{1}{2}\overline{AD}=\dfrac{1}{2}\times18=9$

$\therefore x=5+9=14$

(3) 오른쪽 그림과 같이 $\overline{AC}$를 그어 $\overline{MN}$
과 만나는 점을 P라 하면

$\overline{PN}=\dfrac{1}{2}\overline{AD}=\dfrac{9}{2}$이므로

$\overline{MP}=12-\dfrac{9}{2}=\dfrac{15}{2}$

$\therefore x=2\overline{MP}=2\times\dfrac{15}{2}=15$

75쪽

16. 평행선 사이에 있는 선분의 길이의 비

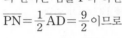

1 (1) 10, 9, 6 (2) 8 (3) 8, 9, 6 (4) $\dfrac{15}{4}$

2 (1) 4, 8, 10 (2) 9 (3) 3, 4, 16 (4) 3

1 (2) $3:6=4:x$, $3x=24$ $\therefore x=8$

(4) $10:x=(5+3):3$, $8x=30$ $\therefore x=\dfrac{15}{4}$

2 (2) $6:10=x:15$, $10x=90$ $\therefore x=9$

(4) $9:x=(4+2):2$, $6x=18$ $\therefore x=3$

76쪽~77쪽

17. 삼각형의 무게중심

1 (1) 3 (2) 8 (3) 14   **2** (1) 9 (2) 14 (3) 22

3 (1) 2, 2, 20 (2) 12 (3) 8 (4) 18

4 (1) $x=10$, $y=8$ (2) $x=5$, $y=6$ (3) $x=30$, $y=24$

(4) $x=3$, $y=18$ (5) $x=12$, $y=2$

2 (1) $\overline{AG}:\overline{GD}=2:1$이므로

$18:x=2:1$, $2x=18$ $\therefore x=9$

(2) $\overline{CG}:\overline{GD}=2:1$이므로

$x:7=2:1$ $\therefore x=14$

(3) $\overline{BG}:\overline{GD}=2:1$이므로

$x:11=2:1$ $\therefore x=22$

3 (2) $\overline{AD}:\overline{AG}=3:2$이므로

$x:8=3:2$, $2x=24$ $\therefore x=12$

(3) $\overline{CD}:\overline{GD}=3:1$이므로

$24:x=3:1$, $3x=24$ $\therefore x=8$

(4) $\overline{AD}:\overline{GD}=3:1$이므로

$x:6=3:1$ $\therefore x=18$

4 (1) $\overline{AG}:\overline{GD}=2:1$이므로

$x:5=2:1$ $\therefore x=10$

$\overline{AE}=\overline{CE}$이므로 $y=8$

(2) $x=\dfrac{1}{2}\overline{AC}=\dfrac{1}{2}\times10=5$

$\overline{BE}:\overline{BG}=3:2$이므로

$y:4=3:2$, $2y=12$ $\therefore y=6$

(3) $\overline{BE}:\overline{GE}=3:1$이므로

$x:10=3:1$ $\therefore x=30$

$y=2\overline{BD}=2\times12=24$

(4) $\overline{BG}:\overline{GD}=2:1$이므로

$6:x=2:1$, $2x=6$ $\therefore x=3$

직각삼각형의 빗변의 중점은 외심이므로 $\overline{AD}=\overline{BD}=\overline{CD}$

$\therefore y=2\overline{BD}=2\times(6+3)=18$

(5) $x=2\overline{AD}=2\times6=12$

직각삼각형의 빗변의 중점은 외심이므로 $\overline{AD}=\overline{BD}=\overline{CD}$

즉, $\overline{CD}=\overline{AD}=6$이고, $\overline{CD}:\overline{GD}=3:1$이므로

$6:y=3:1$, $3y=6$ $\therefore y=2$

78쪽

18. 삼각형의 무게중심과 넓이

1 (1) 3 (2) 6 (3) 12 (4) 9

2 (1) 15 (2) 36 (3) 27

1 (1) $\triangle GFB=\dfrac{1}{6}\triangle ABC=\dfrac{1}{6}\times18=3$

(2) $\triangle GCA=\dfrac{1}{3}\triangle ABC=\dfrac{1}{3}\times18=6$

(3) $\triangle GAB+\triangle GCA=\dfrac{2}{3}\triangle ABC=\dfrac{2}{3}\times18=12$

(4) $\triangle GAF+\triangle GBD+\triangle GCE=\dfrac{3}{6}\triangle ABC=\dfrac{3}{6}\times18=9$

2 (1) $\triangle ABC=3\triangle GBC=3\times5=15$

(2) $\triangle ABC=6\triangle GBD=6\times6=36$

(3) $\square FBDG=9$이므로 $\triangle GFB=\triangle GBD=\dfrac{9}{2}$

$\therefore \triangle ABC=6\triangle GFB=6\times\dfrac{9}{2}=27$

79쪽

19. 평행사변형에서 삼각형의 무게중심의 응용

1 (1) 6 (2) 8 (3) 9 (4) 42

2 (1) ❶ 30 ❷ 3, 10 (2) ❶ 12 ❷ 2

1 (1) $x=\dfrac{1}{3}\overline{BD}=\dfrac{1}{3}\times18=6$

(2) $x=\dfrac{1}{3}\overline{AC}=\dfrac{1}{3}\times24=8$

(3) $x=3\overline{PQ}=3\times3=9$

(4) $\overline{PQ}=2\overline{OQ}=2\times7=14$

$\therefore x=3\overline{PQ}=3\times14=42$

2 (2) ❶ $\triangle ACD=\dfrac{1}{2}\square ABCD=\dfrac{1}{2}\times24=12$

❷ $\triangle DQN=\dfrac{1}{6}\triangle ACD=\dfrac{1}{6}\times12=2$

개념 익히기

20. 피타고라스 정리

80쪽

1 (1) 80 (2) 72 (3) 27 (4) 50

2 (1) 10, 10, 64, 8 (2) 9 (3) 5

---

1 (1) $x^2=8^2+4^2=80$

(2) $x^2=6^2+6^2=72$

(3) $x^2+3^2=6^2$이므로 $x^2=6^2-3^2=27$

(4) $x^2+x^2=10^2$이므로 $2x^2=100$ ∴ $x^2=50$

2 (2) $x^2+12^2=15^2$이므로 $x^2=15^2-12^2=81$

이때 $x>0$이므로 $x=9$

(3) $x^2+12^2=13^2$이므로 $x^2=13^2-12^2=25$

이때 $x>0$이므로 $x=5$

개념 익히기

21. 삼각형을 나누었을 때, 변의 길이 구하기

81쪽

1 (1) ❶ 17, 64, 8 ❷ 8, 100, 10 (2) $x=12$, $y=9$

2 (1) ❶ 12, 25, 5 ❷ 5, 400, 20 (2) $x=8$, $y=25$

---

1 (2) △ADC에서 $x^2+5^2=13^2$이므로 $x^2=13^2-5^2=144$

이때 $x>0$이므로 $x=12$

△ABD에서 $12^2+y^2=15^2$이므로 $y^2=15^2-12^2=81$

이때 $y>0$이므로 $y=9$

2 (2) △ABD에서 $15^2+x^2=17^2$이므로 $x^2=17^2-15^2=64$

이때 $x>0$이므로 $x=8$

△ABC에서 $y^2=15^2+(8+12)^2=625$

이때 $y>0$이므로 $y=25$

개념 익히기

22. 피타고라스 정리의 이해 (1) - 유클리드의 방법

82쪽

1 (1) 9, 36 (2) 169, 144 (3) 25 (4) 36 (5) 64

---

1 (3) □ACHI=□ADEB+□BFGC

$\qquad =9+16=25$

(4) □BFGC=□ADEB+□ACHI이므로

$52=$□ADEB$+16$

∴ □ADEB$=52-16=36$

(5) □ADEB=□BFGC+□ACHI이므로

$289=225+$□ACHI

∴ □ACHI$=289-225=64$

개념 익히기

23. 피타고라스 정리의 이해 (2) - 피타고라스의 방법

1 (1) 5, 4, 41, 41 (2) 45 cm² (3) 52 cm²

2 (1) 169, 169, 25, 5 (2) 6 (3) 12

---

1 (2) $\overline{DH}=\overline{AE}=3$cm이므로 $\overline{AH}=9-3=6$(cm)

△AEH에서 $\overline{EH}^2=\overline{AE}^2+\overline{AH}^2=3^2+6^2=45$

이때 □EFGH는 정사각형이므로

□EFGH$=\overline{EH}^2=45$cm²

(3) $\overline{BE}=\overline{AH}=6$cm이므로 $\overline{AE}=10-6=4$(cm)

△AEH에서 $\overline{EH}^2=\overline{AE}^2+\overline{AH}^2=4^2+6^2=52$

이때 □EFGH는 정사각형이므로

□EFGH$=\overline{EH}^2=52$cm²

2 (2) □EFGH는 정사각형이므로

□EFGH$=\overline{EF}^2=100$cm²

△BFE에서 $x^2=\overline{EF}^2-\overline{EB}^2=100-8^2=36$

이때 $x>0$이므로 $x=6$

(3) □EFGH는 정사각형이므로

□EFGH$=\overline{EF}^2=225$cm²

이때 $\overline{BF}=\overline{AE}=9$cm이므로

△BFE에서 $x^2=\overline{EF}^2-\overline{BF}^2=225-9^2=144$

이때 $x>0$이므로 $x=12$

개념 익히기

24. 직각삼각형이 되는 조건

84쪽

1 (1) 4, ≠, 직각삼각형이 아니다 (2) 13, =, 직각삼각형이다

2 (1) ○ (2) × (3) ○ **3** 15

4 (1) 둔각삼각형 (2) 예각삼각형 (3) 직각삼각형 (4) 둔각삼각형

---

2 (1) 가장 긴 변의 길이가 10이고,

$10^2=6^2+8^2$이므로 직각삼각형이다.

(2) 가장 긴 변의 길이가 17이고,

$17^2≠9^2+15^2$이므로 직각삼각형이 아니다.

(3) 가장 긴 변의 길이가 25이고,

$25^2=7^2+24^2$이므로 직각삼각형이다.

3 $x>12$이므로 가장 긴 변의 길이가 x이다.

즉, 직각삼각형이 되려면 $x^2=9^2+12^2=225$이어야 한다.

이때 $x>0$이므로 $x=15$

4 (1) 가장 긴 변의 길이가 7이고, $7^2>3^2+5^2$이므로 둔각삼각형이다.

(2) 가장 긴 변의 길이가 9이고, $9^2<7^2+8^2$이므로 예각삼각형이다.

(3) 가장 긴 변의 길이가 17이고, $17^2=8^2+15^2$이므로 직각삼각형이다.

(4) 가장 긴 변의 길이가 13이고, $13^2>9^2+9^2$이므로 둔각삼각형이다.

Ⅳ 확률

Ⅳ·1 경우의 수

개념 익히기 1. 사건과 경우의 수

1 (1) 3, 4, 5, 6, 4　(2) 2　(3) 4　(4) 3　(5) 2
2 (1) 3, 6, 9, 3　(2) 5　(3) 1　(4) 4　(5) 4
3 (1) 뒷면, 앞면, 뒷면, 뒷면, 4　(2) 2
4 (1) 바위, 바위, 보, 9　(2) 3　(3) 3
5 표는 풀이 참조　(1) 36　(2) 6　(3) 3　(4) 6　(5) 4

2 (5) 1부터 10까지의 자연수 중에서 소수는 2, 3, 5, 7이므로 소수가 적힌 카드가 나오는 경우의 수는 4이다.

5

A＼B	·	··	·.·	::	·:·	::
·	(1, 1)	(1, 2)	(1, 3)	(1, 4)	(1, 5)	(1, 6)
··	(2, 1)	(2, 2)	(2, 3)	(2, 4)	(2, 5)	(2, 6)
·.·	(3, 1)	(3, 2)	(3, 3)	(3, 4)	(3, 5)	(3, 6)
::	(4, 1)	(4, 2)	(4, 3)	(4, 4)	(4, 5)	(4, 6)
·:·	(5, 1)	(5, 2)	(5, 3)	(5, 4)	(5, 5)	(5, 6)
::	(6, 1)	(6, 2)	(6, 3)	(6, 4)	(6, 5)	(6, 6)

(2) 위의 표에서 두 눈의 수가 같은 경우는
(1, 1), (2, 2), (3, 3), (4, 4), (5, 5), (6, 6)이므로 경우의 수는 6
(3) 위의 표에서 두 눈의 수의 합이 10인 경우는
(4, 6), (5, 5), (6, 4)이므로 경우의 수는 3
(4) 위의 표에서 두 눈의 수의 차가 3인 경우는
(1, 4), (2, 5), (3, 6), (4, 1), (5, 2), (6, 3)이므로 경우의 수는 6
(5) 위의 표에서 두 눈의 수의 곱이 25 이상인 경우는
(5, 5), (5, 6), (6, 5), (6, 6)이므로 경우의 수는 4

개념 익히기 2. 사건 A 또는 사건 B가 일어나는 경우의 수

1 4, 5, 4, 5, 9　**2** 7　**3** 3, 2, 3, 2, 5　**4** 9
5 (1) 2, 3, 3　(2) 11, 12, 4　(3) 3, 4, 7
6 (1) 10　(2) 6　(3) 8
7 (1) (2, 2), (3, 1), 3　(2) (2, 3), (3, 2), (4, 1), 4
　(3) 3, 4, 7
8 (1) 4　(2) 10　(3) 3

6 (1) 4 이하의 수가 적힌 카드가 나오는 경우는 1, 2, 3, 4이므로 경우의 수는 4

15 이상의 수가 적힌 카드가 나오는 경우는 15, 16, 17, 18, 19, 20이므로 경우의 수는 6
따라서 구하는 경우의 수는 4＋6＝10
(2) 5의 배수가 적힌 카드가 나오는 경우는 5, 10, 15, 20이므로 경우의 수는 4
9의 배수가 적힌 카드가 나오는 경우는 9, 18이므로 경우의 수는 2
따라서 구하는 경우의 수는 4＋2＝6
(3) 7의 배수가 적힌 카드가 나오는 경우는 7, 14이므로 경우의 수는 2
12의 약수가 적힌 카드가 나오는 경우는 1, 2, 3, 4, 6, 12이므로 경우의 수는 6
따라서 구하는 경우의 수는 2＋6＝8

8 (1) 꺼낸 공에 적힌 두 수의 합이 2인 경우는
(1, 1)이므로 경우의 수는 1
꺼낸 공에 적힌 두 수의 합이 6인 경우는
(2, 4), (3, 3), (4, 2)이므로 경우의 수는 3
따라서 구하는 경우의 수는 1＋3＝4
(2) 꺼낸 공에 적힌 두 수의 차가 1인 경우는
(1, 2), (2, 3), (3, 4), (4, 3), (3, 2), (2, 1)이므로 경우의 수는 6
꺼낸 공에 적힌 두 수의 차가 2인 경우는
(1, 3), (2, 4), (3, 1), (4, 2)이므로 경우의 수는 4
따라서 구하는 경우의 수는 6＋4＝10
(3) 꺼낸 공에 적힌 두 수의 곱이 8인 경우는
(2, 4), (4, 2)이므로 경우의 수는 2
꺼낸 공에 적힌 두 수의 곱이 16인 경우는
(4, 4)이므로 경우의 수는 1
따라서 구하는 경우의 수는 2＋1＝3

개념 익히기 3. 사건 A와 사건 B가 동시에 일어나는 경우의 수

1 ㅑ, ㄱ, ㄱ, ㅏ, ㄴ, ㄴ, 2, 4, 8　**2** 12　**3** 12
4 6　**5** 48　**6** 12

2 A 지점에서 B 지점으로 가는 경우의 수는 4
B 지점에서 C 지점으로 가는 경우의 수는 3
따라서 구하는 경우의 수는 4×3＝12

3 동전 한 개를 던질 때 일어날 수 있는 모든 경우의 수는 2
주사위 한 개를 던질 때 일어날 수 있는 모든 경우의 수는 6
따라서 구하는 경우의 수는 2×6＝12

4 아이스크림을 고르는 경우의 수는 3
콘과 컵 중 한 가지를 고르는 경우의 수는 2
따라서 구하는 경우의 수는 3×2＝6

5 상자를 고르는 경우의 수는 6
리본을 고르는 경우의 수는 8
따라서 구하는 경우의 수는 6×8＝48

6 짝수의 눈이 나오는 경우는 2, 4, 6이므로 경우의 수는 3
6의 약수의 눈이 나오는 경우는 1, 2, 3, 6이므로 경우의 수는 4
따라서 구하는 경우의 수는 3×4=12

93쪽

개념 익히기
4. 한 줄로 세우는 경우의 수

1 3, 2, 1, 6 **2** 4, 3, 2, 1, 24 **3** 6
4 24 **5** 120 **6** (1) 5, 4, 20 (2) 5, 4, 3, 60

3 3개를 한 줄로 세우는 경우의 수이므로

첫 번째		두 번째		세 번째	
$\dfrac{3}{\text{3개 중}}$	×	$\dfrac{2}{\text{첫 번째에}}$	×	$\dfrac{1}{\text{마지막에}}$	=6
1개		세운 깃발을		남은 1개	
		제외한 2개			
		중 1개			

4 4명을 한 줄로 세우는 경우의 수이므로

첫 번째		두 번째		세 번째		네 번째	
$\dfrac{4}{\text{4명 중}}$	×	$\dfrac{3}{\text{첫 번째에}}$	×	$\dfrac{2}{\text{앞에 세운}}$	×	$\dfrac{1}{\text{마지막에}}$	=24
1명		세운 사람을		두 사람을		남은 1명	
		제외한 3명		제외한 2명			
		중 1명		중 1명			

5 5명을 한 줄로 세우는 경우의 수이므로

첫 번째		두 번째		세 번째		네 번째		다섯 번째	
$\dfrac{5}{\text{5명 중}}$	×	$\dfrac{4}{\text{첫 번째로}}$	×	$\dfrac{3}{\text{앞에 달리는}}$	×	$\dfrac{2}{\text{앞에 달리는}}$	×	$\dfrac{1}{\text{마지막에}}$	
1명		달리는 사람을		두 사람을		세 사람을		남은 1명	
		제외한 4명		제외한 3명		제외한 2명			
		중 1명		중 1명		중 1명			

=120

94쪽~95쪽

개념 익히기
5. 카드를 뽑아 자연수를 만드는 경우의 수

1 (1) 5, 4, 20 (2) 5, 4, 3, 60 (3) 2, 4, 8
2 (1) 30 (2) 120 (3) 10 (4) 5, 15
3 (1) 4, 4, 16 (2) 4, 4, 3, 48 (3) 2, 4, 8
4 (1) 25 (2) 100 (3) 12
5 (1) 16 (2) 12

2 (1)

십의 자리		일의 자리	
$\dfrac{6}{\text{모두 가능}}$	×	$\dfrac{5}{\text{십의 자리의}}$	=30(개)
		숫자를 제외한	
		5개 중 1개	

(2)

백의 자리		십의 자리		일의 자리	
$\dfrac{6}{\text{모두 가능}}$	×	$\dfrac{5}{\text{백의 자리의}}$	×	$\dfrac{4}{\text{백과 십의 자리의}}$	=120(개)
		숫자를 제외한		숫자를 제외한	
		5개 중 1개		4개 중 1개	

(3)

십의 자리		일의 자리	
$\dfrac{2}{\text{5 또는 6}}$	×	$\dfrac{5}{\text{십의 자리의}}$	=10(개)
		숫자를 제외한	
		5개 중 1개	

4 (1)

십의 자리		일의 자리	
$\dfrac{5}{\text{0을 제외한}}$	×	$\dfrac{5}{\text{십의 자리의}}$	=25(개)
나머지		숫자를 제외한	
		5개 중 1개	

(2)

백의 자리		십의 자리		일의 자리	
$\dfrac{5}{\text{0을 제외한}}$	×	$\dfrac{5}{\text{백의 자리의}}$	×	$\dfrac{4}{\text{백과 십의 자리의}}$	=100(개)
나머지		숫자를 제외한		숫자를 제외한	
		5개 중 1개		4개 중 1개	

(3) 홀수의 일의 자리의 숫자는 1, 3, 5이므로 일의 자리의 숫자
의 개수부터 결정한다.

십의 자리		일의 자리	
$\dfrac{4}{\text{일의 자리의}}$	×	$\dfrac{3}{\text{1 또는 3}}$	=12(개)
숫자와 0을		또는 5	
제외			

5 (1)

십의 자리		일의 자리	
$\dfrac{4}{\text{0을 제외한}}$	×	$\dfrac{4}{\text{십의 자리의}}$	=16(개)
나머지		숫자를 제외한	
		4개 중 1개	

(2)

십의 자리		일의 자리	
$\dfrac{3}{\text{2 또는 4}}$	×	$\dfrac{4}{\text{십의 자리의}}$	=12(개)
또는 6		숫자를 제외한	
		4개 중 1개	

96쪽

개념 익히기
6. 대표를 뽑는 경우의 수

1 (1) 4, 3, 12 (2) 풀이 참조
2 (1) 5, 4, 20 (2) 풀이 참조
3 (1) 12 (2) 21
4 (1) 72 (2) 36

1 (2) $\dfrac{\boxed{4}\times\boxed{3}}{\boxed{2}}=\boxed{6}$

↙ 중복된 횟수만큼 나누기!

2 (2) $\dfrac{\boxed{5}\times\boxed{4}}{\boxed{2}}=\boxed{10}$

3 (1) 남자 4명 중 한 명을 뽑고, 여자 3명 중 한 명을 뽑는 경우의
수이므로

4×3=12

(2) 성별에 관계없이 7명의 후보 중에서 대표 2명을 뽑는 경우의
수이므로

$\dfrac{7\times6}{2}=21$

4 (1) $9 \times 8 = 72$

(2) $\dfrac{9 \times 8}{2} = 36$

Ⅳ·2 확률

개념 익히기 7. 확률의 뜻

1 (1) ❶ 15 ❷ 12, 2 ❸ $\dfrac{2}{15}$ (2) $\dfrac{7}{15}$ (3) $\dfrac{2}{5}$

2 (1) ❶ 6, 6, 36 ❷ (2, 6), (5, 1), (6, 2), 4 ❸ 4, $\dfrac{1}{9}$

(2) $\dfrac{1}{6}$ (3) $\dfrac{5}{36}$

3 (1) $\dfrac{1}{4}$ (2) $\dfrac{1}{2}$ **4** (1) $\dfrac{1}{3}$ (2) $\dfrac{1}{3}$ **5** (1) $\dfrac{1}{3}$ (2) $\dfrac{1}{2}$

6 $\dfrac{11}{20}$ **7** $\dfrac{2}{25}$ **8** (1) $\dfrac{1}{3}$ (2) $\dfrac{1}{2}$

1 모든 경우의 수는 15

(2) 짝수가 적힌 공이 나오는 경우는

2, 4, 6, 8, 10, 12, 14이므로 경우의 수는 7

따라서 구하는 확률은 $\dfrac{7}{15}$

(3) 소수가 적힌 공이 나오는 경우는

2, 3, 5, 7, 11, 13이므로 경우의 수는 6

따라서 구하는 확률은 $\dfrac{6}{15} = \dfrac{2}{5}$

2 모든 경우의 수는 36

(2) 두 눈의 수가 같은 경우는 (1, 1), (2, 2), (3, 3), (4, 4), (5, 5), (6, 6)이므로 경우의 수는 6

따라서 구하는 확률은 $\dfrac{6}{36} = \dfrac{1}{6}$

(3) 두 눈의 수의 합이 8인 경우는 (2, 6), (3, 5), (4, 4), (5, 3), (6, 2)이므로 경우의 수는 5

따라서 구하는 확률은 $\dfrac{5}{36}$

3 모든 경우의 수는 $2 \times 2 = 4$

(1) 모두 앞면이 나오는 경우는 (앞, 앞)이므로 경우의 수는 1

따라서 구하는 확률은 $\dfrac{1}{4}$

(2) 서로 다른 면이 나오는 경우는 (앞, 뒤), (뒤, 앞)이므로 경우의 수는 2

따라서 구하는 확률은 $\dfrac{2}{4} = \dfrac{1}{2}$

4 모든 경우의 수는 $3 \times 3 = 9$

현아, 지호가 내는 것을 순서쌍 (현아, 지호)로 나타내면

(1) 현아가 이기는 경우는

(가위, 보), (바위, 가위), (보, 바위)이므로 경우의 수는 3

따라서 구하는 확률은 $\dfrac{3}{9} = \dfrac{1}{3}$

(2) 두 사람이 비기는 경우는

(가위, 가위), (바위, 바위), (보, 보)이므로 경우의 수는 3

따라서 구하는 확률은 $\dfrac{3}{9} = \dfrac{1}{3}$

5 두 자리의 자연수의 개수는

$\underset{\text{모두 가능}}{6} \times \underset{\substack{\text{십의 자리의} \\ \text{숫자를 제외한} \\ \text{5개 중 1개}}}{5} = 30(\text{개})$

(1) 30 이하의 두 자리의 자연수의 개수는

$\underset{\text{1 또는 2}}{2} \times \underset{\substack{\text{십의 자리의} \\ \text{숫자를 제외한} \\ \text{5개 중 1개}}}{5} = 10(\text{개})$

따라서 구하는 확률은 $\dfrac{10}{30} = \dfrac{1}{3}$

(2) 두 자리의 홀수의 개수는

$\underset{\substack{\text{일의 자리의} \\ \text{숫자를 제외한} \\ \text{5개 중 1개}}}{5} \times \underset{\substack{\text{홀수의} \\ \text{개수}}}{3} = 15(\text{개})$

따라서 구하는 확률은 $\dfrac{15}{30} = \dfrac{1}{2}$

6 총 학생 수는 300명이고,

논술 동아리에 가입한 학생 수는 165명이므로

구하는 확률은 $\dfrac{165}{300} = \dfrac{11}{20}$

7 총 학생 수는 200명이고,

통학 시간이 15분 이상 20분 미만인 학생 수는 16명이므로

구하는 확률은 $\dfrac{16}{200} = \dfrac{2}{25}$

8 모든 경우의 수는 12

(1) 3의 배수를 가리키는 경우는 3, 6, 9, 12이므로 경우의 수는 4

따라서 구하는 확률은 $\dfrac{4}{12} = \dfrac{1}{3}$

(2) 12의 약수를 가리키는 경우는 1, 2, 3, 4, 6, 12이므로 경우의 수는 6

따라서 구하는 확률은 $\dfrac{6}{12} = \dfrac{1}{2}$

개념 익히기 8. 확률의 성질

1 (1) $\dfrac{3}{10}$ (2) 0 (3) 1

2 (1) $\dfrac{3}{8}$ (2) 0 (3) 1

3 (1) 0 (2) $\dfrac{1}{2}$ (3) 1 (4) 0 (5) 1 (6) 1

3 (1) 주사위 한 개를 던질 때, 7의 눈이 나오는 경우는 없으므로 구하는 확률은 0

(2) 주사위 한 개를 던질 때, 홀수의 눈이 나오는 경우는
1, 3, 5의 3가지이므로 구하는 확률은 $\frac{3}{6}=\frac{1}{2}$

(3) 주사위 한 개를 던질 때, 6 이하의 눈이 반드시 나오므로
구하는 확률은 1

(4) 서로 다른 두 개의 주사위를 동시에 던질 때, 나온 두 눈의
수의 합이 1이 되는 경우는 없으므로 구하는 확률은 0

(5) 서로 다른 두 개의 주사위를 동시에 던질 때, 나온 두 눈의
수의 합은 반드시 13보다 작으므로 구하는 확률은 1

(6) 동전 한 개를 던질 때, 앞면 또는 뒷면은 반드시 나오므로 구
하는 확률은 1

$\therefore$ (당첨되지 않을 확률)=1−(당첨될 확률)
$$=1-\frac{1}{10}=\frac{9}{10}$$

8 (1) 모든 경우의 수는 $8 \times 8 = 64$
홀수는 1, 3, 5, 7의 4개이므로
두 번 모두 홀수의 눈이 나오는 경우의 수는
$4 \times 4 = 16$
따라서 두 번 모두 홀수의 눈이 나올 확률은 $\frac{16}{64}=\frac{1}{4}$

(2) (적어도 한 번은 짝수의 눈이 나올 확률)
=1−(두 번 모두 홀수의 눈이 나올 확률)
$$=1-\frac{1}{4}=\frac{3}{4}$$

9 (1) 전체 10명 중에서 2명의 대표를 뽑는 경우의 수는
$$\frac{10 \times 9}{2}=45$$
남학생 6명 중에서 2명의 대표를 뽑는 경우의 수는
$$\frac{6 \times 5}{2}=15$$
따라서 2명 모두 남학생을 뽑을 확률은 $\frac{15}{45}=\frac{1}{3}$

(2) (적어도 한 명은 여학생을 뽑을 확률)
=1−(2명 모두 남학생을 뽑을 확률)
$$=1-\frac{1}{3}=\frac{2}{3}$$

10 (1) 각 문제마다 답란에 표시할 수 있는 경우는 ○, ×의 2가지
이므로 3개의 문제의 답란에 표시할 수 있는 모든 경우의 수는
$2 \times 2 \times 2 = 8$
3개의 문제를 모두 틀리는 경우의 수는 1
따라서 3개의 문제를 모두 틀릴 확률은 $\frac{1}{8}$

(2) (적어도 한 문제는 맞힐 확률)
=1−(3개의 문제를 모두 틀릴 확률)
$$=1-\frac{1}{8}=\frac{7}{8}$$

100쪽~101쪽

개념 익히기 9. 어떤 사건이 일어나지 않을 확률

1 $1, 1, 3, \frac{4}{7}$ **2** $100, 1, 1, 100, \frac{11}{100}$

3 $\frac{4}{15}, \frac{11}{15}$ **4** $\frac{2}{3}$ **5** $\frac{5}{6}$ **6** $\frac{9}{10}$

7 (1) $2, 2, 2, 8, \frac{1}{8}$ (2) $1, 1, 8, \frac{7}{8}$ **8** (1) $\frac{1}{4}$ (2) $\frac{3}{4}$

9 (1) $\frac{1}{3}$ (2) $\frac{2}{3}$ **10** (1) $\frac{1}{8}$ (2) $\frac{7}{8}$

3 모든 경우의 수는 30
30의 약수가 적힌 카드를 뽑는 경우는 1, 2, 3, 5, 6, 10, 15,
30의 8가지이므로 그 확률은 $\frac{8}{30}=\frac{4}{15}$
$\therefore$ (30의 약수가 아닌 수가 적힌 카드를 뽑을 확률)
=1−(30의 약수가 적힌 카드를 뽑을 확률)
$$=1-\frac{4}{15}=\frac{11}{15}$$

4 모든 경우의 수는 $3 \times 3 = 9$
승부가 나지 않는 경우, 즉 비기는 경우는
(가위, 가위), (바위, 바위), (보, 보)의 3가지이므로
그 확률은 $\frac{3}{9}=\frac{1}{3}$
$\therefore$ (승부가 날 확률)=1−(비길 확률)
$$=1-\frac{1}{3}=\frac{2}{3}$$

5 모든 경우의 수는 $6 \times 6 = 36$
두 눈의 수가 같은 경우는
(1, 1), (2, 2), (3, 3), (4, 4), (5, 5), (6, 6)의 6가지이므로
그 확률은 $\frac{6}{36}=\frac{1}{6}$
$\therefore$ (두 눈의 수가 서로 다를 확률)
=1−(두 눈의 수가 같을 확률)
$$=1-\frac{1}{6}=\frac{5}{6}$$

6 모든 행운권의 수는 50장이고,
일의 자리의 숫자가 7인 수가 적힌 행운권의 수는 7, 17, 27, 37,
47의 5장이므로 당첨될 확률은 $\frac{5}{50}=\frac{1}{10}$

102쪽

개념 익히기 10. 사건 A 또는 사건 B가 일어날 확률

1 (1) $\frac{17}{35}$ (2) $\frac{9}{35}$ (3) $\frac{26}{35}$ **2** $\frac{5}{8}$ **3** $\frac{3}{10}$

4 $\frac{1}{3}$ **5** (1) 풀이 참조 (2) $\frac{1}{8}$ **6** $\frac{2}{9}$

1 (3) (가요 또는 팝송을 듣게 될 확률)
=(가요를 듣게 될 확률)+(팝송을 듣게 될 확률)
$$=\frac{17}{35}+\frac{9}{35}=\frac{26}{35}$$

2 전체 학생 수는 11+8+9+4=32(명)이므로
(선택한 학생이 A형 또는 O형일 확률)
=(선택한 학생이 A형일 확률)+(선택한 학생이 O형일 확률)
$$=\frac{11}{32}+\frac{9}{32}=\frac{20}{32}=\frac{5}{8}$$

3 (선택한 요일이 수요일 $\underline{또는}$ 금요일일 확률)

　=(선택한 요일이 수요일일 확률)

　　$\underline{+}$(선택한 요일이 금요일일 확률)

　=$\dfrac{5}{30}+\dfrac{4}{30}=\dfrac{9}{30}=\dfrac{3}{10}$

4 모든 경우의 수는 12

3보다 작은 수가 적힌 공이 나오는 경우는 1, 2의 2가지이므로

그 확률은 $\dfrac{2}{12}$

10보다 큰 수가 적힌 공이 나오는 경우는 11, 12의 2가지이므로

그 확률은 $\dfrac{2}{12}$

∴ (3보다 작$\underline{거나}$ 10보다 큰 수가 적힌 공이 나올 확률)

　=(3보다 작은 수가 적힌 공이 나올 확률)

　　$\underline{+}$(10보다 큰 수가 적힌 공이 나올 확률)

　=$\dfrac{2}{12}+\dfrac{2}{12}=\dfrac{4}{12}=\dfrac{1}{3}$

5 (1) 모든 경우의 수는 $8\times8=64$이므로 표를 완성하면 다음과
같다.

사건	일어나는 경우	확률
두 눈의 수의 합이 10이다.	(2, 8), (3, 7), (4, 6), (5, 5) (6, 4), (7, 3), (8, 2)	$\dfrac{7}{64}$
두 눈의 수의 합이 16이다.	(8, 8)	$\dfrac{1}{64}$

(2) (두 눈의 수의 합이 10 $\underline{또는}$ 16일 확률)

　=(두 눈의 수의 합이 10일 확률)

　　$\underline{+}$(두 눈의 수의 합이 16일 확률)

　=$\dfrac{7}{64}+\dfrac{1}{64}=\dfrac{8}{64}=\dfrac{1}{8}$

6 모든 경우의 수는 $6\times6=36$

두 눈의 수의 차가 3인 경우는 (1, 4), (2, 5), (3, 6), (4, 1),

(5, 2), (6, 3)의 6가지이므로 그 확률은 $\dfrac{6}{36}$

두 눈의 수의 차가 5인 경우는 (1, 6), (6, 1)의 2가지이므로

그 확률은 $\dfrac{2}{36}$

∴ (두 눈의 수의 차가 3 $\underline{또는}$ 5일 확률)

　=(두 눈의 수의 차가 3일 확률)

　　$\underline{+}$(두 눈의 수의 차가 5일 확률)

　=$\dfrac{6}{36}+\dfrac{2}{36}=\dfrac{8}{36}=\dfrac{2}{9}$

103쪽~104쪽

개념 익히기 **11.** 사건 A와 사건 B가 동시에 일어날 확률

1 (1) $\dfrac{1}{4}$　(2) $\dfrac{1}{3}$　(3) $\dfrac{1}{12}$　**2** $\dfrac{1}{4}$　**3** $\dfrac{1}{3}$

4 (1) $\dfrac{21}{40}$　(2) 1, $\dfrac{3}{10}$, $\dfrac{3}{4}$, $\dfrac{3}{10}$, $\dfrac{9}{40}$　(3) $\dfrac{1}{4}$, $\dfrac{3}{10}$, $\dfrac{1}{4}$, $\dfrac{3}{10}$, $\dfrac{3}{40}$

5 (1) $\dfrac{14}{25}$　(2) $\dfrac{6}{25}$　　**6** (1) $\dfrac{4}{25}$　(2) $\dfrac{6}{25}$　(3) $\dfrac{16}{25}$

7 (1) $\dfrac{1}{25}$　(2) $\dfrac{9}{25}$

1 (3) (초코 맛 시럽을 고르$\underline{고}$ 과일 토핑을 고를 확률)

　=(초코 맛 시럽을 고를 확률)$\times$(과일 토핑을 고를 확률)

　=$\dfrac{1}{4}\times\dfrac{1}{3}=\dfrac{1}{12}$

2 (주사위 A는 짝수의 눈이 나오$\underline{고}$ 주사위 B는 소수의 눈이 나올 확률) → 2, 4, 6

　=(주사위 A는 짝수의 눈이 나올 확률)

　　$\times$(주사위 B는 소수의 눈이 나올 확률) → 2, 3, 5

　=$\dfrac{3}{6}\times\dfrac{3}{6}=\dfrac{1}{4}$

3 (두 바늘이 $\underline{모두}$ 홀수를 가리킬 확률) → 1, 3

　=(원판 A의 바늘이 홀수를 가리킬 확률)

　　$\times$(원판 B의 바늘이 홀수를 가리킬 확률)

　=$\dfrac{2}{4}\times\dfrac{2}{3}=\dfrac{1}{3}$ → 5, 7

4 (1) (두 선수 $\underline{모두}$ 명중시킬 확률)

　=(선수 A가 명중시킬 확률)$\times$(선수 B가 명중시킬 확률)

　=$\dfrac{3}{4}\times\dfrac{7}{10}=\dfrac{21}{40}$

5 (1) 오늘 비가 올 확률이 80 %, 즉 $\dfrac{80}{100}=\dfrac{4}{5}$이고,

내일 비가 올 확률이 70 %, 즉 $\dfrac{70}{100}=\dfrac{7}{10}$이므로

(오늘과 내일 $\underline{모두}$ 비가 올 확률)

　=(오늘 비가 올 확률)$\times$(내일 비가 올 확률)

　=$\dfrac{4}{5}\times\dfrac{7}{10}=\dfrac{14}{25}$

(2) (오늘은 비가 오$\underline{고}$ 내일은 비가 오지 않을 확률)

　=(오늘 비가 올 확률)$\times$(내일 비가 오지 않을 확률)

　=$\dfrac{4}{5}\times\dfrac{3}{10}=\dfrac{6}{25}$ → $1-\dfrac{7}{10}=\dfrac{3}{10}$

6 (1) (두 번 $\underline{모두}$ 안타를 칠 확률)

　=(첫 번째에 안타를 칠 확률)$\times$(두 번째에 안타를 칠 확률)

　=$\dfrac{2}{5}\times\dfrac{2}{5}=\dfrac{4}{25}$

(2) (두 번째에만 안타를 칠 확률) → $1-\dfrac{2}{5}=\dfrac{3}{5}$

　=(첫 번째에 안타를 치지 못할 확률)

　　$\times$(두 번째에 안타를 칠 확률)

　=$\dfrac{3}{5}\times\dfrac{2}{5}=\dfrac{6}{25}$

(3) ($\underline{적어도}$ 한 번은 안타를 칠 확률)

　=$1-$(두 번 $\underline{모두}$ 안타를 치지 못할 확률)

　=$1-\dfrac{3}{5}\times\dfrac{3}{5}=1-\dfrac{9}{25}=\dfrac{16}{25}$

7 (1) (선영이와 규리가 $\underline{모두}$ 당첨 제비를 뽑을 확률)

　=(선영이가 당첨 제비를 뽑을 확률)

　　$\times$(규리가 당첨 제비를 뽑을 확률)

　=$\dfrac{2}{10}\times\dfrac{2}{10}=\dfrac{1}{25}$

(2) ($\underline{적어도}$ 한 명은 당첨 제비를 뽑을 확률)

　=$1-$(두 명 $\underline{모두}$ 당첨 제비를 뽑지 못할 확률)

　=$1-\dfrac{8}{10}\times\dfrac{8}{10}=1-\dfrac{16}{25}=\dfrac{9}{25}$

I 삼각형의 성질

2쪽~11쪽

1 (1) 70° (2) 50° (3) 45° (4) 40° (5) 131°

2 (1) 7 (2) 12 (3) 90

3 (1) 75° (2) 40° (3) 39° (4) 22° (5) 102° (6) 108°

4 (1) $\angle x=64°$, $\angle y=52°$ (2) $\angle x=100°$, $\angle y=90°$

5 (1) 10 (2) 12 (3) 4 (4) 2 (5) 3

6 (1) 6 (2) 10

7 (1) 12 (2) 7

8 (1) 6 (2) 12

9 △ABC≡△QRP(RHS 합동),
△DEF≡△MNO(RHA 합동)

10 (1) 12 (2) 7

11 (1) 27 cm² (2) 68 cm²

12 (1) 5 (2) 11 (3) 26 (4) 40 (5) 64

13 (1) 4 (2) 2 (3) 7 (4) 4 (5) 3

14 (1) 10 (2) 7 (3) 15

15 (1) 150° (2) 35° (3) 104° (4) 70°

16 (1) × (2) ○ (3) ○ (4) × (5) × (6) ○

17 (1) 35° (2) 20° (3) 40° (4) 45°

18 (1) 108° (2) 45° (3) 100° (4) 25° (5) 55°

19 (1) 3 (2) 10 (3) 10

20 (1) 20° (2) 122°

21 (1) $\angle x=30°$, $\angle y=125°$ (2) $\angle x=28°$, $\angle y=32°$

22 (1) × (2) ○ (3) × (4) ○ (5) ○

23 (1) 25° (2) 36° (3) 41° (4) 30°

24 (1) 125° (2) 115° (3) 30° (4) 68°

25 (1) 2 (2) 2

26 (1) 25 (2) 70

27 (1) $\angle x=144°$, $\angle y=126°$ (2) $\angle x=84°$, $\angle y=111°$
(3) $\angle x=70°$, $\angle y=125°$ (4) $\angle x=80°$, $\angle y=160°$
(5) $\angle x=40°$, $\angle y=50°$

---

1 (3) $\angle x=\angle ACB=180°-135°=45°$
(4) $\angle ACB=180°-110°=70°$
$\therefore \angle x=180°-2\times70°=40°$
(5) $\angle ACB=\dfrac{1}{2}\times(180°-82°)=49°$
$\therefore \angle x=180°-49°=131°$

3 (1) $\angle x=\angle C=\dfrac{1}{2}\times(180°-30°)=75°$
(2) △ABC에서 $\angle B=\dfrac{1}{2}\times(180°-40°)=70°$
△CDB에서 $\angle x=180°-2\times70°=40°$
(3) △ABC에서 $\angle ABC=\dfrac{1}{2}\times(180°-34°)=73°$
△ABD에서 $\angle ABD=\angle BAD=34°$
$\therefore \angle x=73°-34°=39°$

---

3 (4) △DBC에서 $\angle C=\dfrac{1}{2}\times(180°-22°)=79°$
△ABC에서 $\angle x=180°-2\times79°=22°$
(5) $\angle ABC=\angle ACB=68°$이므로
$\angle DBC=\dfrac{1}{2}\times68°=34°$
△DBC에서 $\angle x=34°+68°=102°$
(6) $\angle ABC=\dfrac{1}{2}\times(180°-84°)=48°$이므로
$\angle ABD=\dfrac{1}{2}\times48°=24°$
△ABD에서 $\angle x=84°+24°=108°$

4 (1) △DBC에서 $\angle x=32°+32°=64°$
$\therefore \angle y=180°-2\times64°=52°$
(2) △DBC에서 $\angle x=50°+50°=100°$
$\angle DAC=\dfrac{1}{2}\times(180°-100°)=40°$
△ABC에서 $\angle y=40°+50°=90°$

5 (2) $\angle B=80°-40°=40°$
$\angle A=\angle B$이므로 $x=12$
(3) $\overline{DC}=\overline{DA}=4$ $\therefore x=\overline{DC}=4$
(4) △ADC에서 $\angle ADB=35°+35°=70°$이므로
△ABD에서 $\overline{AD}=\overline{AB}=2$
△ADC에서 $x=\overline{AD}=2$
(5) △DBC에서 $\angle DCB=50°-25°=25°$이므로
$\overline{DC}=\overline{DB}=3$
$\angle DAC=180°-130°=50°$이므로
$x=\overline{DC}=3$

6 (1) $\angle A=180°-2\times72°=36°$
$\angle ACD=\dfrac{1}{2}\times72°=36°$
$\therefore \overline{CD}=\overline{AD}=6$
△CAD에서 $\angle CDB=36°+36°=72°$이므로
$x=\overline{CD}=6$
(2) $\angle ABC=\angle ACB=\dfrac{1}{2}\times(180°-36°)=72°$
$\angle ABD=\dfrac{1}{2}\times72°=36°$
$\therefore \overline{BD}=\overline{AD}=10$
△ABD에서 $\angle BDC=36°+36°=72°$이므로
$x=\overline{BD}=10$

7 (1) $\angle ABC=\angle CBD$(접은 각)
$\angle ACB=\angle CBD$(엇각)
즉, △ABC에서 $\angle ABC=\angle ACB$
이므로
$x=\overline{AC}=12$

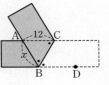

(2) ∠BAC=∠DAC(접은 각)
∠BCA=∠DAC(엇각)
즉, △ABC에서 ∠BAC=∠BCA
이므로
$x=\overline{BC}=7$

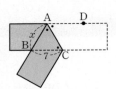

8 (1) △DEF에서 ∠E=180°−(30°+90°)=60°
△ABC와 △DEF에서
∠C=∠F=90°, $\overline{AB}=\overline{DE}$, ∠B=∠E
이므로 △ABC≡△DEF(RHA 합동)
∴ $x=\overline{BC}=6$
(2) △ABC와 △FED에서
∠B=∠E=90°, $\overline{AC}=\overline{FD}$, $\overline{BC}=\overline{ED}$
이므로 △ABC≡△FED(RHS 합동)
∴ $x=\overline{AB}=12$

10 (1) △ADB와 △CEA에서
∠ADB=∠CEA=90°, $\overline{AB}=\overline{CA}$,
∠DAB=90°−∠EAC=∠ECA
이므로 △ADB≡△CEA(RHA 합동)
∴ $x=\overline{DA}+\overline{AE}=\overline{EC}+\overline{BD}=5+7=12$
(2) △ADB≡△CEA(RHA 합동)이므로
$\overline{AE}=\overline{BD}=8$
∴ $x=\overline{DA}=\overline{DE}-\overline{AE}=15-8=7$

11 (1) △ADB≡△CEA(RHA 합동)이므로
$\overline{AE}=\overline{BD}=9\,cm$
∴ △ACE$=\frac{1}{2}\times 9\times 6=27(cm^2)$
(2) △ADB≡△BEC(RHA 합동)이므로
$\overline{DE}=\overline{DB}+\overline{BE}=\overline{EC}+\overline{AD}$
$=10+6=16(cm)$
∴ △ABC$=\underbrace{\frac{1}{2}\times(6+10)\times16}_{\text{사다리꼴 ADEC의 넓이}}-2\times\underbrace{\left(\frac{1}{2}\times6\times10\right)}_{\text{△ADB의 넓이}}$
$=128-60=68(cm^2)$

12 (3) △ABD와 △AED에서
∠ABD=∠AED=90°, $\overline{AD}$는 공통, $\overline{AB}=\overline{AE}$
이므로 △ABD≡△AED(RHS 합동)
∠BAD=∠EAD
$=\frac{1}{2}\times\{180°-(90°+38°)\}=26°$
∴ $x=26$
(4) △ABD≡△AED(RHS 합동)이므로
∠EAD=∠BAD=25°
∴ ∠C=180°−(90°+2×25°)=40°
∴ $x=40$
(5) △ADE≡△ACE(RHS 합동)이므로
∠DAE=∠CAE=32°
따라서 ∠B=180°−(90°+2×32°)=26°이므로
∠DEB=180°−(90°+26°)=64°
∴ $x=64$

13 (4) △BDE와 △BCE에서
∠BDE=∠BCE=90°, $\overline{BE}$는 공통, ∠DBE=∠CBE
이므로 △BDE≡△BCE(RHA 합동)
∴ $\overline{BD}=\overline{BC}=8$
∴ $x=12-8=4$
(5) △BDE≡△BCE(RHA 합동)이므로
$\overline{DE}=\overline{CE}=x$
△ADE에서 ∠AED=180°−(90°+45°)=45°이므로
△ADE는 직각이등변삼각형이다.
∴ $x=\overline{AD}=3$

15 (1) △OAB는 $\overline{OA}=\overline{OB}$인 이등변삼각형이므로
∠$x=180°-2\times15°=150°$
(2) △OBC는 $\overline{OB}=\overline{OC}$인 이등변삼각형이므로
∠$x=\frac{1}{2}\times(180°-110°)=35°$
(3) △OBC는 $\overline{OB}=\overline{OC}$인 이등변삼각형이므로
∠OBC=∠OCB=52°
∴ ∠$x=52°+52°=104°$
(4) △OAC는 $\overline{OA}=\overline{OC}$인 이등변삼각형이므로
∠OAC=∠OCA=35°
∴ ∠$x=35°+35°=70°$

16 (6) △OAD와 △OBD에서
∠ODA=∠ODB=90°, $\overline{OA}=\overline{OB}$, $\overline{OD}$는 공통
이므로 △OAD≡△OBD(RHS 합동)

17 (1) ∠x+24°+31°=90°
∴ ∠$x=35°$
(2) 30°+40°+∠x=90°
∴ ∠$x=20°$
(3) 28°+∠x+22°=90°
∴ ∠$x=40°$
(4) 20°+∠x+25°=90°
∴ ∠$x=45°$

18 (3) ∠C=∠ACO+∠BCO=30°+20°=50°
∴ ∠$x=2\times50°=100°$
(4) ∠BOC=2×65°=130°
∴ ∠$x=\frac{1}{2}\times(180°-130°)=25°$
(5) ∠AOB=180°−2×35°=110°
∴ ∠$x=\frac{1}{2}\times110°=55°$

20 (2) ∠IBC=∠ABI=36°
∠ICB=∠ACI=22°
∴ ∠$x=180°-(36°+22°)=122°$

21 (1) ∠x=∠IBC=30°
△IAB에서 ∠$y=180°-(30°+25°)=125°$
(2) ∠x=∠IBA=28°
△IBC에서 ∠ICB=180°−(120°+28°)=32°
∴ ∠y=∠ICB=32°

22 (5) △ICF와 △ICE에서

∠IFC＝∠IEC＝90°, $\overline{\text{IC}}$는 공통,

∠ICF＝∠ICE이므로

△ICF≡△ICE(RHA 합동)

23 (1) 45°＋∠x＋20°＝90°   ∴ ∠x＝25°

(2) ∠x＋20°＋34°＝90°   ∴ ∠x＝36°

(3) ∠IAB＝$\frac{1}{2}$×54°＝27°이므로

27°＋∠x＋22°＝90°   ∴ ∠x＝41°

(4) ∠IBC＝$\frac{1}{2}$×50°＝25°이므로

35°＋25°＋∠x＝90°   ∴ ∠x＝30°

24 (2) ∠x＝90°＋$\frac{1}{2}$×50°＝115°

(3) 105°＝90°＋$\frac{1}{2}$∠x, $\frac{1}{2}$∠x＝15°

∴ ∠x＝30°

(4) 124°＝90°＋$\frac{1}{2}$∠x, $\frac{1}{2}$∠x＝34°

∴ ∠x＝68°

25 (1) $\frac{1}{2}$×6×8＝$\frac{1}{2}$r(10＋6＋8)

24＝12r   ∴ r＝2

(2) $\frac{1}{2}$×12×5＝$\frac{1}{2}$r(13＋12＋5)

30＝15r   ∴ r＝2

26 (1) △ABC＝$\frac{1}{2}$×2×($\overline{\text{AB}}$＋$\overline{\text{BC}}$＋$\overline{\text{CA}}$)＝25

∴ $\overline{\text{AB}}$＋$\overline{\text{BC}}$＋$\overline{\text{CA}}$＝25

(2) △ABC＝$\frac{1}{2}$×6×($\overline{\text{AB}}$＋$\overline{\text{BC}}$＋$\overline{\text{CA}}$)＝210

∴ $\overline{\text{AB}}$＋$\overline{\text{BC}}$＋$\overline{\text{CA}}$＝70

27 (1) ∠x＝2×72°＝144°

∠y＝90°＋$\frac{1}{2}$×72°＝126°

(2) ∠x＝2×42°＝84°

∠y＝90°＋$\frac{1}{2}$×42°＝111°

(3) ∠x＝$\frac{1}{2}$×140°＝70°

∠y＝90°＋$\frac{1}{2}$×70°＝125°

(4) 130°＝90°＋$\frac{1}{2}$∠x, $\frac{1}{2}$∠x＝40°

∴ ∠x＝80°

∠y＝2×80°＝160°

(5) 110°＝90°＋$\frac{1}{2}$∠x, $\frac{1}{2}$∠x＝20°

∴ ∠x＝40°

∠BOC＝2×40°＝80°이므로

∠y＝$\frac{1}{2}$×(180°－80°)＝50°

1 (1) x＝4, y＝6   (2) x＝5, y＝7

(3) x＝16, y＝6   (4) x＝65, y＝115

(5) x＝35, y＝75   (6) x＝35, y＝50

2 (1) × (2) ○ (3) ○ (4) ○ (5) ○ (6) ×

3 (1) 3   (2) 8   (3) 2   (4) 4

4 (1) 14   (2) 7

5 (1) 60°   (2) 108°

6 (1) x＝40, y＝60   (2) x＝130, y＝50   (3) x＝8, y＝13

7 (1) ○ (2) × (3) × (4) ○

8 (1) ① × ② ○ ③ ○ ④ ○

(2) ① ○ ② × ③ ○ ④ ×

9 (1) 32 cm²   (2) 16 cm²   (3) 32 cm²

10 (1) 39 cm²   (2) 39 cm²

11 (1) x＝9, y＝7   (2) x＝10, y＝8

(3) x＝14, y＝35   (4) x＝40, y＝50

(5) x＝25, y＝65

12 (1) 90   (2) 8   (3) 3

13 (1) ○ (2) × (3) ○ (4) ○

14 (1) x＝6, y＝6   (2) x＝5, y＝32

(3) x＝42, y＝96   (4) x＝4, y＝6

(5) x＝35, y＝55

15 (1) 90   (2) 7   (3) 5

16 (1) × (2) ○ (3) × (4) ○

17 (1) x＝7, y＝90   (2) x＝90, y＝16

(3) x＝12, y＝45   (4) x＝45, y＝9

18 (1) 77°   (2) 30°

19 (1) × (2) ○ (3) ○ (4) ×

20 (1) 20   (2) 7   (3) 9   (4) 3   (5) 80   (6) 55

21 (1) 20   (2) 8

22 (1) 마름모   (2) 정사각형   (3) 직사각형   (4) 정사각형

23 (1) × (2) × (3) ○ (4) ○ (5) ○

24 (1) ○ (2) × (3) ○ (4) × (5) ×

25 (1) ㄴ, ㄷ, ㅁ   (2) ㄹ, ㅁ   (3) ㄷ, ㅁ

26 (1) △ABC   (2) △ABD   (3) △ABO

27 (1) 50 cm²   (2) 45 cm²   (3) 72 cm²   (4) 125 cm²

28 (1) ○ (2) × (3) ○ (4) ○ (5) × (6) ○

29 (1) 70 cm²   (2) 30 cm²   (3) 54 cm²   (4) 20 cm²

1 (5) $\overline{\text{AB}}$∥$\overline{\text{DC}}$이므로 ∠ACD＝35°(엇각)

∴ x＝35

∠A＝180°－70°＝110°이므로

∠DAC＝110°－35°＝75°

∴ y＝75

(6) △AOD에서 ∠DAO＋115°＋30°＝180°이므로

∠DAO＝35°

$\overline{\text{AD}}$∥$\overline{\text{BC}}$이므로 ∠ACB＝∠DAC＝35°   ∴ x＝35

또 ∠A＋∠D＝180°이므로

$\underbrace{(65°＋35°)}_{∠A}$＋$\underbrace{(30°＋∠BDC)}_{∠D}$＝180°에서

∠BDC＝50°   ∴ y＝50

2 (5) △AOD와 △COB에서

$\overline{AO}=\overline{CO}$,

∠AOD=∠COB(맞꼭지각),

$\overline{DO}=\overline{BO}$이므로

△AOD≡△COB(SAS 합동)

3 (1) ∠BAE=∠DAE, ∠DAE=∠AEB(엇각)이므로

∠BAE=∠AEB

즉, △ABE는 이등변삼각형이므로

$\overline{BE}=\overline{AB}=9$

또 $\overline{BC}=\overline{AD}=12$이므로

$x=\overline{BC}-\overline{BE}=12-9=3$

(2) $\overline{AD}=\overline{BC}=13$이므로

$\overline{AE}=13-5=8$

또 ∠ABE=∠CBE, ∠CBE=∠AEB(엇각)이므로

∠ABE=∠AEB

즉, △ABE는 이등변삼각형이므로

$x=\overline{AE}=8$

(3) ∠ABE=∠EBC, ∠ABE=∠BEC(엇각)이므로

∠EBC=∠BEC

즉, △EBC는 이등변삼각형이므로

$\overline{EC}=\overline{BC}=8$

또 $\overline{DC}=\overline{AB}=6$이므로

$x=\overline{EC}-\overline{DC}=8-6=2$

(4) ∠BAE=∠DAE, ∠BAE=∠DEA(엇각)이므로

∠DAE=∠DEA

즉, △AED는 이등변삼각형이므로

$\overline{DE}=\overline{AD}=9$

또 $\overline{DC}=\overline{AB}=5$이므로

$x=\overline{DE}-\overline{DC}=9-5=4$

4 (1) △ABE≡△FCE(ASA 합동)이므로

$\overline{CF}=\overline{BA}=7$

또 $\overline{DC}=\overline{AB}=7$이므로

$x=\overline{DC}+\overline{CF}=7+7=14$

(2) △AED≡△FEC(ASA 합동)이므로

$\overline{CF}=\overline{DA}=x$

또 $\overline{BC}=\overline{AD}=x$이므로

$2x=14$ ∴ $x=7$

5 (1) ∠A : ∠B=2 : 1이므로

∠A=2∠B=2x

∠A+∠B=180°이므로

$2∠x+∠x=180°$, $3∠x=180°$

∴ ∠x=60°

(2) ∠A : ∠B=3 : 2이므로

$3∠B=2∠A=2∠x$ ← ∠A=∠C=∠x

∴ ∠B=$\frac{2}{3}$∠x

∠A+∠B=180°이므로

∠x+$\frac{2}{3}$∠x=180°, $\frac{5}{3}$∠x=180°

∴ ∠x=180°×$\frac{3}{5}$=108°

7 (4) ∠ABD=∠BDC=40°에서 엇각의 크기가 같으므로

$\overline{AB}\,/\!/\,\overline{DC}$

또 $\overline{AB}=\overline{DC}=6$

즉, □ABCD는 한 쌍의 대변이 평행하고, 그 길이가 같으므로 평행사변형이 된다.

8 (1) $\overline{OA}=\overline{OC}$, $\overline{AP}=\overline{CR}$이므로 $\overline{OP}=\overline{OR}$

$\overline{OB}=\overline{OD}$, $\overline{BQ}=\overline{DS}$이므로 $\overline{OQ}=\overline{OS}$

즉, □PQRS는 두 대각선이 서로 다른 것을 이등분하므로 평행사변형이다.

따라서 옳은 것은 ②, ③, ④이다.

(2) △ABP와 △CDQ에서

∠APB=∠CQD=90°, $\overline{AB}=\overline{CD}$,

∠ABP=∠CDQ(엇각)이므로

△ABP≡△CDQ(RHA 합동) ∴ $\overline{AP}=\overline{CQ}$

또 ∠APQ=∠CQP=90°에서 엇각의 크기가 같으므로

$\overline{AP}\,/\!/\,\overline{CQ}$

즉, □APCQ는 한 쌍의 대변이 평행하고, 그 길이가 같으므로 평행사변형이다.

따라서 옳은 것은 ①, ③이다.

11 (3) x=2×7=14

∠OCD=∠ODC=55°이므로

∠OCB=90°−55°=35°

∴ y=35

(4) ∠OCB=∠OBC=40°

∴ x=40

∠OBA=90°−40°=50°이므로

∠OAB=∠OBA=50°

∴ y=50

(5) ∠ODA=$\frac{1}{2}$×(180°−130°)=25°

∴ x=25

∠OAD=∠ODA=25°이므로

∠OAB=90°−25°=65°

∴ y=65

13 □EFGH는 직사각형이므로

(1) ∠E=∠F=90°

(2) $\overline{EH}=\overline{FG}$, $\overline{EF}=\overline{HG}$

(3) 두 대각선의 길이가 같으므로 $\overline{EG}=\overline{HF}$

(4) ∠F=∠G=90°이므로 ∠F+∠G=180°

14 (3) $\overline{AB}\,/\!/\,\overline{DC}$이므로 ∠CDB=42°(엇각)

∴ x=42

$\overline{AB}=\overline{AD}$이므로 ∠A=180°−2×42°=96°

∴ y=96

(5) $\overline{AB}=\overline{AD}$이므로 ∠ABD=35°

$\overline{AB}\,/\!/\,\overline{DC}$이므로 ∠CDB=∠ABD=35°

∴ x=35

또 $\overline{BC}=\overline{CD}$이므로 ∠CBD=∠CDB=35°

∠BOC=90°이므로 ∠OCB=180°−(90°+35°)=55°

∴ y=55

16 □ABEF는 마름모이므로
(2) $\overline{AB}=\overline{AF}$
(4) $\overline{AE}\perp\overline{BF}$

18 (1) $\triangle PBC\equiv\triangle PDC$(SAS 합동)이므로
$\angle PDC=\angle PBC=32°$
$\angle x$는 $\triangle PDC$의 한 외각이므로
$\angle x=\angle PCD+\angle PDC=45°+32°=77°$
(2) $\triangle ABP\equiv\triangle ADP$(SAS 합동)이므로
$\angle ABP=\angle ADP=\angle x$
따라서 $\triangle ABP$에서 $\angle ABP+\angle BAP=75°$
$\angle x+45°=75°$ $\therefore \angle x=30°$

19 (1) $\angle AOB=90°$, $\overline{AB}=\overline{BC}$이면 마름모가 된다.
(2) $\angle C=90°$이면 직사각형이 되고, $\overline{AC}\perp\overline{BD}$이면 마름모가 되므로 $\angle C=90°$, $\overline{AC}\perp\overline{BD}$이면 정사각형이 된다.
(3) $\overline{AB}=\overline{AD}$이면 마름모가 되고, $\overline{AC}=\overline{BD}$이면 직사각형이 되므로 $\overline{AB}=\overline{AD}$, $\overline{AC}=\overline{BD}$이면 정사각형이 된다.
(4) $\angle B=90°$, $\overline{AC}=\overline{BD}$이면 직사각형이 된다.

20 (1) $\angle B=\angle C=60°$이고
$\overline{AD}/\!/\overline{BC}$이므로 $\angle DBC=\angle ADB=40°$(엇각)
$\angle ABD=60°-40°=20°$ $\therefore x=20$
(5) $\angle A+\angle B=180°$이므로
$100°+x°=180°$ $\therefore x=80$
(6) $\angle B=\angle C$이고 $\angle A+\angle B=180°$이므로
$125°+\angle C=180°$ $\therefore \angle C=55°$
$\therefore x=55$

21 (1) $\overline{AB}$와 평행하게 $\overline{DE}$를 그으면
□ABED는 평행사변형이므로
$\overline{BE}=\overline{AD}=8$, $\overline{DE}=\overline{AB}=12$
또 $\triangle DEC$는 정삼각형이므로
$\overline{EC}=\overline{DE}=12$
$\therefore x=8+12=20$
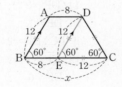
(2) $\overline{AB}$와 평행하게 $\overline{DE}$를 그으면
□ABED는 평행사변형이므로
$\overline{BE}=\overline{AD}=5$, $\overline{DE}=\overline{AB}=x$
또 $\triangle DEC$는 정삼각형이므로
$\overline{EC}=\overline{DE}=x$
따라서 $5+x=13$이므로 $x=8$
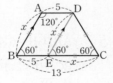

22 (2) $\overline{CD}=\overline{DA}$이면 마름모가 되고, $\overline{AC}=\overline{BD}$이면 직사각형이 되므로 $\overline{CD}=\overline{DA}$, $\overline{AC}=\overline{BD}$이면 정사각형이 된다.
(3) $\angle A=\angle C$이므로
$\angle A+\angle C=180°$이면 $\angle A=\angle C=90°$
따라서 직사각형이 된다.
(4) $\overline{AO}=\overline{BO}$이면 직사각형이 되고, $\overline{AC}\perp\overline{BD}$이면 마름모가 되므로 $\overline{AO}=\overline{BO}$, $\overline{AC}\perp\overline{BD}$이면 정사각형이 된다.

23 (1) 한 쌍의 대변이 평행한 사각형은 사다리꼴이다.
(2) 평행사변형에서 두 대각선이 서로 수직으로 만나면 마름모가 된다.

26 (1) 두 삼각형 DBC와 ABC에서 밑변 BC가 공통이고, 높이가 같으므로 두 삼각형의 넓이는 같다.
(2) 두 삼각형 ACD와 ABD에서 밑변 AD가 공통이고, 높이가 같으므로 두 삼각형의 넓이는 같다.
(3) $\triangle DOC=\underline{\triangle DBC}-\triangle OBC$
$=\underline{\triangle ABC}-\triangle OBC$
$=\triangle ABO$

27 (1) $\triangle ABO=\triangle ABC-\triangle OBC$
$=\underline{\triangle DBC}-\triangle OBC$
$=160-110=50(\text{cm}^2)$
(2) $\triangle AOD=\triangle ACD-\triangle DOC$
$=\underline{\triangle ABD}-\triangle DOC$
$=105-60=45(\text{cm}^2)$
(3) $\triangle DOC=\triangle DBC-\triangle OBC$
$=\underline{\triangle ABC}-\triangle OBC$
$=120-75=45(\text{cm}^2)$
$\therefore \triangle ACD=\triangle AOD+\triangle DOC$
$=27+45=72(\text{cm}^2)$
(4) $\triangle ABO=\triangle ABC-\triangle OBC$
$=\underline{\triangle DBC}-\triangle OBC$
$=75-45=30(\text{cm}^2)$
$\therefore$ □ABCD$=\triangle ABO+\triangle AOD+\triangle DBC$
$=30+20+75=125(\text{cm}^2)$

28 (4) $\triangle ADF=\underline{\triangle AED}-\triangle AEF$
$=\underline{\triangle AEC}-\triangle AEF$
$=\triangle ECF$
(6) □ABED$=\triangle ABE+\underline{\triangle AED}$
$=\triangle ABE+\underline{\triangle AEC}$
$=\triangle ABC$

29 (1) $\triangle ABE=\triangle ABC+\underline{\triangle ACE}$
$=\triangle ABC+\underline{\triangle ACD}$
$=42+28=70(\text{cm}^2)$
(2) $\triangle ACD=\triangle ACE$
$=\triangle ABE-\triangle ABC$
$=75-45=30(\text{cm}^2)$
(3) $\triangle ABC=$□ABCD$-\triangle ACD$
$=$□ABCD$-\underline{\triangle ACE}$
$=90-36=54(\text{cm}^2)$
(4) $\triangle DBC=\underline{\triangle DAC}$
$=$□ACED$-\triangle DCE$
$=54-34=20(\text{cm}^2)$

1 (1) 점 E   (2) 점 D   (3) $\overline{EF}$ (4) $\overline{BC}$ (5) ∠G   (6) ∠B

2 (1) ○   (2) ×   (3) ×   (4) ○   (5) ○

3 (1) 1:2   (2) 4   (3) 80°   (4) 150°

4 (1) 10   (2) 18

5 (1) 2:1   (2) $\dfrac{11}{2}$

6 (1) 3:2   (2) 8

7 (1) 5:3   (2) 6

8 (1) 1:2   (2) 1:2   (3) 1:4   (4) 16   (5) 4

9 (1) $25\pi\,cm^2$ (2) $\dfrac{27}{4}\,cm^2$

10 (1) 1:3 (2) 1:3 (3) 1:9 (4) 1:27 (5) $45\,cm^2$ (6) $3\,cm^3$

11 (1) $\dfrac{27}{2}\,cm^2$ (2) $2\pi\,cm^3$

12 △ABC∽△FDE (AA 닮음),
△GHI∽△NOM (SSS 닮음),
△JKL∽△PRQ (SAS 닮음)

13 (1) △ABC∽△CBD (SSS 닮음)
(2) △ABC∽△EBD (SAS 닮음)
(3) △ABC∽△EDC (AA 닮음)

14 (1) 6   (2) 5   (3) $\dfrac{15}{2}$ (4) 10   (5) 8

15 (1) 3   (2) 10   (3) 8   (4) 12   (5) 3

16 (1) 15   (2) $\dfrac{25}{4}$ (3) 4   (4) $\dfrac{9}{2}$ (5) 8

17 (1) 12   (2) $\dfrac{25}{3}$ (3) 6   (4) 2   (5) 6

18 (1) $30\,cm^2$ (2) $84\,cm^2$

19 (1) $\dfrac{9}{2}\,cm^2$ (2) $16\,cm^2$

20 (1) 4   (2) 6   (3) $\dfrac{9}{2}$ (4) 4   (5) 5
(6) 2   (7) $\dfrac{25}{3}$ (8) 4   (9) 6   (10) 4

21 5 m

22 8 m

23 15 m

24 (1) 9   (2) 2   (3) 6   (4) 7   (5) 15
(6) 9   (7) 4   (8) $\dfrac{10}{3}$ (9) 4   (10) 8

25 (1) 2   (2) 24   (3) 8   (4) 6   (5) 15

26 (1) ○   (2) ×   (3) ○   (4) ○   (5) ×

27 (1) 12   (2) 9   (3) 22

28 (1) $x=16, y=28$ (2) $x=3, y=4$
(3) $x=\dfrac{13}{2}, y=16$ (4) $x=4, y=\dfrac{5}{2}$

29 (1) 15   (2) 13   (3) 36

30 (1) 13   (2) 9   (3) 5   (4) 3   (5) 4

31 (1) 10   (2) 4   (3) $\dfrac{15}{2}$ (4) 15   (5) 5

32 (1) 10   (2) $\dfrac{64}{3}$ (3) 9   (4) 6   (5) $\dfrac{20}{3}$

33 (1) 4   (2) 10   (3) 14   (4) 2   (5) 12

34 (1) $x=2, y=2$ (2) $x=12, y=5$ (3) $x=10, y=4$
(4) $x=6, y=10$ (5) $x=2, y=12$

35 (1) 5   (2) 10   (3) 10   (4) 20   (5) 20

36 (1) 3   (2) 5   (3) 7   (4) 27   (5) 36

37 (1) 9   (2) 6   (3) 6   (4) 3   (5) 6

38 (1) 10   (2) 13   (3) 15   (4) 9   (5) 16

39 (1) $x=12, y=15$ (2) $x=12, y=5$ (3) $x=6, y=\dfrac{13}{2}$
(4) $x=18, y=26$ (5) $x=15, y=21$

40 (1) $x=8, y=17$ (2) $x=15, y=12$
(3) $x=9, y=15$ (4) $x=25, y=40$

41 (1) 104   (2) 64   (3) 52

42 (1) 80   (2) 58   (3) 8   (4) 16

43 ㄱ, ㄹ

44 17

45 (1) 예각삼각형   (2) 둔각삼각형
(3) 예각삼각형   (4) 직각삼각형

---

3 (1) $\overline{BC}:\overline{FG}=3:6=1:2$
(2) $\overline{AB}:\overline{EF}=1:2$이므로
$2:\overline{EF}=1:2$
∴ $\overline{EF}=4$
(4) ∠B=∠F=70°, ∠D=∠H=80°
∴ ∠A=360°−(70°+60°+80°)=150°

4 (1) $\overline{AC}:\overline{DF}=2:1$이므로
$\overline{AC}:5=2:1$
∴ $\overline{AC}=10$
(2) $\overline{AB}:\overline{DE}=2:1$이므로
$14:\overline{DE}=2:1, 2\overline{DE}=14$
∴ $\overline{DE}=7$
또 $\overline{BC}:\overline{EF}=2:1$이므로
$12:\overline{EF}=2:1, 2\overline{EF}=12$
∴ $\overline{EF}=6$
∴ (△DEF의 둘레의 길이)$=\overline{DE}+\overline{EF}+\overline{FD}$
$=7+6+5=18$

5 (1) $\overline{AB}:\overline{GH}=6:3=2:1$
(2) $\overline{BC}:\overline{HI}=2:1$이므로
$11:\overline{HI}=2:1, 2\overline{HI}=11$
∴ $\overline{HI}=\dfrac{11}{2}$

6 (1) $\overline{GH}:\overline{OP}=15:10=3:2$
(2) $\overline{DH}:\overline{LP}=3:2$이므로
$12:\overline{LP}=3:2, 3\overline{LP}=24$
∴ $\overline{LP}=8$

7 (1) 닮음비는 높이의 비와 같으므로
$20:12=5:3$
(2) $10:x=5:3, 5x=30$
∴ $x=6$

8 (1) $\overline{BC}:\overline{EF}=3:6=1:2$

(2) 닮음비가 $1:2$이므로 둘레의 길이의 비도 $1:2$이다.

(3) 닮음비가 $1:2$이므로
넓이의 비는 $1^2:2^2=1:4$

(4) △DEF의 둘레의 길이를 x라 하면
$8:x=1:2$ ∴ $x=16$

(5) △ABC의 넓이를 y라 하면
$y:16=1:4$, $4y=16$
∴ $y=4$

9 (1) 두 원 O와 O′의 넓이의 비는 $3^2:5^2=9:25$이므로
원 O′의 넓이를 $x\,\text{cm}^2$라 하면
$9\pi:x=9:25$ ∴ $x=25\pi$
따라서 원 O′의 넓이는 $25\pi\,\text{cm}^2$이다.

(2) 두 사각형 ABCD와 A′B′C′D′의 넓이의 비는
$3^2:4^2=9:16$이므로
□ABCD의 넓이를 $x\,\text{cm}^2$라 하면
$x:12=9:16$, $16x=108$
∴ $x=\dfrac{27}{4}$
따라서 □ABCD의 넓이는 $\dfrac{27}{4}\,\text{cm}^2$이다.

10 (2) 닮음비가 $1:3$이므로 밑면의 둘레의 길이의 비도 $1:3$이다.

(3) 닮음비가 $1:3$이므로
겉넓이의 비는 $1^2:3^2=1:9$

(4) 닮음비가 $1:3$이므로
부피의 비는 $1^3:3^3=1:27$

(5) 삼각기둥 B의 겉넓이를 $x\,\text{cm}^2$라 하면
$5:x=1:9$ ∴ $x=45$
따라서 삼각기둥 B의 겉넓이는 $45\,\text{cm}^2$이다.

(6) 삼각기둥 A의 부피를 $y\,\text{cm}^3$라 하면
$y:81=1:27$, $27y=81$
∴ $y=3$
따라서 삼각기둥 A의 부피는 $3\,\text{cm}^3$이다.

11 (1) 두 정육면체의 겉넓이의 비는 $2^2:3^2=4:9$이므로
큰 정육면체의 겉넓이를 $x\,\text{cm}^2$라 하면
$6:x=4:9$, $4x=54$
∴ $x=\dfrac{27}{2}$
따라서 큰 정육면체의 겉넓이는 $\dfrac{27}{2}\,\text{cm}^2$이다.

(2) 두 구의 부피의 비는 $1^3:2^3=1:8$이므로
작은 구의 부피를 $x\,\text{cm}^3$라 하면
$x:16\pi=1:8$, $8x=16\pi$
∴ $x=2\pi$
따라서 작은 구의 부피는 $2\pi\,\text{cm}^3$이다.

12 △ABC와 △FDE에서
$\angle A=180°-(65°+40°)=75°$이므로
$\angle A=\angle F$ ← A
$\angle C=\angle E$ ← A
∴ △ABC∽△FDE (AA 닮음)
△GHI와 △NOM에서
$\overline{GH}:\overline{NO}=6:3=2:1$ ← S
$\overline{HI}:\overline{OM}=10:5=2:1$ ← S
$\overline{GI}:\overline{NM}=8:4=2:1$ ← S
∴ △GHI∽△NOM (SSS 닮음)
△JKL과 △PRQ에서
$\overline{JL}:\overline{PQ}=3:4$ ← S
$\angle L=\angle Q$ ← A
$\overline{KL}:\overline{RQ}=6:8=3:4$ ← S
∴ △JKL∽△PRQ (SAS 닮음)

13 (1) △ABC와 △CBD에서
$\overline{AB}:\overline{CB}=9:12=3:4$ ← S
$\overline{BC}:\overline{BD}=12:16=3:4$ ← S
$\overline{AC}:\overline{CD}=6:8=3:4$ ← S
∴ △ABC∽△CBD (SSS 닮음)

(2) △ABC와 △EBD에서
$\overline{AB}:\overline{EB}=12:15=4:5$ ← S
$\angle ABC=\angle EBD$ (맞꼭지각) ← A
$\overline{CB}:\overline{DB}=8:10=4:5$ ← S
∴ △ABC∽△EBD (SAS 닮음)

(3) △ABC와 △EDC에서
$\angle B=\angle D$ ← A
$\angle C$는 공통 ← A
∴ △ABC∽△EDC (AA 닮음)

14 (1) △ABC∽△DBA (SAS 닮음)이고,
닮음비는 $\overline{AB}:\overline{DB}=12:9=4:3$이므로
$\overline{AC}:\overline{DA}=4:3$
$8:x=4:3$, $4x=24$
∴ $x=6$

(2) △ABC∽△CBD (SAS 닮음)이고,
닮음비는 $\overline{AB}:\overline{CB}=8:4=2:1$이므로
$\overline{AC}:\overline{CD}=2:1$
$10:x=2:1$, $2x=10$
∴ $x=5$

(3) △ABC∽△DBA (SAS 닮음)이고,
닮음비는 $\overline{AB}:\overline{DB}=6:4=3:2$이므로
$\overline{AC}:\overline{DA}=3:2$
$x:5=3:2$, $2x=15$
∴ $x=\dfrac{15}{2}$

(4) △ABC∽△CBD (SAS 닮음)이고,
닮음비는 $\overline{AB}:\overline{CB}=12:6=2:1$이므로
$\overline{AC}:\overline{CD}=2:1$
$x:5=2:1$ ∴ $x=10$

(5) $\triangle ABC \circ \triangle ADB$ (SAS 닮음)이고,

　닮음비는 $\overline{AB}:\overline{AD}=6:4=3:2$이므로

　$\overline{BC}:\overline{DB}=3:2$

　$12:x=3:2$, $3x=24$

　$\therefore x=8$

15 (1) $\triangle ABC \circ \triangle EDC$ (SAS 닮음)이고,

　닮음비는 $\overline{BC}:\overline{DC}=10:5=2:1$이므로

　$\overline{AB}:\overline{ED}=2:1$

　$6:x=2:1$, $2x=6$

　$\therefore x=3$

(2) $\triangle ABC \circ \triangle EDC$ (SAS 닮음)이고,

　닮음비는 $\overline{BC}:\overline{DC}=15:10=3:2$이므로

　$\overline{AB}:\overline{ED}=3:2$

　$15:x=3:2$, $3x=30$

　$\therefore x=10$

(3) $\triangle ABC \circ \triangle EDC$ (SAS 닮음)이고,

　닮음비는 $\overline{BC}:\overline{DC}=10:5=2:1$이므로

　$\overline{AB}:\overline{ED}=2:1$

　$x:4=2:1$

　$\therefore x=8$

(4) $\triangle ABC \circ \triangle EBD$ (SAS 닮음)이고,

　닮음비는 $\overline{AB}:\overline{EB}=24:16=3:2$이므로

　$\overline{AC}:\overline{ED}=3:2$

　$18:x=3:2$, $3x=36$

　$\therefore x=12$

(5) $\triangle ABC \circ \triangle AED$ (SAS 닮음)이고,

　닮음비는 $\overline{AB}:\overline{AE}=4:2=2:1$이므로

　$\overline{BC}:\overline{ED}=2:1$

　$6:x=2:1$, $2x=6$

　$\therefore x=3$

16 (1) $\triangle ABC \circ \triangle ACD$ (AA 닮음)이고,

　닮음비는 $\overline{AB}:\overline{AC}=18:12=3:2$이므로

　$\overline{BC}:\overline{CD}=3:2$

　$x:10=3:2$, $2x=30$

　$\therefore x=15$

(2) $\triangle ABC \circ \triangle ACD$ (AA 닮음)이고,

　닮음비는 $\overline{AB}:\overline{AC}=8:5$이므로

　$\overline{BC}:\overline{CD}=8:5$

　$10:x=8:5$, $8x=50$

　$\therefore x=\dfrac{25}{4}$

(3) $\triangle ABC \circ \triangle DBA$ (AA 닮음)이고,

　닮음비는 $\overline{BC}:\overline{BA}=9:6=3:2$이므로

　$\overline{AB}:\overline{DB}=3:2$

　$6:x=3:2$, $3x=12$

　$\therefore x=4$

(4) $\triangle ABC \circ \triangle DAC$ (AA 닮음)이고,

닮음비는 $\overline{BC}:\overline{AC}=8:6=4:3$이므로

　$\overline{AC}:\overline{DC}=4:3$

　$6:x=4:3$, $4x=18$

　$\therefore x=\dfrac{9}{2}$

(5) $\triangle ABC \circ \triangle DAC$ (AA 닮음)이고,

　닮음비는 $\overline{AC}:\overline{DC}=4:2=2:1$이므로

　$\overline{BC}:\overline{AC}=2:1$

　$x:4=2:1$

　$\therefore x=8$

17 (1) $\triangle ABC \circ \triangle AED$ (AA 닮음)이고,

　닮음비는 $\overline{AB}:\overline{AE}=15:5=3:1$이므로

　$\overline{AC}:\overline{AD}=3:1$

　$x:4=3:1$

　$\therefore x=12$

(2) $\triangle ABC \circ \triangle EBD$ (AA 닮음)이고,

　닮음비는 $\overline{AB}:\overline{EB}=10:6=5:3$이므로

　$\overline{AC}:\overline{ED}=5:3$

　$x:5=5:3$, $3x=25$

　$\therefore x=\dfrac{25}{3}$

(3) $\triangle ABC \circ \triangle DBE$ (AA 닮음)이고,

　닮음비는 $\overline{AB}:\overline{DB}=20:10=2:1$이므로

　$\overline{BC}:\overline{BE}=2:1$

　$(10+x):8=2:1$, $10+x=16$

　$\therefore x=6$

(4) $\triangle ABC \circ \triangle AED$ (AA 닮음)이고,

　닮음비는 $\overline{AB}:\overline{AE}=12:6=2:1$이므로

　$\overline{AC}:\overline{AD}=2:1$

　$(6+x):4=2:1$, $6+x=8$

　$\therefore x=2$

(5) $\triangle ABC \circ \triangle AED$ (AA 닮음)이고,

　닮음비는 $\overline{AC}:\overline{AD}=8:4=2:1$이므로

　$\overline{AB}:\overline{AE}=2:1$

　$(4+x):5=2:1$, $4+x=10$

　$\therefore x=6$

18 (1) $\triangle ABC \circ \triangle ADE$ (AA 닮음)이고,

　닮음비는 $\overline{AB}:\overline{AD}=12:8=3:2$이므로

　넓이의 비는 $3^2:2^2=9:4$

　$\triangle ADE$의 넓이를 $x\,\mathrm{cm}^2$라 하면

　$54:x=9:4$, $9x=216$　$\therefore x=24$

　$\therefore \square DBCE=\triangle ABC-\triangle ADE=54-24=30(\mathrm{cm}^2)$

(2) $\triangle ABC \circ \triangle DBE$ (AA 닮음)이고,

　닮음비는 $\overline{AB}:\overline{DB}=20:8=5:2$이므로

　넓이의 비는 $5^2:2^2=25:4$

　$\triangle DBE$의 넓이를 $x\,\mathrm{cm}^2$라 하면

　$100:x=25:4$, $25x=400$　$\therefore x=16$

　$\therefore \square ADEC=\triangle ABC-\triangle DBE=100-16=84(\mathrm{cm}^2)$

19 (1) $\triangle$AOD∽$\triangle$COB (AA 닮음)이고,

닮음비는 $\overline{AD}:\overline{CB}=2:3$이므로

넓이의 비는 $2^2:3^2=4:9$

$\triangle$COB의 넓이를 $x\,cm^2$라 하면

$2:x=4:9$, $4x=18$ ∴ $x=\dfrac{9}{2}$

따라서 $\triangle$COB의 넓이는 $\dfrac{9}{2}\,cm^2$이다.

(2) $\triangle$AOD∽$\triangle$COB (AA 닮음)이고,

닮음비는 $8:6=4:3$이므로

넓이의 비는 $4^2:3^2=16:9$

$\triangle$AOD의 넓이를 $x\,cm^2$라 하면

$x:9=16:9$ ∴ $x=16$

따라서 $\triangle$AOD의 넓이는 $16\,cm^2$이다.

20 (1) $6^2=x\times9$, $36=9x$

∴ $x=4$

(2) $x^2=3\times12=36$

이때 $x>0$이므로 $x=6$

(3) $10^2=8\times(8+x)$, $100=64+8x$

$8x=36$ ∴ $x=\dfrac{9}{2}$

(4) $x^2=2\times(2+6)=16$

이때 $x>0$이므로 $x=4$

(5) $6^2=4\times(4+x)$, $36=16+4x$

$4x=20$ ∴ $x=5$

(6) $4^2=x\times8$, $16=8x$

∴ $x=2$

(7) $5^2=3\times x$, $25=3x$

∴ $x=\dfrac{25}{3}$

(8) $10^2=25\times x$, $100=25x$

∴ $x=4$

(9) $x^2=3\times12=36$

이때 $x>0$이므로 $x=6$

(10) $x^2=8\times(10-8)=16$

이때 $x>0$이므로 $x=4$

21 $\triangle$ABC∽$\triangle$DEF (AA 닮음)이고,

닮음비는 $\overline{BC}:\overline{EF}=6:1.2=5:1$이므로

$\overline{AB}:\overline{DE}=5:1$, $\overline{AB}:1=5:1$

∴ $\overline{AB}=5(m)$

22 $\triangle$ABC∽$\triangle$DEC (AA 닮음)이고,

닮음비는 $\overline{BC}:\overline{EC}=3.2:16=1:5$이므로

$\overline{AB}:\overline{DE}=1:5$, $1.6:\overline{DE}=1:5$

∴ $\overline{DE}=8(m)$

23 $\triangle$ABC∽$\triangle$DEF이고,

닮음비는 $\overline{BC}:\overline{EF}=500:1$이므로 〔5m=500cm〕

$\overline{AC}:\overline{DF}=500:1$, $\overline{AC}:3=500:1$

∴ $\overline{AC}=1500(cm)=15(m)$

24 (1) $12:8=x:6$, $8x=72$

∴ $x=9$

(2) $6:x=9:3$, $9x=18$

∴ $x=2$

(3) $(6+3):6=x:4$, $6x=36$

∴ $x=6$

(4) $16:8=14:x$, $16x=112$

∴ $x=7$

(5) $12:x=8:10$, $8x=120$

∴ $x=15$

(6) $x:3=6:2$, $2x=18$

∴ $x=9$

(7) $10:x=15:6$, $15x=60$

∴ $x=4$

(8) $3:(5-3)=5:x$, $3x=10$

∴ $x=\dfrac{10}{3}$

(9) $8:x=(9-3):3$, $6x=24$

∴ $x=4$

(10) $(10+6):6=x:3$, $6x=48$

∴ $x=8$

25 (1) $9:3=6:x$, $9x=18$

∴ $x=2$

(2) $21:14=x:16$, $14x=336$

∴ $x=24$

(3) $9:12=6:x$, $9x=72$

∴ $x=8$

(4) $6:(6+3)=4:x$, $6x=36$

∴ $x=6$

(5) $4:(4+6)=6:x$, $4x=60$

∴ $x=15$

26 (1) $\overline{AB}:\overline{AD}=9:3=\underline{3:1}$

$\overline{AC}:\overline{AE}=6:2=\underline{3:1}$ ➡ $\overline{BC}$ // $\overline{DE}$이다.

(2) $\overline{AB}:\overline{AD}=\underline{11:5}$

$\overline{AC}:\overline{AE}=6:3=\underline{2:1}$ ➡ $\overline{BC}$ // $\overline{DE}$가 아니다.

(3) $\overline{AB}:\overline{BD}=(6+4):4=\underline{5:2}$

$\overline{AC}:\overline{CE}=15:6=\underline{5:2}$ ➡ $\overline{BC}$ // $\overline{DE}$이다.

(4) $\overline{AB}:\overline{AD}=8:4=\underline{2:1}$
$\overline{AC}:\overline{AE}=6:3=\underline{2:1}$ ⟹ $\overline{BC}/\!/\overline{DE}$이다.

(5) $\overline{AD}:\overline{DB}=9:12=\underline{3:4}$
$\overline{AE}:\overline{EC}=10:13$ ⟹ $\overline{BC}/\!/\overline{DE}$가 아니다.

29 (1) △PQR의 둘레의 길이는
$\dfrac{1}{2}\times(\overline{AB}+\overline{BC}+\overline{CA})=\dfrac{1}{2}\times(8+12+10)=15$

(2) △PQR의 둘레의 길이는
$\dfrac{1}{2}\times(\overline{AB}+\overline{BC}+\overline{CA})=\dfrac{1}{2}\times(11+9+6)=13$

(3) △ABC의 둘레의 길이는
$2\times(\overline{PQ}+\overline{QR}+\overline{PR})=2\times(7+5+6)=36$

30 (1) $\overline{MP}=\dfrac{1}{2}\overline{BC}=\dfrac{15}{2}$,
$\overline{PN}=\dfrac{1}{2}\overline{AD}=\dfrac{11}{2}$
∴ $x=\overline{MP}+\overline{PN}=\dfrac{15}{2}+\dfrac{11}{2}=13$

(2) $\overline{MP}=\dfrac{1}{2}\overline{BC}=\dfrac{1}{2}\times8=4$,
$\overline{PN}=\dfrac{1}{2}\overline{AD}=\dfrac{1}{2}\times10=5$
∴ $x=\overline{MP}+\overline{PN}=4+5=9$

(3) $\overline{MP}=\dfrac{1}{2}\overline{BC}=\dfrac{7}{2}$이므로
$\overline{PN}=\overline{MN}-\overline{MP}=6-\dfrac{7}{2}=\dfrac{5}{2}$
∴ $x=2\overline{PN}=2\times\dfrac{5}{2}=5$

(4) $\overline{MQ}=\dfrac{1}{2}\overline{BC}=\dfrac{1}{2}\times14=7$,
$\overline{MP}=\dfrac{1}{2}\overline{AD}=\dfrac{1}{2}\times8=4$
∴ $x=\overline{MQ}-\overline{MP}=7-4=3$

(5) $\overline{MQ}=\dfrac{1}{2}\overline{BC}=\dfrac{1}{2}\times20=10$,
$\overline{MP}=\dfrac{1}{2}\overline{AD}=\dfrac{1}{2}\times12=6$
∴ $x=\overline{MQ}-\overline{MP}=10-6=4$

31 (1) $x:5=8:4$, $4x=40$
∴ $x=10$

(2) $3:9=x:12$, $9x=36$
∴ $x=4$

(3) $4:6=5:x$, $4x=30$
∴ $x=\dfrac{15}{2}$

(4) $14:10=21:x$, $14x=210$
∴ $x=15$

(5) $x:2=(6+4):4$, $4x=20$
∴ $x=5$

32 (1) $5:x=6:12$, $6x=60$
∴ $x=10$

(2) $16:6=x:8$, $6x=128$
∴ $x=\dfrac{64}{3}$

(3) $4:6=6:x$, $4x=36$
∴ $x=9$

(4) $x:15=8:20$, $20x=120$
∴ $x=6$

(5) $4:(x-4)=3:2$, $3x-12=8$
$3x=20$ ∴ $x=\dfrac{20}{3}$

33 (1) $\overline{AD}$는 중선이므로 $x=\overline{CD}=4$

(2) $\overline{AD}$는 중선이므로 $x=2\overline{CD}=2\times5=10$

(3) $\overline{AG}:\overline{GD}=2:1$이므로
$x:7=2:1$
∴ $x=14$

(4) $\overline{AD}:\overline{GD}=3:1$이므로
$6:x=3:1$, $3x=6$
∴ $x=2$

(5) $\overline{BG}:\overline{BD}=2:3$이므로
$8:x=2:3$, $2x=24$
∴ $x=12$

34 (1) $x=\dfrac{1}{2}\overline{AC}=\dfrac{1}{2}\times4=2$
$\overline{BG}:\overline{GE}=2:1$이므로
$y:1=2:1$ ∴ $y=2$

(2) $\overline{AG}:\overline{GD}=2:1$이므로
$x:6=2:1$
∴ $x=12$
$\overline{BG}:\overline{GE}=2:1$이므로
$10:y=2:1$, $2y=10$
∴ $y=5$

(3) $x=2\overline{BF}=2\times5=10$
$\overline{CF}:\overline{GF}=3:1$이므로
$12:y=3:1$, $3y=12$
∴ $y=4$

(4) $\overline{BG}:\overline{GE}=2:1$이므로
$12:x=2:1$, $2x=12$
∴ $x=6$
$\overline{AG}:\overline{AD}=2:3$이므로
$y:15=2:3$, $3y=30$
∴ $y=10$

(5) $\overline{CG}:\overline{GD}=2:1$이므로
$4:x=2:1$, $2x=4$
∴ $x=2$

직각삼각형의 빗변의 중점은 외심이므로

$\overline{AD}=\overline{BD}=\overline{CD}$

즉, $\overline{AD}=\overline{CD}=4+2=6$이므로

$y=2\overline{AD}=2\times6=12$

35 (1) $\triangle GCE=\dfrac{1}{6}\triangle ABC=\dfrac{1}{6}\times30=5$

(2) $\triangle GBC=\dfrac{1}{3}\triangle ABC=\dfrac{1}{3}\times30=10$

(3) $\triangle GBD+\triangle GEA=\dfrac{2}{6}\triangle ABC=\dfrac{2}{6}\times30=10$

(4) $\triangle GBC+\triangle GCA=\dfrac{2}{3}\triangle ABC=\dfrac{2}{3}\times30=20$

(5) $\triangle GAF+\triangle GBD+\triangle GDC+\triangle GEA=\dfrac{4}{6}\triangle ABC$

$=\dfrac{4}{6}\times30=20$

36 (2) $x=\dfrac{1}{3}\overline{BD}=\dfrac{1}{3}\times15=5$

(3) $x=\dfrac{1}{3}\overline{BD}=\dfrac{1}{3}\times21=7$

(4) $x=3\overline{PQ}=3\times9=27$

(5) $\overline{PQ}=2\overline{OQ}=2\times6=12$

$\therefore x=3\overline{PQ}=3\times12=36$

37 (1) $\triangle ABC=\dfrac{1}{2}\square ABCD=\dfrac{1}{2}\times36=18$이므로

$\triangle ABM=\dfrac{1}{2}\triangle ABC=\dfrac{1}{2}\times18=9$

(2) $\triangle ABD=\dfrac{1}{2}\square ABCD=\dfrac{1}{2}\times36=18$이므로

$\triangle APQ=\dfrac{1}{3}\triangle ABD=\dfrac{1}{3}\times18=6$

(3) $\triangle ABD=\dfrac{1}{2}\square ABCD=\dfrac{1}{2}\times36=18$이므로

$\triangle AQD=\dfrac{1}{3}\triangle ABD=\dfrac{1}{3}\times18=6$

(4) $\triangle ABD=\dfrac{1}{2}\square ABCD=\dfrac{1}{2}\times36=18$이므로

$\triangle APQ=\dfrac{1}{3}\triangle ABD=\dfrac{1}{3}\times18=6$

$\therefore \triangle AOQ=\dfrac{1}{2}\triangle APQ=\dfrac{1}{2}\times6=3$

(5) $\triangle ACD=\dfrac{1}{2}\square ABCD=\dfrac{1}{2}\times36=18$이므로

$\triangle OCQ=\dfrac{1}{6}\triangle ACD=\dfrac{1}{6}\times18=3$

$\therefore \square OCNQ=2\triangle OCQ=2\times3=6$

38 (1) $x^2=6^2+8^2=100$

이때 $x>0$이므로 $x=10$

(2) $x^2=5^2+12^2=169$

이때 $x>0$이므로 $x=13$

(3) $x^2+8^2=17^2$이므로

$x^2=17^2-8^2=225$

이때 $x>0$이므로 $x=15$

(4) $x^2+12^2=15^2$이므로

$x^2=15^2-12^2=81$

이때 $x>0$이므로 $x=9$

(5) $x^2+12^2=20^2$이므로

$x^2=20^2-12^2=256$

이때 $x>0$이므로 $x=16$

39 (1) $\triangle ABD$에서 $x^2+5^2=13^2$

$x^2=13^2-5^2=144$

이때 $x>0$이므로 $x=12$

$\triangle ADC$에서 $y^2=12^2+9^2=225$

이때 $y>0$이므로 $y=15$

(2) $\triangle ABD$에서 $x^2+16^2=20^2$

$x^2=20^2-16^2=144$

이때 $x>0$이므로 $x=12$

$\triangle ADC$에서 $y^2+12^2=13^2$

$y^2=13^2-12^2=25$

이때 $y>0$이므로 $y=5$

(3) $\triangle ADC$에서 $x^2+8^2=10^2$

$x^2=10^2-8^2=36$

이때 $x>0$이므로 $x=6$

$\triangle ABD$에서 $y^2=6^2+\left(\dfrac{5}{2}\right)^2=\dfrac{169}{4}$

이때 $y>0$이므로 $y=\dfrac{13}{2}$

(4) $\triangle ADC$에서 $x^2+24^2=30^2$

$x^2=30^2-24^2=324$

이때 $x>0$이므로 $x=18$

$\therefore \overline{BD}=28-18=10$

$\triangle ABD$에서 $y^2=10^2+24^2=676$

이때 $y>0$이므로 $y=26$

(5) $\triangle ABD$에서 $x^2+8^2=17^2$

$x^2=17^2-8^2=225$

이때 $x>0$이므로 $x=15$

$\triangle ADC$에서 $\overline{CD}^2+8^2=10^2$

$\overline{CD}^2=10^2-8^2=36$

이때 $\overline{CD}>0$이므로 $\overline{CD}=6$

$\therefore y=\overline{BD}+\overline{CD}=15+6=21$

40 (1) $\triangle ABD$에서 $x^2+6^2=10^2$

$x^2=10^2-6^2=64$

이때 $x>0$이므로 $x=8$

$\triangle ABC$에서 $y^2=8^2+(6+9)^2=289$

이때 $y>0$이므로 $y=17$

(2) $\triangle ADC$에서 $x^2+8^2=17^2$

$x^2=17^2-8^2=225$

이때 $x>0$이므로 $x=15$

$\triangle ABC$에서 $\overline{BC}^2+15^2=25^2$

$\overline{BC}^2=25^2-15^2=400$

이때 $\overline{BC}>0$이므로 $\overline{BC}=20$

$\therefore y=\overline{BC}-\overline{DC}=20-8=12$

(3) $\triangle ABC$에서 $\overline{BC}^2+12^2=20^2$

$\overline{BC}^2=20^2-12^2=256$

이때 $\overline{BC}>0$이므로 $\overline{BC}=16$

$\therefore x=\overline{BC}-\overline{BD}=16-7=9$

$\triangle ADC$에서 $y^2=9^2+12^2=225$

이때 $y>0$이므로 $y=15$

(4) $\overline{AD}=\overline{DC}=x$이므로

　$\triangle ABD$에서 $x^2=24^2+7^2=625$

　이때 $x>0$이므로 $x=25$

　$\therefore \overline{BC}=\overline{BD}+\overline{DC}=7+25=32$

　$\triangle ABC$에서 $y^2=24^2+32^2=1600$

　이때 $y>0$이므로 $y=40$

41 (1) □BFGC=□ADEB+□ACHI
$\qquad =72+32=104$

(2) □ADEB=□BFGC+□ACHI이므로

　$289=225+$□ACHI

　$\therefore$ □ACHI$=64$

(3) □ACHI=□ADEB+□BFGC이므로

　$100=48+$□BFGC

　$\therefore$ □BFGC$=52$

42 □EFGH는 정사각형이다.

(1) $\triangle HGD$에서 $\overline{HG}^2=4^2+8^2=80$

　$\therefore x=\overline{HG}^2=80$

(2) $\overline{AE}=\overline{DH}=3\,cm$이므로

　$\triangle AEH$에서 $\overline{EH}^2=3^2+7^2=58$

　$\therefore x=\overline{EH}^2=58$

(3) $\overline{FG}^2=289$이므로

　$\triangle GFC$에서 $x^2+15^2=289$

　$x^2=289-15^2=64$

　이때 $x>0$이므로 $x=8$

(4) $\overline{GC}=\overline{FB}=12\,cm$이고,

　$\overline{FG}^2=400$이므로

　$\triangle GFC$에서 $x^2+12^2=400$

　$x^2=400-12^2=256$

　이때 $x>0$이므로 $x=16$

43 ㄱ. 가장 긴 변의 길이가 $\dfrac{13}{2}$이고,

　$\left(\dfrac{13}{2}\right)^2=6^2+\left(\dfrac{5}{2}\right)^2$이므로 직각삼각형이다.

ㄴ. 가장 긴 변의 길이가 7이고,

　$7^2\neq 4^2+6^2$이므로 직각삼각형이 아니다.

ㄷ. 가장 긴 변의 길이가 20이고,

　$20^2\neq 12^2+15^2$이므로 직각삼각형이 아니다.

ㄹ. 가장 긴 변의 길이가 25이고,

　$25^2=15^2+20^2$이므로 직각삼각형이다.

따라서 직각삼각형인 것은 ㄱ, ㄹ이다.

44 가장 긴 변의 길이가 x이므로

　$x^2=8^2+15^2=289$

　이때 $x>0$이므로 $x=17$

45 (1) $8^2<4^2+7^2$이므로 예각삼각형이다.

(2) $10^2>5^2+7^2$이므로 둔각삼각형이다.

(3) $15^2<8^2+13^2$이므로 예각삼각형이다.

(4) $25^2=7^2+24^2$이므로 직각삼각형이다.

1 (1) 4　(2) 4　(3) 6

2 (1) 9　(2) 5　(3) 4

3 (1) 4　(2) 3　(3) 7

4 (1) 7　(2) 9　(3) 11

5 5

6 (1) 6　(2) 3　(3) 9

7 (1) 10　(2) 5

8 (1) 4　(2) 36　(3) 12

9 (1) 30　(2) 12　(3) 20

10 12

11 27

12 (1) 6　(2) 9　(3) 9

13 4

14 (1) 6　(2) 24　(3) 120　(4) 720

15 (1) 12　(2) 60　(3) 120

16 (1) 12　(2) 24　(3) 6

17 (1) 16　(2) 48　(3) 8

18 (1) 20　(2) 10

19 (1) 30　(2) 15

20 (1) 30　(2) 110　(3) 55

21 (1) $\dfrac{5}{11}$　(2) $\dfrac{6}{11}$

22 (1) $\dfrac{1}{4}$　(2) $\dfrac{1}{2}$

23 (1) $\dfrac{1}{9}$　(2) $\dfrac{1}{4}$

24 (1) $\dfrac{1}{2}$　(2) $\dfrac{3}{8}$

25 (1) 0　(2) 0　(3) 0

26 (1) 1　(2) 1　(3) 1

27 (1) $\dfrac{4}{9}$　(2) $\dfrac{3}{10}$　(3) $\dfrac{3}{4}$　(4) $\dfrac{5}{6}$　(5) $\dfrac{5}{6}$

28 (1) $\dfrac{3}{4}$　(2) $\dfrac{3}{4}$　(3) $\dfrac{3}{5}$　(4) $\dfrac{25}{39}$　(5) $\dfrac{15}{16}$

29 $\dfrac{4}{7}$

30 $\dfrac{2}{3}$

31 (1) $\dfrac{9}{25}$　(2) $\dfrac{1}{5}$

32 (1) $\dfrac{1}{2}$　(2) $\dfrac{7}{12}$

33 (1) $\dfrac{1}{2}$　(2) $\dfrac{4}{5}$

34 $\dfrac{12}{25}$

35 (1) $\dfrac{1}{4}$　(2) $\dfrac{1}{9}$

36 (1) $\dfrac{1}{6}$　(2) $\dfrac{1}{12}$

37 (1) $\dfrac{4}{21}$　(2) $\dfrac{8}{21}$　(3) $\dfrac{5}{7}$

38 (1) $\dfrac{9}{16}$　(2) $\dfrac{3}{16}$　(3) $\dfrac{15}{16}$

39 (1) $\dfrac{9}{32}$　(2) $\dfrac{3}{32}$　(3) $\dfrac{17}{32}$

2 (1) 모두 짝수의 눈이 나오는 경우는
(2, 2), (2, 4), (2, 6), (4, 2), (4, 4), (4, 6), (6, 2), (6, 4), (6, 6)이므로 경우의 수는 9

(2) 두 눈의 수의 합이 6인 경우는
(1, 5), (2, 4), (3, 3), (4, 2), (5, 1)이므로 경우의 수는 5

(3) 두 눈의 수의 차가 4인 경우는
(1, 5), (2, 6), (5, 1), (6, 2)이므로 경우의 수는 4

5 3의 배수가 적힌 카드가 나오는 경우는 3, 6, 9이므로 경우의 수는 3
5의 배수가 적힌 카드가 나오는 경우는 5, 10이므로 경우의 수는 2
따라서 구하는 경우의 수는 $3+2=5$

6 (1) 두 눈의 수의 합이 7인 경우는
(1, 6), (2, 5), (3, 4), (4, 3), (5, 2), (6, 1)이므로 경우의 수는 6

(2) 두 눈의 수의 합이 10인 경우는
(4, 6), (5, 5), (6, 4)이므로 경우의 수는 3

(3) $6+3=9$

7 (1) 꺼낸 공에 적힌 두 수의 차가 2인 경우는
(1, 3), (2, 4), (3, 1), (3, 5), (4, 2), (5, 3)이므로 경우의 수는 6
꺼낸 공에 적힌 두 수의 차가 3인 경우는
(1, 4), (2, 5), (4, 1), (5, 2)이므로 경우의 수는 4
따라서 구하는 경우의 수는
$6+4=10$

(2) 꺼낸 공에 적힌 두 수의 합이 8인 경우는
(3, 5), (4, 4), (5, 3)이므로 경우의 수는 3
꺼낸 공에 적힌 두 수의 합이 9인 경우는
(4, 5), (5, 4)이므로 경우의 수는 2
따라서 구하는 경우의 수는
$3+2=5$

11 한 사람이 가위, 바위, 보의 3가지 중 하나를 낼 수 있으므로 세 사람이 가위바위보를 한 번 할 때, 일어나는 모든 경우의 수는 $3 \times 3 \times 3 = 27$

12 (1) 3의 배수의 눈이 나오는 경우는 3, 6이므로 경우의 수는 2
2의 배수의 눈이 나오는 경우는 2, 4, 6이므로 경우의 수는 3
따라서 구하는 경우의 수는
$2 \times 3 = 6$

(2) 소수의 눈이 나오는 경우는 2, 3, 5이므로 경우의 수는 3
따라서 두 눈의 수가 모두 소수인 경우의 수는
$3 \times 3 = 9$

(3) 두 눈의 수의 곱이 홀수가 되려면 두 눈의 수가 모두 홀수이어야 한다. 홀수의 눈이 나오는 경우는 1, 3, 5의 3가지이므로 두 눈의 수의 곱이 홀수인 경우의 수는
$3 \times 3 = 9$

13 동전에서 앞면이 나오는 경우의 수는 1
주사위에서 6의 약수의 눈이 나오는 경우는 1, 2, 3, 6이므로 경우의 수는 4
따라서 구하는 경우의 수는
$1 \times 4 = 4$

14 (1) $3 \times 2 \times 1 = 6$
(2) $4 \times 3 \times 2 \times 1 = 24$
(3) $5 \times 4 \times 3 \times 2 \times 1 = 120$
(4) $6 \times 5 \times 4 \times 3 \times 2 \times 1 = 720$

15 (1) $4 \times 3 = 12$
(2) $5 \times 4 \times 3 = 60$
(3) $6 \times 5 \times 4 = 120$

16 (1) $4 \times 3 = 12$(개)
(2) $4 \times 3 \times 2 = 24$(개)
(3) 짝수의 일의 자리의 숫자는 2, 4이므로 일의 자리의 숫자부터 결정한다.

십의 자리 　　　일의 자리

$\underset{\substack{\text{일의 자리의}\\\text{숫자를 제외한}\\\text{3개 중 1개}}}{\underline{\quad 3 \quad}} \times \underset{\substack{\text{2 또는 4}}}{\underline{\quad 2 \quad}} = 6$(개)

17 (1) $4 \times 4 = 16$(개)
(2) $4 \times 4 \times 3 = 48$(개)
(3) 십의 자리의 숫자가 5 또는 7이어야 하므로

십의 자리 　　　일의 자리

$\underset{\substack{\text{5 또는 7}}}{\underline{\quad 2 \quad}} \times \underset{\substack{\text{십의 자리의}\\\text{숫자를 제외한}\\\text{4개 중 1개}}}{\underline{\quad 4 \quad}} = 8$(개)

18 (1) $5 \times 4 = 20$
(2) $\dfrac{5 \times 4}{2} = 10$

19 (1) $6 \times 5 = 30$
(2) $\dfrac{6 \times 5}{2} = 15$

20 (1) 남자 5명 중 한 명을 뽑고, 여자 6명 중 한 명을 뽑는 경우의 수이므로
$5 \times 6 = 30$
(2) $11 \times 10 = 110$
(3) $\dfrac{11 \times 10}{2} = 55$

23 모든 경우의 수는 $6 \times 6 = 36$

(1) 두 눈의 수의 합이 9인 경우는

$(3, 6), (4, 5), (5, 4), (6, 3)$의 4가지이므로

그 확률은 $\dfrac{4}{36} = \dfrac{1}{9}$

(2) 짝수의 눈이 나오는 경우는 2, 4, 6의 3가지이므로

두 눈의 수가 모두 짝수인 경우의 수는

$3 \times 3 = 9$

따라서 구하는 확률은 $\dfrac{9}{36} = \dfrac{1}{4}$

24 만들 수 있는 두 자리의 자연수의 개수는 $4 \times 4 = 16$(개)

(1) 30보다 작은 두 자리의 자연수의 개수는

$$\underset{\substack{\text{1 또는 2}}}{\underline{\quad 2 \quad}} \times \underset{\substack{\text{십의 자리의}\\\text{숫자를 제외한}\\\text{4개 중 1개}}}{\underline{\quad 4 \quad}} = 8(\text{개})$$

<small>십의 자리   일의 자리</small>

따라서 구하는 확률은 $\dfrac{8}{16} = \dfrac{1}{2}$

(2) 홀수의 일의 자리의 숫자는 1, 3이므로 두 자리의 홀수의

개수는

$$\underset{\substack{\text{일의 자리의}\\\text{숫자와 0을}\\\text{제외한 3개 중 1개}}}{\underline{\quad 3 \quad}} \times \underset{\substack{\text{1 또는 3}}}{\underline{\quad 2 \quad}} = 6(\text{개})$$

<small>십의 자리   일의 자리</small>

따라서 구하는 확률은 $\dfrac{6}{16} = \dfrac{3}{8}$

27 (3) 모든 경우의 수는 20이고,

4의 배수가 적힌 공이 나오는 경우는

4, 8, 12, 16, 20의 5가지이므로

그 확률은 $\dfrac{5}{20} = \dfrac{1}{4}$

$\therefore$ (4의 배수가 적힌 공이 나오지 않을 확률)

　　$= 1 -$ (4의 배수가 적힌 공이 나올 확률)

　　$= 1 - \dfrac{1}{4}$

　　$= \dfrac{3}{4}$

(4) 모든 경우의 수는 $6 \times 6 = 36$이고,

나오는 두 눈의 수의 차가 1 미만, 즉 두 눈의 수가 같은 경

우는 $(1, 1), (2, 2), (3, 3), (4, 4), (5, 5), (6, 6)$의

6가지이므로 그 확률은

$\dfrac{6}{36} = \dfrac{1}{6}$

$\therefore$ (나오는 두 눈의 수의 차가 1 이상일 확률)

　　$= 1 -$ (나오는 두 눈의 수가 같을 확률)

　　$= 1 - \dfrac{1}{6}$

　　$= \dfrac{5}{6}$

(5) 만들 수 있는 두 자리의 자연수의 개수는 $6 \times 5 = 30$(개)이고,

60 이상인 자연수의 개수는

$$\underset{\substack{}}{\underline{\quad 1 \quad}} \times \underset{\substack{\text{십의 자리의}\\\text{숫자를 제외한}\\\text{5개 중 1개}}}{\underline{\quad 5 \quad}} = 5(\text{개})$$

<small>십의 자리   일의 자리</small>

따라서 60 이상일 확률은

$\dfrac{5}{30} = \dfrac{1}{6}$

$\therefore$ (60 미만일 확률) $= 1 -$ (60 이상일 확률)

　　　　　　　　　　$= 1 - \dfrac{1}{6}$

　　　　　　　　　　$= \dfrac{5}{6}$

28 (1) (적어도 하나는 뒷면이 나올 확률)

　$= 1 -$ (모두 앞면이 나올 확률)

　$= 1 - \dfrac{1}{4}$

　$= \dfrac{3}{4}$

(2) 모든 경우의 수는 $6 \times 6 = 36$이고,

홀수의 눈이 나오는 경우는 1, 3, 5의 3가지이므로

모두 홀수의 눈이 나오는 경우의 수는 $3 \times 3 = 9$

따라서 모두 홀수의 눈이 나올 확률은

$\dfrac{9}{36} = \dfrac{1}{4}$

$\therefore$ (적어도 하나는 짝수의 눈이 나올 확률)

　　$= 1 -$ (모두 홀수의 눈이 나올 확률)

　　$= 1 - \dfrac{1}{4}$

　　$= \dfrac{3}{4}$

(3) 전체 6개의 공 중에서 2개를 뽑는 경우의 수는

$\dfrac{6 \times 5}{2} = 15$

파란 공 4개 중에서 2개를 뽑는 경우의 수는

$\dfrac{4 \times 3}{2} = 6$

따라서 2개 모두 파란 공이 나올 확률은

$\dfrac{6}{15} = \dfrac{2}{5}$

$\therefore$ (적어도 한 개는 노란 공이 나올 확률)

　　$= 1 -$ (2개 모두 파란 공이 나올 확률)

　　$= 1 - \dfrac{2}{5}$

　　$= \dfrac{3}{5}$

(4) 전체 13명 중에서 2명의 대표를 뽑는 경우의 수는

$\dfrac{13 \times 12}{2} = 78$

여학생 8명 중에서 2명의 대표를 뽑는 경우의 수는

$\dfrac{8 \times 7}{2} = 28$

따라서 2명 모두 여학생을 뽑을 확률은

$$\frac{28}{78}=\frac{14}{39}$$

∴ (적어도 한 명은 남학생을 뽑을 확률)

　= 1 − (2명 모두 여학생을 뽑을 확률)

　$= 1-\frac{14}{39}$

　$= \frac{25}{39}$

(5) 4개의 문제의 답을 고르는 모든 경우의 수는

$2\times2\times2\times2=16$

4개의 문제를 모두 틀리는 경우의 수는 1이므로

그 확률은 $\frac{1}{16}$

∴ (적어도 한 문제는 맞힐 확률)

　= 1 − (4개의 문제를 모두 틀릴 확률)

　$= 1-\frac{1}{16}$

　$= \frac{15}{16}$

31 (1) (5 미만 또는 21 이상의 수가 적힌 카드가 나올 확률)

　= (5 미만의 수가 적힌 카드가 나올 확률)
　↳ 1, 2, 3, 4 + (21 이상의 수가 적힌 카드가 나올 확률)
　　　　　　　↳ 21, 22, 23, 24, 25

$= \frac{4}{25}+\frac{5}{25}$

$= \frac{9}{25}$

(2) (7의 배수 또는 9의 배수가 적힌 카드가 나올 확률)

　= (7의 배수가 적힌 카드가 나올 확률)
　↳ 7, 14, 21 + (9의 배수가 적힌 카드가 나올 확률)
　　　　　　↳ 9, 18

$= \frac{3}{25}+\frac{2}{25}=\frac{5}{25}$

$= \frac{1}{5}$

32 (1) (5의 배수 또는 6의 약수의 눈이 나올 확률)

　= (5의 배수의 눈이 나올 확률)
　↳ 5, 10 + (6의 약수의 눈이 나올 확률)
　　　　　↳ 1, 2, 3, 6

$= \frac{2}{12}+\frac{4}{12}=\frac{6}{12}$

$= \frac{1}{2}$

(2) (6보다 작거나 10보다 큰 수의 눈이 나올 확률)

　= (6보다 작은 수의 눈이 나올 확률)
　↳ 1, 2, 3, 4, 5 + (10보다 큰 수의 눈이 나올 확률)
　　　　　　　↳ 11, 12

$= \frac{5}{12}+\frac{2}{12}$

$= \frac{7}{12}$

33 만들 수 있는 두 자리의 자연수의 개수는 $5\times4=20$(개)

(1) 13 이하의 자연수의 개수는 12, 13의 2개,

41 이상인 자연수의 개수는

십의 자리　　　일의 자리

$\underline{\quad2\quad}$ × $\underline{\quad4\quad}$ = 8(개)
4 또는 5　　 십의 자리의
　　　　　 숫자를 제외한
　　　　　 4개 중 1개

∴ (13 이하이거나 41 이상일 확률)

　= (13 이하일 확률) + (41 이상일 확률)

　$= \frac{2}{20}+\frac{8}{20}=\frac{10}{20}$

　$= \frac{1}{2}$

(2) 홀수의 개수는

십의 자리　　　일의 자리

$\underline{\quad4\quad}$ × $\underline{\quad3\quad}$ = 12(개)
일의 자리의　　 1 또는 3
숫자를 제외한　　또는 5
4개 중 1개

4의 배수의 개수는 12, 24, 32, 52의 4개

∴ (홀수이거나 4의 배수일 확률)

　= (홀수일 확률) + (4의 배수일 확률)

　$= \frac{12}{20}+\frac{4}{20}=\frac{16}{20}$

　$= \frac{4}{5}$

34 모든 경우의 수는 $5\times5=25$이고,

차가 1인 경우는

(1, 2), (2, 1), (2, 3), (3, 2), (3, 4), (4, 3), (4, 5), (5, 4)
의 8가지,

차가 3인 경우는

(1, 4), (2, 5), (4, 1), (5, 2)의 4가지

∴ (차가 1 또는 3일 확률)

　= (차가 1일 확률) + (차가 3일 확률)

　$= \frac{8}{25}+\frac{4}{25}$

　$= \frac{12}{25}$

35 (1) (처음에는 짝수의 눈이 나오고 나중에는 소수의 눈이 나올 확률)

　= (처음에 짝수의 눈이 나올 확률)
　2, 4, 6 ↰ × (나중에 소수의 눈이 나올 확률)
　　　　　　　　　　　↳ 2, 3, 5

$= \frac{1}{2}\times\frac{1}{2}$

$= \frac{1}{4}$

(2) (두 번 모두 3의 배수의 눈이 나올 확률)

　= (처음에 3의 배수의 눈이 나올 확률)
　↳ 3, 6 × (나중에 3의 배수의 눈이 나올 확률)
　　　　　　↳ 3, 6

$= \frac{1}{3}\times\frac{1}{3}$

$= \frac{1}{9}$

36 (1) (동전은 모두 뒷면이 나오고, 주사위는 6의 약수의 눈이 나올 확률)

(뒷면, 뒷면)

= (동전이 모두 뒷면이 나올 확률)

× (주사위가 6의 약수의 눈이 나올 확률)

1, 2, 3, 6

$= \dfrac{1}{4} \times \dfrac{2}{3}$

$= \dfrac{1}{6}$

(2) (동전은 모두 앞면이 나오고, 주사위는 4보다 큰 수의 눈이 나올 확률)

(앞면, 앞면)

= (동전이 모두 앞면이 나올 확률)

× (주사위가 4보다 큰 수의 눈이 나올 확률)

5, 6

$= \dfrac{1}{4} \times \dfrac{1}{3}$

$= \dfrac{1}{12}$

37 (1) $\dfrac{4}{7} \times \dfrac{1}{3} = \dfrac{4}{21}$

(2) 지현이가 문제를 맞히지 못할 확률은

$1 - \dfrac{1}{3} = \dfrac{2}{3}$

따라서 구하는 확률은

$\dfrac{4}{7} \times \dfrac{2}{3}$

$= \dfrac{8}{21}$

(3) 서현이가 문제를 맞히지 못할 확률은

$1 - \dfrac{4}{7} = \dfrac{3}{7}$

∴ (적어도 한 사람은 문제를 맞힐 확률)

= 1 - (두 사람 모두 문제를 맞히지 못할 확률)

$= 1 - \dfrac{3}{7} \times \dfrac{2}{3}$

$= 1 - \dfrac{2}{7} = \dfrac{5}{7}$

38 자유투를 성공할 확률은 75 %, 즉 $\dfrac{75}{100} = \dfrac{3}{4}$ 이므로

자유투를 실패할 확률은

$1 - \dfrac{3}{4} = \dfrac{1}{4}$

(1) $\dfrac{3}{4} \times \dfrac{3}{4} = \dfrac{9}{16}$

(2) $\dfrac{3}{4} \times \dfrac{1}{4} = \dfrac{3}{16}$

(3) (적어도 한 번은 성공할 확률)

= 1 - (두 번 모두 실패할 확률)

$= 1 - \dfrac{1}{4} \times \dfrac{1}{4}$

$= 1 - \dfrac{1}{16} = \dfrac{15}{16}$

39 (1) $\dfrac{3}{8} \times \dfrac{3}{4} = \dfrac{9}{32}$

(2) $\dfrac{3}{8} \times \dfrac{1}{4} = \dfrac{3}{32}$

(3) (적어도 한 개는 노란 공이 나올 확률)

= 1 - (두 개 모두 빨간 공이 나올 확률)

$= 1 - \dfrac{5}{8} \times \dfrac{3}{4}$

$= 1 - \dfrac{15}{32} = \dfrac{17}{32}$

교과서 개념잡기 빠르고 쉽게 익히는 교과서 개념 완성 프로젝트

대표전화 1544-0554
주소 경기도 과천시 과천대로2길 54
협의 없는 무단 복제는 법으로 금지되어 있습니다.

교과서 개념 잡기

개념익히기와 1:1 매칭되는

익힘북

중등수학
2·2

교과서
개념
잡
기

개념익히기와 1:1 매칭되는
익힘북

중등수학
2·2

I 삼각형의 성질

정답과 해설 25쪽

I·1 삼각형의 성질

 이등변삼각형의 성질

1 다음 그림의 △ABC에서 $\overline{AB}=\overline{AC}$일 때, ∠$x$의 크기를 구하시오.

(1)

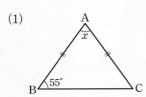

(2)

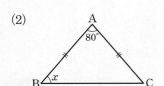

(3)

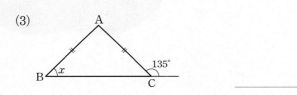

(4)

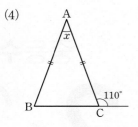

(5)

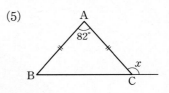

2 다음 그림의 △ABC에서 $\overline{AB}=\overline{AC}$일 때, x의 값을 구하시오.

(1)

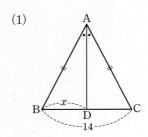

(2)

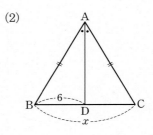

(3)

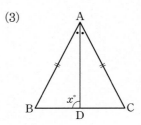

3 다음 그림의 △ABC에서 $\overline{AB}=\overline{AC}$일 때, ∠$x$의 크기를 구하시오.

(1)

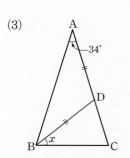

_____

(2)

_____

(3)

_____

(4)

_____

(5)

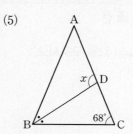

_____

(6)

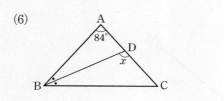

_____

4 다음 그림의 △ABC에서 ∠x, ∠y의 크기를 각각 구하시오.

(1)

_____

(2)

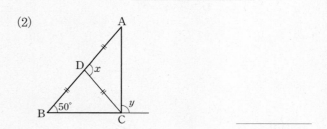

_____

③ 이등변삼각형이 되는 조건

5 다음 그림의 △ABC에서 x의 값을 구하시오.

(1)

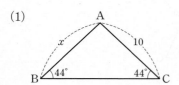

_____

(2)

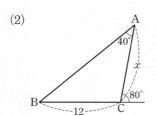

_____

(3)

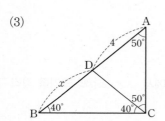

_____

(4)

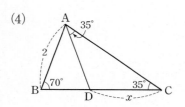

_____

(5)

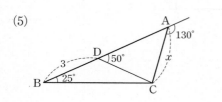

_____

6 다음 그림의 △ABC에서 $\overline{AB}=\overline{AC}$일 때, x의 값을 구하시오.

(1)

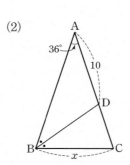

_____

(2)

_____

7 직사각형 모양의 종이를 다음과 같이 접었을 때, x의 값을 구하시오.

(1)

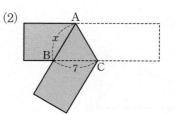

_____

(2)

_____

④ 직각삼각형의 합동 조건

8 다음 두 직각삼각형에서 x의 값을 구하시오.

(1)

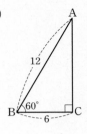

(2)

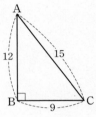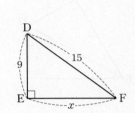

9 다음 직각삼각형 중에서 서로 합동인 것을 모두 찾아 기호로 나타내고, 각각의 합동 조건을 말하시오.

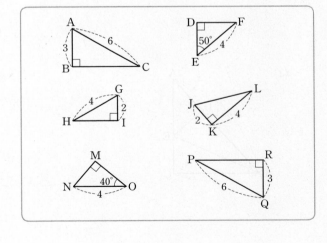

⑤ 직각삼각형의 합동 조건의 응용(1) - RHA 합동

10 다음 그림에서 $\triangle ABC$가 직각이등변삼각형일 때, x의 값을 구하시오.

(1)

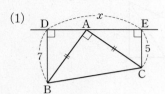

(2)

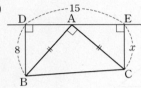

11 다음 그림에서 $\triangle ABC$가 직각이등변삼각형일 때, 색칠한 부분의 넓이를 구하시오.

(1)

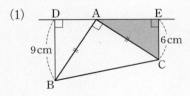

(2)

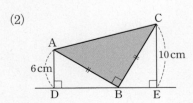

12 다음 그림의 △ABC에서 x의 값을 구하시오.

(1)

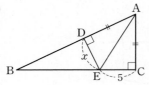

_____

(2)

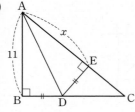

_____

(3)

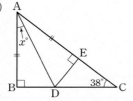

_____

(4)

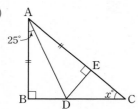

_____

(5)

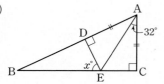

_____

13 다음 그림에서 x의 값을 구하시오.

(1)

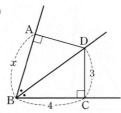

_____

(2)

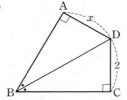

_____

(3)

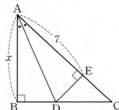

_____

(4)

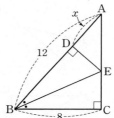

_____

(5)

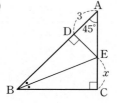

_____

⑧ 삼각형의 외심의 뜻과 성질

14 다음 그림에서 점 O가 △ABC의 외심일 때, x의 값을 구하시오.

(1)

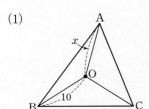

_____

(2)

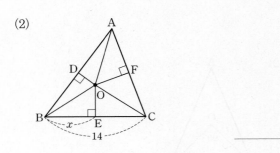

_____

(3)

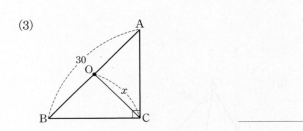

_____

15 다음 그림에서 점 O가 △ABC의 외심일 때, ∠x의 크기를 구하시오.

(1)

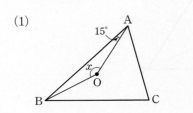

_____

(2)

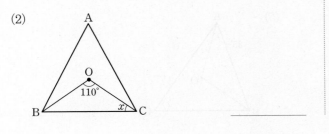

_____

(3)

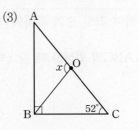

_____

(4)

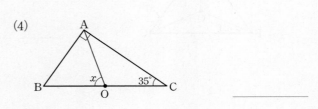

_____

16 오른쪽 그림에서 점 O가 △ABC의 외심일 때, 다음 중 옳은 것은 ○표, 옳지 않은 것은 ×표를 ( ) 안에 쓰시오.

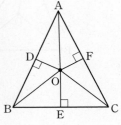

(1) $\overline{OE} = \overline{OF}$ (   )

(2) $\overline{OB} = \overline{OC}$ (   )

(3) $\overline{AF} = \overline{CF}$ (   )

(4) ∠AOF = ∠BOE   (   )

(5) ∠OCE = ∠OCF   (   )

(6) △OAD ≡ △OBD   (   )

17 다음 그림에서 점 O가 △ABC의 외심일 때, ∠x의 크기를 구하시오.

(1)

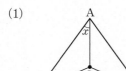

_____

(2)

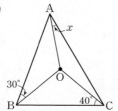

_____

(3)

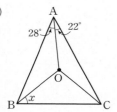

_____

(4)

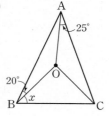

_____

18 다음 그림에서 점 O가 △ABC의 외심일 때, ∠x의 크기를 구하시오.

(1)

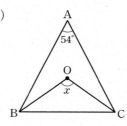

_____

(2)

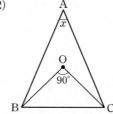

_____

(3)

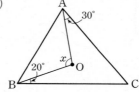

_____

(4)

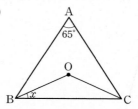

_____

(5)

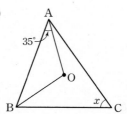

_____

삼각형의 내심의 뜻과 성질

19 다음 그림에서 점 I가 △ABC의 내심일 때, x의 값을 구하시오.

(1)

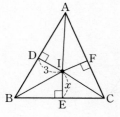

_____

(2)

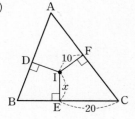

_____

(3)

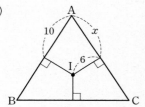

_____

20 다음 그림에서 점 I가 △ABC의 내심일 때, $\angle x$의 크기를 구하시오.

(1)

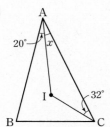

_____

(2)

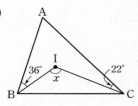

_____

21 다음 그림에서 점 I가 △ABC의 내심일 때, $\angle x$, $\angle y$의 크기를 각각 구하시오.

(1)

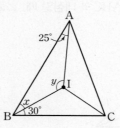

_____

(2)

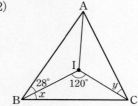

_____

22 오른쪽 그림에서 점 I가 △ABC의 내심일 때, 다음 중 옳은 것은 ○표, 옳지 <u>않은</u> 것은 ×표를 ( ) 안에 쓰시오.

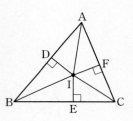

(1) $\overline{IA} = \overline{IC}$　　　　　　　(　)

(2) $\overline{ID} = \overline{IF}$　　　　　　　(　)

(3) $\angle IBE = \angle ICE$　　　　(　)

(4) $\angle IAD = \angle IAF$　　　　(　)

(5) △ICF ≡ △ICE　　　　(　)

23 다음 그림에서 점 I가 △ABC의 내심일 때, $\angle x$의 크기를 구하시오.

(1)

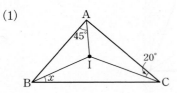

_____

(2)

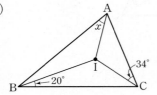

_____

(3)

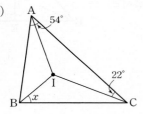

_____

(4)

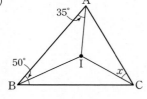

_____

24 다음 그림에서 점 I가 △ABC의 내심일 때, $\angle x$의 크기를 구하시오.

(1)

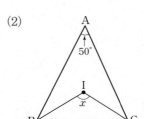

_____

(2)

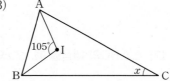

_____

(3)

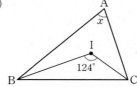

_____

(4)

_____

14 삼각형의 내심과 내접원

25 다음 그림에서 점 I가 직각삼각형 ABC의 내심일 때, 내접원의 반지름의 길이 r의 값을 구하시오.

(1)

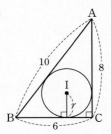

_____

(2)

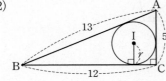

_____

26 아래 그림에서 점 I는 △ABC의 내심이고 △ABC의 넓이가 다음과 같을 때, △ABC의 둘레의 길이를 구하시오.

(1) △ABC=25일 때

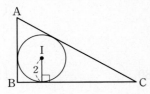

_____

(2) △ABC=210일 때

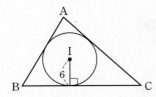

_____

 15 삼각형의 외심과 내심

27 다음 그림에서 두 점 O, I는 각각 △ABC의 외심, 내심일 때, $\angle x$, $\angle y$의 크기를 각각 구하시오.

(1)

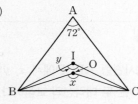

_____

(2)

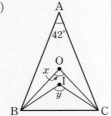

_____

(3)

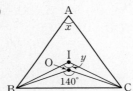

_____

(4)

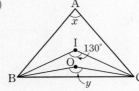

_____

(5)

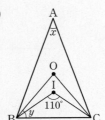

_____

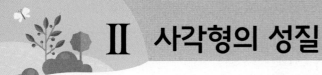

II·1 사각형의 성질

 1 평행사변형의 성질

1 다음 그림과 같은 평행사변형 ABCD에서 x, y의 값을 각각 구하시오. (단, 점 O는 두 대각선의 교점이다.)

(1)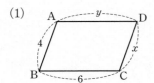

_____

(2)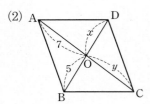

_____

(3)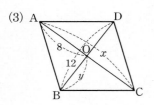

_____

(4)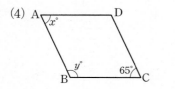

_____

(5)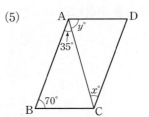

_____

(6)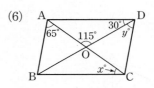

_____

2 오른쪽 그림과 같은 평행사변형 ABCD에 대하여 다음 중 옳은 것은 ○표, 옳지 않은 것은 ×표를 ( ) 안에 쓰시오. (단, 점 O는 두 대각선의 교점이다.)

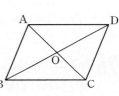

(1) $\overline{BO}=\overline{CO}$　　　　　　(　)

(2) $\angle A+\angle D=180°$　　　　(　)

(3) $\angle B=\angle D$　　　　　　　(　)

(4) $\angle ABD=\angle BDC$　　　　(　)

(5) $\triangle AOD\equiv\triangle COB$　　　(　)

(6) $\triangle AOB\equiv\triangle AOD$　　　(　)

❷ 평행사변형의 성질의 응용

3 다음 그림과 같은 평행사변형 ABCD에서 x의 값을 구하시오.

(1)

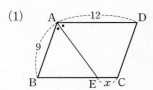

_____

(2)

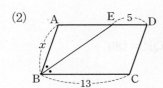

_____

(3)

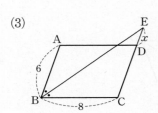

_____

(4)

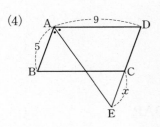

_____

4 다음 그림과 같은 평행사변형 ABCD에서 x의 값을 구하시오.

(1)

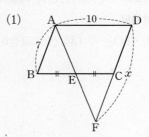

_____

(2)

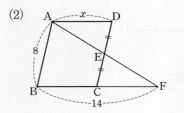

_____

5 아래 그림과 같은 평행사변형 ABCD에서 ∠A : ∠B가 다음과 같을 때, ∠x의 크기를 구하시오.

(1) ∠A : ∠B=2 : 1일 때

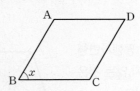

_____

(2) ∠A : ∠B=3 : 2일 때

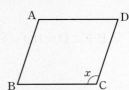

_____

6 다음 그림과 같은 □ABCD가 평행사변형이 되도록 하는 x, y의 값을 각각 구하시오.

(단, 점 O는 두 대각선의 교점이다.)

(1)
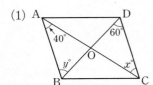
_____

(2)
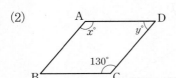
_____

(3)
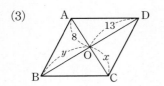
_____

7 다음 중 □ABCD가 평행사변형 이 되는 것은 ○표, 되지 <u>않는</u> 것은 ×표를 ( ) 안에 쓰시오.
(단, 점 O는 두 대각선의 교점이다.)

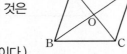

(1) $\overline{AO}=\overline{CO}=3$, $\overline{BO}=\overline{DO}=5$　　( )

(2) $\angle A+\angle C=180°$, $\angle B+\angle D=180°$ ( )

(3) $\overline{AB}=\overline{BC}=4$, $\overline{AD}=\overline{DC}=5$　　( )

(4) $\angle ABD=\angle BDC=40°$, $\overline{AB}=\overline{DC}=6$
　　　　　　　　　　　　　　　　( )

8 아래 그림과 같은 평행사변형 ABCD에 대하여 다음 중 옳은 것은 ○표, 옳지 <u>않은</u> 것은 ×표를 ( ) 안에 쓰시오.

(1)
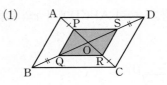

① $\overline{QO}=\overline{RO}$　　　　　　　　　( )

② $\overline{PS}=\overline{QR}$　　　　　　　　　( )

③ $\overline{PQ}/\!/\overline{SR}$　　　　　　　　　( )

④ $\angle QPS+\angle PQR=180°$　　( )

(2)
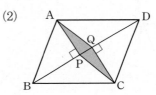

① $\triangle ABP\equiv\triangle CDQ$　　　　　( )

② $\overline{AP}=\overline{PC}$　　　　　　　　　( )

③ $\overline{AP}/\!/\overline{QC}$　　　　　　　　　( )

④ $\angle BAP=\angle DAP$　　　　　( )

❹ 평행사변형과 넓이

9 다음 그림과 같은 평행사변형 ABCD의 넓이가 $64\,\text{cm}^2$ 일 때, 색칠한 부분의 넓이를 구하시오.
(단, 점 O는 두 대각선의 교점이다.)

(1)
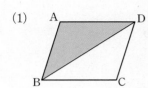
_____

(2)
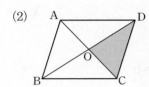
_____

(3)
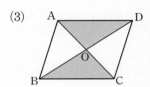
_____

10 다음 그림과 같은 평행사변형 ABCD의 넓이가 $78\,\text{cm}^2$ 이고, 점 P는 □ABCD의 내부의 점이다. 이때 색칠한 부분의 넓이를 구하시오.

(1)
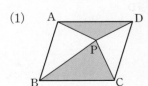
_____

(2)
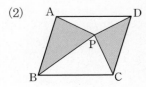
_____

❺ 직사각형의 성질

11 다음 그림과 같은 직사각형 ABCD에서 x, y의 값을 각각 구하시오. (단, 점 O는 두 대각선의 교점이다.)

(1)
A ⸺ x ⸺ D
7 · · · y
B ⸺ 9 ⸺ C
_____

(2)
A ⸺ 8 ⸺ D
10 · · O · x
B ⸺ y ⸺ C
_____

(3)
A · · · · $55°$ D
O
x
B · 7 · $y°$ C
_____

(4)
A · · · · D
$y°$
O
$40°$ · $x°$
B · · · · C
_____

(5)
A · · $x°$ D
$y°$ · $130°$
O
B · · · · C
_____

12 오른쪽 그림과 같은 평행사변형 ABCD가 직사각형이 되도록 하는 알맞은 조건을 □ 안에 쓰시오. (단, 점 O는 두 대각선의 교점이다.)

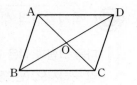

(1) ∠A=□°

(2) $\overline{BD}$=8일 때, $\overline{AC}$=□

(3) $\overline{AO}$=3일 때, $\overline{BO}$=□

13 오른쪽 그림과 같은 평행사변형 ABCD에서 네 각의 이등분선의 교점을 각각 E, F, G, H라 할 때, □EFGH에 대하여 다음 중 옳은 것은 ○표, 옳지 않은 것은 ×표를 ( ) 안에 쓰시오.

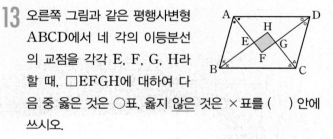

(1) ∠E=∠F   (   )

(2) $\overline{EH}$=$\overline{EF}$ (   )

(3) $\overline{EG}$=$\overline{HF}$ (   )

(4) ∠F+∠G=180°   (   )

6 마름모의 성질

14 다음 그림과 같은 마름모 ABCD에서 x, y의 값을 각각 구하시오. (단, 점 O는 두 대각선의 교점이다.)

(1)

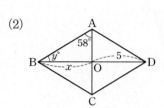

_____

(2)

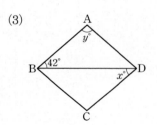

_____

(3)

_____

(4)

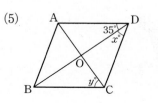

_____

(5)

_____

15 오른쪽 그림과 같은 평행사변형 ABCD가 마름모가 되도록 하는 알맞은 조건을 □ 안에 쓰시오. (단, 점 O는 두 대각선의 교점이다.)

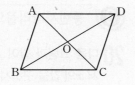

(1) ∠BOC=□°

(2) $\overline{AD}$=7일 때, $\overline{DC}$=□

(3) $\overline{AB}$=5일 때, $\overline{BC}$=□

16 오른쪽 그림과 같은 평행사변형 ABCD에서 ∠A, ∠B의 이등분선이 $\overline{BC}$, $\overline{AD}$와 만나는 점을 각각 E, F라 할 때, □ABEF에 대하여 다음 중 옳은 것은 ○표, 옳지 않은 것은 ×표를 ( ) 안에 쓰시오.

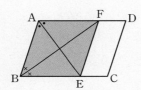

(1) ∠A=90°　　　　(　)

(2) $\overline{AB}$=$\overline{AF}$　　　　(　)

(3) $\overline{AE}$=$\overline{BF}$　　　　(　)

(4) $\overline{AE}$⊥$\overline{BF}$　　　　(　)

⑦ 정사각형의 성질

17 다음 그림과 같은 정사각형 ABCD에서 x, y의 값을 각각 구하시오. (단, 점 O는 두 대각선의 교점이다.)

(1)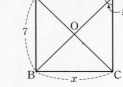

_____

(2)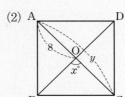

_____

(3)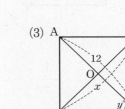

_____

(4)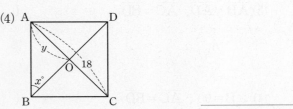

_____

18 다음 그림과 같이 정사각형 ABCD의 대각선 AC 위에 한 점 P가 있다. 이때 ∠x의 크기를 구하시오.

(1)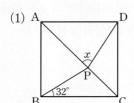

_____

(2)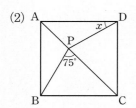

_____

19 다음 중 평행사변형 ABCD가 정사각형이 되는 것은 ○표, 되지 않는 것은 ×표를 ( ) 안에 쓰시오. (단, 점 O는 두 대각선의 교점이다.)

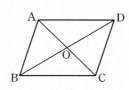

(1) ∠AOB=90°, $\overline{AB}=\overline{BC}$ (   )

(2) ∠C=90°, $\overline{AC}\perp\overline{BD}$ (   )

(3) $\overline{AB}=\overline{AD}$, $\overline{AC}=\overline{BD}$ (   )

(4) ∠B=90°, $\overline{AC}=\overline{BD}$ (   )

⑧ 등변사다리꼴의 성질

20 다음 그림과 같이 $\overline{AD}\,/\!/\,\overline{BC}$인 등변사다리꼴 ABCD에서 x의 값을 구하시오. (단, 점 O는 두 대각선의 교점이다.)

(1)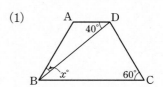

_____

(2)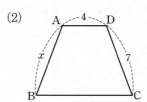

_____

(3)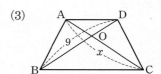

_____

(4)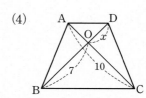

_____

(5)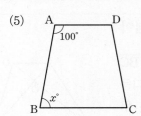

(6)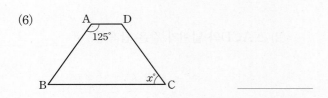

21 다음 그림과 같이 $\overline{AD} \parallel \overline{BC}$인 등변사다리꼴 ABCD에서 x의 값을 구하시오.

(1)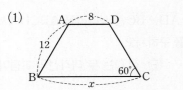

(2)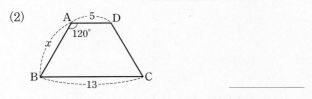

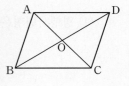

9 여러 가지 사각형 사이의 관계

22 오른쪽 그림과 같은 평행사변형 ABCD가 다음 조건을 만족시키면 어떤 사각형이 되는지 말하시오. (단, 점 O는 두 대각선의 교점이다.)

(1) $\angle AOD = 90°$ _____

(2) $\overline{CD} = \overline{DA}$, $\overline{AC} = \overline{BD}$ _____

(3) $\angle A + \angle C = 180°$ _____

(4) $\overline{AO} = \overline{BO}$, $\overline{AC} \perp \overline{BD}$ _____

23 다음 설명 중 옳은 것은 ○표, 옳지 <u>않은</u> 것은 ×표를 ( ) 안에 쓰시오.

(1) 한 쌍의 대변이 평행한 사각형은 평행사변형이다.

( )

(2) 평행사변형에서 두 대각선이 서로 수직으로 만나면 직사각형이 된다.

( )

(3) 한 내각이 직각인 평행사변형은 직사각형이 된다.

( )

(4) 이웃하는 두 변의 길이가 같은 평행사변형은 마름모가 된다.

( )

(5) 한 내각이 직각인 마름모는 정사각형이 된다.

( )

24 다음 설명 중 옳은 것은 ○표, 옳지 않은 것은 ×표를 (　) 안에 쓰시오.

(1) 평행사변형은 사다리꼴이다. (　　)

(2) 마름모는 정사각형이다. (　　)

(3) 정사각형은 평행사변형이다. (　　)

(4) 직사각형은 마름모이다. (　　)

(5) 평행사변형은 등변사다리꼴이다. (　　)

25 다음을 만족시키는 사각형을 보기에서 모두 찾으시오.

보기

ㄱ. 평행사변형	ㄴ. 등변사다리꼴
ㄷ. 직사각형	ㄹ. 마름모
ㅁ. 정사각형	ㅂ. 사다리꼴

(1) 두 대각선의 길이가 서로 같은 사각형

(2) 두 대각선이 서로 다른 것을 수직이등분하는 사각형

(3) 두 대각선의 길이가 같고, 서로 다른 것을 이등분하는 사각형

⑩ 평행선과 삼각형의 넓이

26 오른쪽 그림과 같이 $\overline{AD} /\!/ \overline{BC}$인 사다리꼴 ABCD에서 다음을 구하시오. (단, 점 O는 두 대각선의 교점이다.)

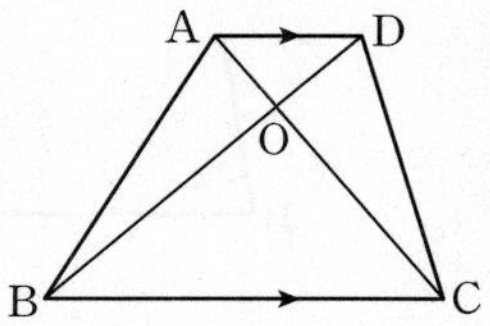

(1) △DBC와 넓이가 같은 삼각형

(2) △ACD와 넓이가 같은 삼각형

(3) △DOC와 넓이가 같은 삼각형

27 다음 그림과 같이 $\overline{AD} /\!/ \overline{BC}$인 사다리꼴 ABCD에서 색칠한 부분의 넓이를 구하시오.

(단, 점 O는 두 대각선의 교점이다.)

(1) △DBC $=160\,\text{cm}^2$, △OBC $=110\,\text{cm}^2$일 때

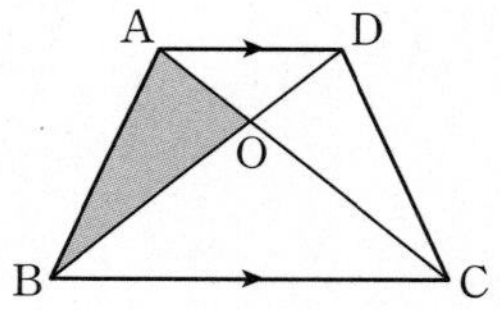

(2) △ABD $=105\,\text{cm}^2$, △DOC $=60\,\text{cm}^2$일 때

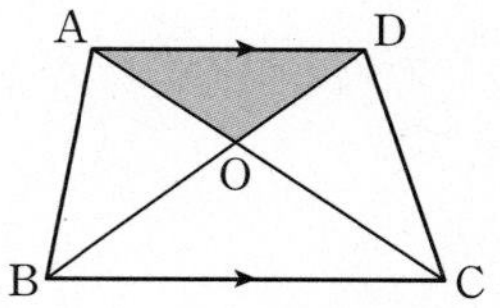

(3) △AOD=27 cm², △ABC=120 cm²,
△OBC=75 cm²일 때

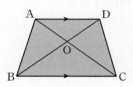

(4) △DBC=75 cm², △OBC=45 cm²,
△AOD=20 cm²일 때

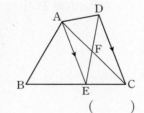

28 오른쪽 그림에서 $\overline{AE} /\!/ \overline{DC}$일 때, 다음 중 옳은 것은 ○표, 옳지 <u>않은</u> 것은 ×표를 ( )안에 쓰시오.

(1) △AED=△AEC ( )

(2) △ACD=△AED ( )

(3) △ACD=△ECD ( )

(4) △ADF=△ECF ( )

(5) □AECD=△ABC ( )

(6) □ABED=△ABC ( )

29 다음 그림에서 색칠한 부분의 넓이를 구하시오.

(1) △ABC=42 cm², △ACD=28 cm²일 때

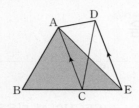

(2) △ABE=75 cm², △ABC=45 cm²일 때

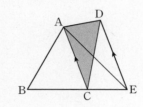

(3) □ABCD=90 cm², △ACE=36 cm²일 때

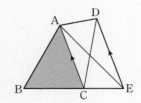

(4) □ACED=54 cm², △DCE=34 cm²일 때

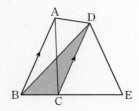

III·1 도형의 닮음

1 닮은 도형

1 아래 그림에서 □ABCD∽□EFGH일 때, 다음을 구하시오.

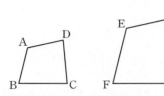

(1) 점 A의 대응점 _____

(2) 점 H의 대응점 _____

(3) $\overline{AB}$의 대응변 _____

(4) $\overline{FG}$의 대응변 _____

(5) ∠C의 대응각 _____

(6) ∠F의 대응각 _____

2 다음 중 항상 서로 닮음인 것은 ○표, <u>아닌</u> 것은 ×표를 ( ) 안에 쓰시오.

(1) 두 정삼각형 ( )

(2) 두 직사각형 ( )

(3) 두 원뿔 ( )

(4) 두 정육면체 ( )

(5) 두 구 ( )

2 평면도형에서 닮음의 성질

3 아래 그림에서 □ABCD∽□EFGH일 때, 다음을 구하시오.

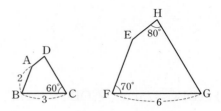

(1) □ABCD와 □EFGH의 닮음비 _____

(2) $\overline{EF}$의 길이 _____

(3) ∠D의 크기 _____

(4) ∠A의 크기 _____

4 아래 그림에서 △ABC∽△DEF이고 닮음비가 2 : 1일 때, 다음을 구하시오.

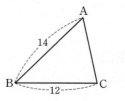

(1) $\overline{AC}$의 길이 _____

(2) △DEF의 둘레의 길이 _____

③ 입체도형에서 닮음의 성질

5 아래 그림에서 두 삼각기둥은 서로 닮은 도형이고 $\overline{AB}$에 대응하는 모서리가 $\overline{GH}$일 때, 다음을 구하시오.

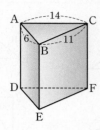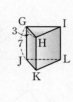

(1) 두 삼각기둥의 닮음비　　　　_____

(2) $\overline{HI}$의 길이　　　　_____

6 아래 그림에서 두 직육면체는 서로 닮은 도형이고 □ABCD에 대응하는 면이 □IJKL일 때, 다음을 구하시오.

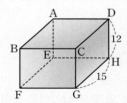

(1) 두 직육면체의 닮음비　　　　_____

(2) $\overline{LP}$의 길이　　　　_____

7 아래 그림에서 두 원뿔이 서로 닮은 도형일 때, 다음을 구하시오.

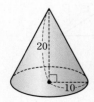

(1) 두 원뿔의 닮음비　　　　_____

(2) x의 값　　　　_____

④ 서로 닮은 두 평면도형에서의 비

8 아래 그림에서 $\triangle ABC \backsim \triangle DEF$일 때, 다음을 구하시오.

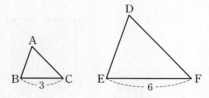

(1) $\triangle ABC$와 $\triangle DEF$의 닮음비　　_____

(2) $\triangle ABC$와 $\triangle DEF$의 둘레의 길이의 비

(3) $\triangle ABC$와 $\triangle DEF$의 넓이의 비　_____

(4) $\triangle ABC$의 둘레의 길이가 8일 때, $\triangle DEF$의 둘레의 길이

(5) $\triangle DEF$의 넓이가 16일 때, $\triangle ABC$의 넓이

9 다음을 구하시오.

(1) 두 원 O와 O′의 반지름의 길이의 비가 $3:5$이고 원 O의 넓이가 $9\pi\,\text{cm}^2$일 때, 원 O′의 넓이

(2) 서로 닮은 두 사각형 ABCD와 A′B′C′D′의 닮음비가 $3:4$이고 □A′B′C′D′의 넓이가 $12\,\text{cm}^2$일 때, □ABCD의 넓이

10 아래 그림에서 두 삼각기둥 P와 Q가 서로 닮은 도형이고 △ABC∽△GHI일 때, 다음을 구하시오.

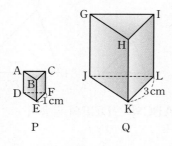

(1) 두 삼각기둥 P와 Q의 닮음비

_____

(2) 두 삼각기둥 P와 Q의 밑면의 둘레의 길이의 비

_____

(3) 두 삼각기둥 P와 Q의 겉넓이의 비

_____

(4) 두 삼각기둥 P와 Q의 부피의 비

_____

(5) 삼각기둥 P의 겉넓이가 $5\,\mathrm{cm}^2$일 때, 삼각기둥 Q의 겉넓이

_____

(6) 삼각기둥 Q의 부피가 $81\,\mathrm{cm}^3$일 때, 삼각기둥 P의 부피

_____

11 다음을 구하시오.

(1) 두 정육면체의 닮음비가 2:3이고 작은 정육면체의 겉넓이가 $6\,\mathrm{cm}^2$일 때, 큰 정육면체의 겉넓이

_____

(2) 두 구의 닮음비가 1:2이고 큰 구의 부피가 $16\pi\,\mathrm{cm}^3$일 때, 작은 구의 부피

_____

12 다음 보기에서 서로 닮음인 삼각형을 모두 찾아 기호 ∽를 써서 나타내고, 그때의 닮음 조건을 말하시오.

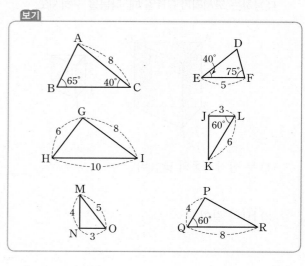

_____

_____

_____

13 다음 그림에서 △ABC와 닮은 삼각형을 찾아 기호 ∽를 써서 나타내고, 그때의 닮음 조건을 말하시오.

(1)

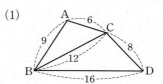

_____

(2)

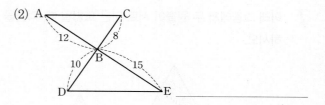

_____

(3)

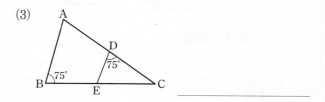

_____

7 공통인 각을 이용하여 닮은 삼각형 찾기 (1)
- SAS 닮음

14 다음 그림에서 x의 값을 구하시오.

(1)
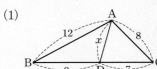

_____

(2)
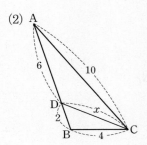

_____

(3)
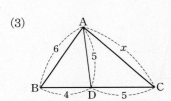

_____

(4)
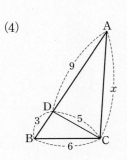

_____

(5)

_____

15 다음 그림에서 x의 값을 구하시오.

(1)
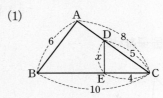

_____

(2)
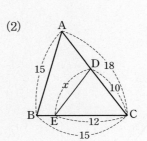

_____

(3)

_____

(4)
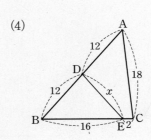

_____

(5)
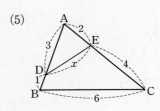

_____

8 공통인 각을 이용하여 닮은 삼각형 찾기(2)
- AA 닮음

16 다음 그림에서 x의 값을 구하시오.

(1)
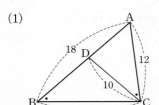

_____

(2)
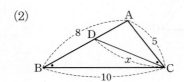

_____

(3)
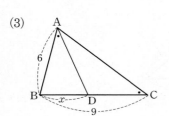

_____

(4)
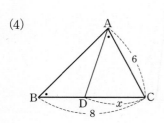

_____

(5)
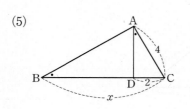

_____

17 다음 그림에서 x의 값을 구하시오.

(1)
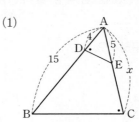

_____

(2)
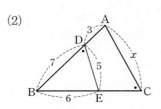

_____

(3)
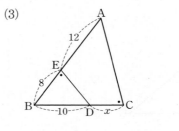

_____

(4)
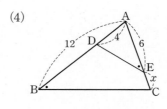

_____

(5)
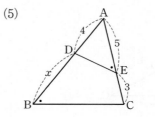

_____

18 다음 그림의 △ABC에서 색칠한 부분의 넓이를 구하시오.

(1) △ABC=54 cm²일 때

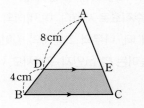

_____

(2) △ABC=100 cm²일 때

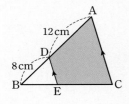

_____

19 다음 그림과 같이 $\overline{AD}/\!/\overline{BC}$인 사다리꼴 ABCD에서 색칠한 부분의 넓이를 구하시오.

(단, 점 O는 두 대각선의 교점이다.)

(1) △AOD=2 cm²일 때

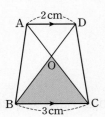

_____

(2) △COB=9 cm²일 때

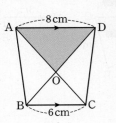

_____

20 다음 그림에서 x의 값을 구하시오.

(1)

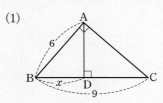

_____

(2)

_____

(3)

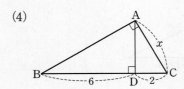

_____

(4)

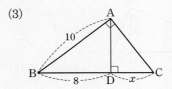

_____

(5)

_____

(6)

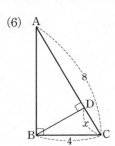

_____

(7)

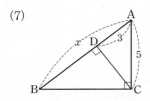

_____

(8)

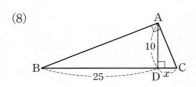

_____

(9)

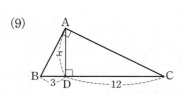

_____

(10)

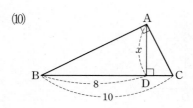

_____

21 나무의 높이를 구하기 위해 다음 그림과 같이 길이가 1m인 막대를 지면에 수직으로 세웠다. 이 막대의 그림자의 길이가 1.2m가 될 때, 나무의 그림자의 길이는 6m이었다. 이때 나무의 높이는 몇 m인지 구하시오.

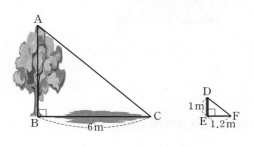

_____

22 혜리가 다음 그림과 같이 거울을 놓고 빛의 입사각과 반사각의 크기가 같음을 이용하여 건물의 높이를 구하려고 한다. 혜리의 눈높이는 1.6m, 혜리와 거울 사이의 거리는 3.2m, 거울과 건물 사이의 거리는 16m일 때, 건물의 높이는 몇 m인지 구하시오.

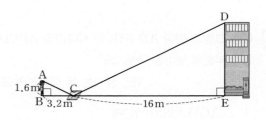

_____

23 호수의 양 끝 지점 A, C 사이의 거리를 재기 위해 다음 그림과 같이 실제 5m인 길이를 1cm가 되도록 축도를 그렸더니 호수의 폭이 축도에서는 3cm가 되었다. 이때 실제 호수의 폭은 몇 m인지 구하시오.

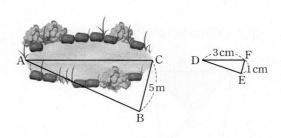

_____

⑪ 삼각형에서 평행선과 선분의 길이의 비(1)

24 다음 그림에서 $\overline{BC} /\!/ \overline{DE}$일 때, x의 값을 구하시오.

(1)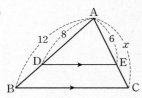

_____

(2)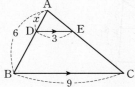

_____

(3)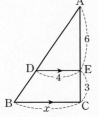

_____

(4)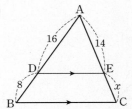

_____

(5)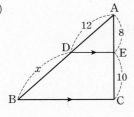

_____

(6)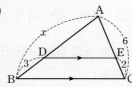

_____

(7)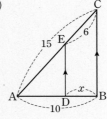

_____

(8)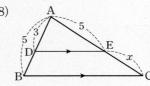

_____

(9)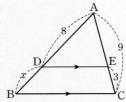

_____

(10)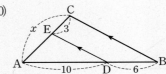

_____

25 다음 그림에서 $\overline{BC} \parallel \overline{DE}$일 때, x의 값을 구하시오.

(1)
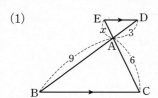

_____

(2)
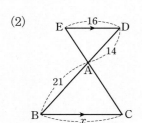

_____

(3)
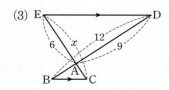

_____

(4)
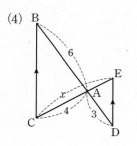

_____

(5)
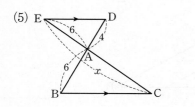

_____

26 다음 그림에서 $\overline{BC} \parallel \overline{DE}$인 것은 ○표, 아닌 것은 ×표를 ( ) 안에 쓰시오.

(1)
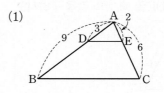
( )

(2)
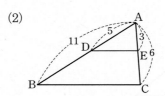
( )

(3)
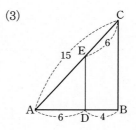
( )

(4)
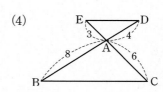
( )

(5)
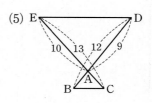
( )

27 다음 그림의 △ABC에서 $\overline{AB}$, $\overline{AC}$의 중점을 각각 M, N이라 할 때, x의 값을 구하시오.

(1)

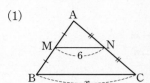

_____

(2)

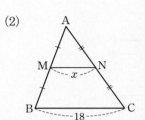

_____

(3)

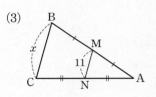

_____

28 다음 그림의 △ABC에서 $\overline{AM}=\overline{MB}$이고 $\overline{MN}\,/\!/\,\overline{BC}$일 때, x, y의 값을 각각 구하시오.

(1)

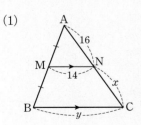

_____

(2)

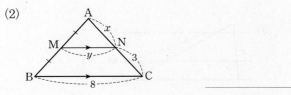

_____

(3)

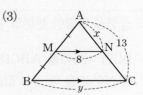

_____

(4)

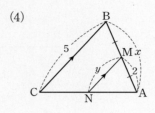

_____

29 아래 그림의 △ABC에서 $\overline{AB}$, $\overline{BC}$, $\overline{CA}$의 중점을 각각 P, Q, R라 할 때, 다음을 구하시오.

(1)

➡ (△PQR의 둘레의 길이)=_____

(2)

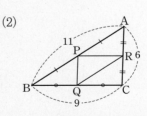

➡ (△PQR의 둘레의 길이)=_____

(3)

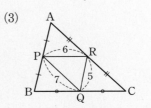

➡ (△ABC의 둘레의 길이)=_____

30 다음 그림과 같이 $\overline{AD} /\!/ \overline{BC}$인 사다리꼴 ABCD에서 $\overline{AB}$, $\overline{DC}$의 중점을 각각 M, N이라 할 때, x의 값을 구하시오.

(1)
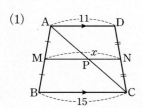

(2)
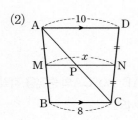

(3)
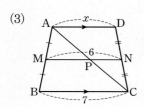

(4)
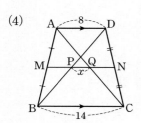

(5)
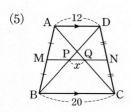

31 다음 그림에서 $l /\!/ m /\!/ n$일 때, x의 값을 구하시오.

(1)
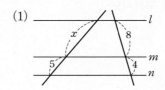

(2)
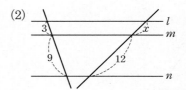

(3)
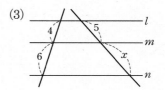

(4)
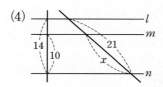

(5)
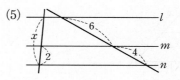

32 다음 그림에서 $l /\!/ m /\!/ n$일 때, x의 값을 구하시오.

(1)
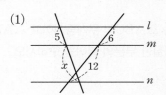

(2)
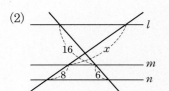

(3)
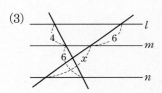

(4)
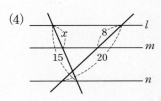

(5)
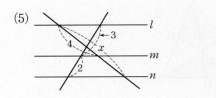

33 다음 그림에서 점 G가 △ABC의 무게중심일 때, x의 값을 구하시오.

(1)
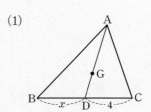

(2)
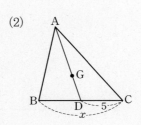

(3)
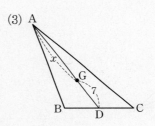

(4)
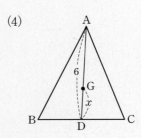

(5)
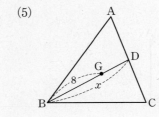

34 다음 그림에서 점 G가 △ABC의 무게중심일 때, x, y의 값을 각각 구하시오.

(1)
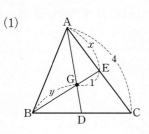

_____

(2)
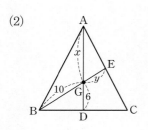

_____

(3)
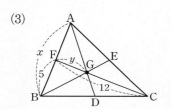

_____

(4)
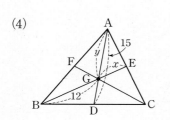

_____

(5)
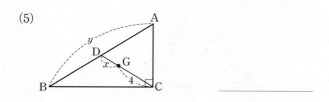

_____

35 다음 그림에서 점 G는 △ABC의 무게중심이고 △ABC 의 넓이가 30일 때, 색칠한 부분의 넓이를 구하시오.

(1)
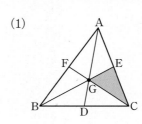

_____

(2)
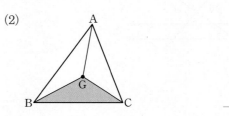

_____

(3)
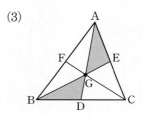

_____

(4)
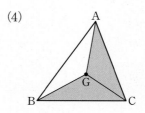

_____

(5)
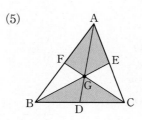

_____

⑲ 평행사변형에서 삼각형의 무게중심의 응용

36 다음 그림의 평행사변형 ABCD에서 x의 값을 구하시오. (단, 점 O는 두 대각선의 교점이다.)

(1)
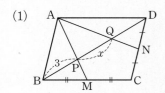

_____

(2)
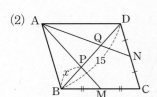

_____

(3)
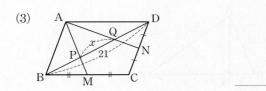

_____

(4)
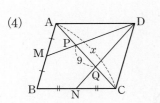

_____

(5)
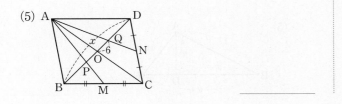

_____

37 다음 그림과 같이 평행사변형 ABCD에서 $\overline{BC}$, $\overline{CD}$의 중점을 각각 M, N이라 하자. □ABCD의 넓이가 36일 때, 색칠한 부분의 넓이를 구하시오. (단, 점 O는 두 대각선의 교점이다.)

(1)
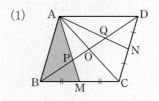

_____

(2)
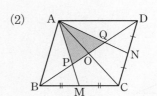

_____

(3)
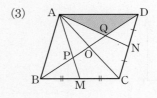

_____

(4)
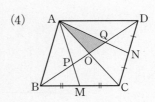

_____

(5)
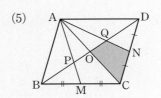

_____

⑳ 피타고라스 정리

38 다음 그림의 직각삼각형 ABC에서 x의 값을 구하시오.

(1)

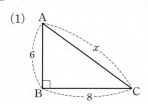

_____

(2)

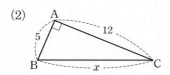

_____

(3)

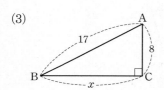

_____

(4)

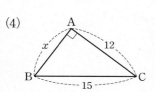

_____

(5)

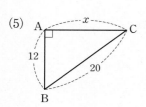

_____

39 다음 그림의 △ABC에서 $\overline{AD} \perp \overline{BC}$일 때, x, y의 값을 각각 구하시오.

(1)

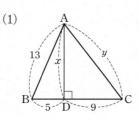

_____

(2)

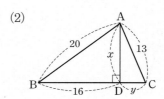

_____

(3)

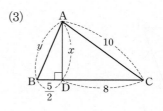

_____

(4)

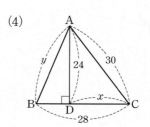

_____

(5)

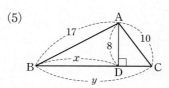

_____

40 다음 그림의 직각삼각형 ABC에서 x, y의 값을 각각 구하시오.

(1)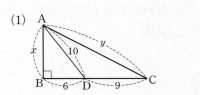

_____

(2)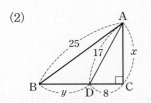

_____

(3)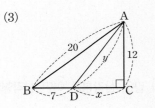

_____

(4)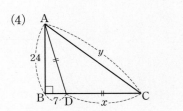

_____

41 다음 그림은 직각삼각형 ABC의 각 변을 한 변으로 하는 세 정사각형을 그린 것이다. 두 정사각형의 넓이가 주어졌을 때, 색칠한 정사각형의 넓이를 구하시오.

(1)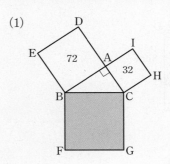

_____

(2)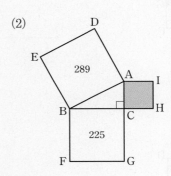

_____

(3)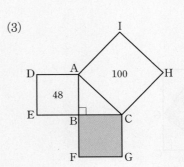

_____

42 다음 그림의 정사각형 ABCD에서 4개의 직각삼각형이 모두 합동이고 □EFGH의 넓이가 주어졌을 때, x의 값을 구하시오.

(1)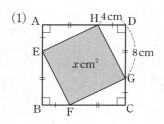

(2)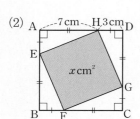

(3)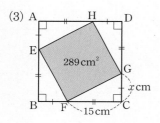

(4)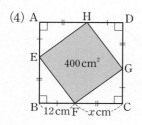

43 세 변의 길이가 다음 보기와 같은 삼각형 중에서 직각삼각형인 것을 모두 고르시오.

보기

ㄱ. 6, $\dfrac{13}{2}$, $\dfrac{5}{2}$ ㄴ. 4, 6, 7

ㄷ. 12, 15, 20   ㄹ. 15, 20, 25

_____

44 세 변의 길이가 각각 8, 15, x인 삼각형이 직각삼각형이 되도록 하는 x의 값을 구하시오. (단, $x > 15$)

_____

45 세 변의 길이가 다음과 같은 삼각형은 어떤 삼각형인지 말하시오.

(1) 4, 7, 8 _____

(2) 5, 7, 10 _____

(3) 8, 13, 15 _____

(4) 7, 24, 25 _____

IV 확률

정답과 해설 36쪽

IV·1 경우의 수

① 사건과 경우의 수

1 주머니 안에 1부터 15까지의 자연수가 각각 하나씩 적힌 15개의 공이 들어 있다. 이 중에서 한 개의 공을 꺼낼 때, 다음을 구하시오.

(1) 9 이상 12 이하의 수가 적힌 공이 나오는 경우의 수

_____

(2) 15의 약수가 적힌 공이 나오는 경우의 수

_____

(3) 소수가 적힌 공이 나오는 경우의 수

_____

2 서로 다른 두 개의 주사위를 동시에 던질 때, 다음을 구하시오.

(1) 모두 짝수의 눈이 나오는 경우의 수

_____

(2) 두 눈의 수의 합이 6인 경우의 수

_____

(3) 두 눈의 수의 차가 4인 경우의 수

② 사건 A 또는 사건 B가 일어나는 경우의 수

3 윤정이네 집에서 영화관까지 가는 버스 노선은 4가지, 지하철 노선은 3가지가 있다. 윤정이네 집에서 영화관까지 갈 때, 다음을 구하시오.

(1) 버스를 타고 가는 경우의 수

_____

(2) 지하철을 타고 가는 경우의 수

_____

(3) 버스 또는 지하철을 타고 가는 경우의 수

_____

4 다음을 구하시오.

(1) 머핀 2종류, 도넛 5종류가 있을 때, 머핀 또는 도넛 중에서 한 가지를 고르는 경우의 수

_____

(2) 서점에 수학 참고서가 6종류, 국어 참고서가 3종류 있을 때, 수학 참고서 또는 국어 참고서 중에서 한 가지를 고르는 경우의 수

_____

(3) 탄산음료 7종류, 커피 4종류가 있을 때, 탄산음료 또는 커피 중에서 한 가지를 고르는 경우의 수

5 1부터 10까지의 자연수가 각각 하나씩 적힌 10장의 카드 중에서 한 장을 뽑을 때, 3의 배수 또는 5의 배수가 적힌 카드가 나오는 경우의 수를 구하시오.

_____

6 서로 다른 두 개의 주사위를 동시에 던질 때, 다음을 구하시오.

(1) 두 눈의 수의 합이 7인 경우의 수

_____

(2) 두 눈의 수의 합이 10인 경우의 수

_____

(3) 두 눈의 수의 합이 7 또는 10인 경우의 수

_____

7 서로 다른 두 개의 상자 A, B에 1부터 5까지의 자연수가 각각 하나씩 적힌 5개의 공이 들어 있다. 각 상자에서 한 개의 공을 꺼낼 때, 다음을 구하시오.

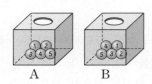

(1) 꺼낸 공에 적힌 두 수의 차가 2 또는 3인 경우의 수

_____

(2) 꺼낸 공에 적힌 두 수의 합이 8 또는 9인 경우의 수

❸ 사건 A와 사건 B가 동시에 일어나는 경우의 수

8 다음을 구하시오.

(1) 서로 다른 동전 두 개를 던질 때, 나오는 모든 경우의 수

_____

(2) 서로 다른 주사위 두 개를 던질 때, 나오는 모든 경우의 수

_____

(3) 동전 한 개와 주사위 한 개를 동시에 던질 때, 나오는 모든 경우의 수

_____

9 다음을 구하시오.

(1) 6종류의 티셔츠와 5종류의 바지가 있을 때, 티셔츠와 바지를 한 개씩 짝 지어 입는 경우의 수

_____

(2) 4개의 자음 ㄱ, ㄴ, ㄷ, ㄹ과 3개의 모음 ㅗ, ㅜ, ㅠ가 있을 때, 자음과 모음을 한 개씩 짝 지어 만들 수 있는 글자의 수

_____

(3) 5종류의 햄버거와 4종류의 음료수가 있을 때, 햄버거와 음료수를 각각 한 개씩 고르는 경우의 수

_____

10 집에서 도서관으로 가는 길이 3가지, 도서관에서 학교로 가는 길이 4가지가 있을 때, 집에서 도서관을 거쳐 학교로 가는 경우의 수를 구하시오.

_____

11 A, B, C 세 사람이 가위바위보를 한 번 할 때, 일어나는 모든 경우의 수를 구하시오.

_____

12 한 개의 주사위를 두 번 던질 때, 다음을 구하시오.

(1) 처음에는 3의 배수, 나중에는 2의 배수의 눈이 나오는 경우의 수

_____

(2) 두 눈의 수가 모두 소수인 경우의 수

_____

(3) 두 눈의 수의 곱이 홀수인 경우의 수

_____

13 동전 1개와 주사위 1개를 동시에 던질 때, 동전은 앞면이 나오고 주사위는 6의 약수의 눈이 나오는 경우의 수를 구하시오.

_____

④ 한 줄로 세우는 경우의 수

14 다음을 구하시오.

(1) 3명이 한 줄로 서서 사진을 찍는 경우의 수

_____

(2) 오디션에 참가한 4명이 노래를 부르는 순서를 정하는 경우의 수

_____

(3) 5명이 한 줄로 앉아서 영화를 보는 경우의 수

_____

(4) 서로 다른 6권의 책을 책꽂이에 일렬로 꽂는 경우의 수

_____

15 다음을 구하시오.

(1) A, B, C, D 4명 중에서 2명을 뽑아 한 줄로 세우는 경우의 수

_____

(2) 서로 다른 5개의 음료수 중에서 3개를 골라 일렬로 세우는 경우의 수

_____

(3) 빨강, 주황, 노랑, 초록, 파랑, 보라 6개의 깃발 중에서 3개를 골라 일렬로 세우는 경우의 수

16 1부터 4까지의 자연수가 각각 하나씩 적힌 4장의 카드가 있다. 다음을 구하시오.

| 1 | 2 |
| 3 | 4 |

(1) 4장의 카드 중에서 두 장을 동시에 뽑아 만들 수 있는 두 자리의 자연수의 개수

_____ 개

(2) 4장의 카드 중에서 세 장을 동시에 뽑아 만들 수 있는 세 자리의 자연수의 개수

_____ 개

(3) 4장의 카드 중에서 두 장을 동시에 뽑아 만들 수 있는 두 자리의 짝수의 개수

_____ 개

17 0, 1, 3, 5, 7의 숫자가 각각 하나씩 적힌 5장의 카드가 있다. 다음을 구하시오.

| 0 | 1 | 3 |
| 5 | 7 |

(1) 5장의 카드 중에서 두 장을 동시에 뽑아 만들 수 있는 두 자리의 자연수의 개수

_____ 개

(2) 5장의 카드 중에서 세 장을 동시에 뽑아 만들 수 있는 세 자리의 자연수의 개수

_____ 개

(3) 5장의 카드 중에서 두 장을 동시에 뽑아 만들 수 있는 50 이상인 두 자리의 자연수의 개수

_____ 개

18 5명의 후보 A, B, C, D, E 중에서 다음과 같이 대표를 뽑는 경우의 수를 구하시오.

(1) 회장 1명, 부회장 1명

_____

(2) 대표 2명

_____

19 노래 경연 대회에 참가한 6명의 학생 A, B, C, D, E, F 중에서 다음과 같이 입상자를 뽑는 경우의 수를 구하시오.

(1) 대상 1명, 최우수상 1명

_____

(2) 우수상 2명

_____

20 남자 5명과 여자 6명이 있는 댄스 동아리에서 다음과 같이 대표를 뽑는 경우의 수를 구하시오.

(1) 남자 대표 1명, 여자 대표 1명

_____

(2) 회장 1명, 부회장 1명

_____

(3) 총무 2명

_____

❼ 확률의 뜻

21 모양과 크기가 같은 흰 바둑돌 5개, 검은 바둑돌 6개가 들어 있는 주머니에서 한 개의 바둑돌을 임의로 꺼낼 때, 다음을 구하시오.

(1) 흰 바둑돌이 나올 확률 _____

(2) 검은 바둑돌이 나올 확률 _____

22 한 개의 동전을 두 번 던질 때, 다음을 구하시오.

(1) 모두 뒷면이 나올 확률 _____

(2) 모두 같은 면이 나올 확률 _____

23 서로 다른 두 개의 주사위를 동시에 던질 때, 다음을 구하시오.

(1) 두 눈의 수의 합이 9일 확률 _____

(2) 두 눈의 수가 모두 짝수일 확률 _____

24 0, 1, 2, 3, 4의 숫자가 각각 하나씩 적힌 5장의 카드 중에서 두 장을 임의로 뽑아 두 자리의 자연수를 만들 때, 다음을 구하시오.

(1) 만든 수가 30보다 작을 확률 _____

(2) 만든 수가 홀수일 확률 _____

❽ 확률의 성질

25 다음을 구하시오.

(1) 주사위 한 개를 던질 때, 1보다 작은 수의 눈이 나올 확률

_____

(2) 검은 바둑돌 10개가 들어 있는 주머니에서 바둑돌 한 개를 꺼낼 때, 흰 바둑돌이 나올 확률

_____

(3) 서로 다른 두 개의 주사위를 동시에 던질 때, 두 눈의 수의 곱이 36보다 클 확률

_____

26 다음을 구하시오.

(1) 1부터 9까지의 자연수가 각각 하나씩 적힌 9장의 카드 중에서 한 장을 임의로 뽑을 때, 10 미만의 자연수가 적힌 카드가 나올 확률

_____

(2) 서로 다른 두 개의 주사위를 동시에 던질 때, 두 눈의 수의 합이 12 이하일 확률

_____

(3) 빨간 구슬 3개와 노란 구슬 4개가 들어 있는 주머니에서 임의로 한 개의 구슬을 꺼낼 때, 빨간 구슬 또는 노란 구슬이 나올 확률

_____

❾ 어떤 사건이 일어나지 않을 확률

27 다음을 구하시오.

(1) 화살을 쏘아 과녁을 맞힐 확률이 $\dfrac{5}{9}$일 때, 과녁을 맞히지 못할 확률

_____

(2) 내일 비가 올 확률이 70 %라고 할 때, 내일 비가 오지 않을 확률

_____

(3) 1부터 20까지의 자연수가 각각 하나씩 적힌 20개의 공 중에서 임의로 한 개를 뽑을 때, 4의 배수가 적힌 공이 나오지 않을 확률

_____

(4) 서로 다른 두 개의 주사위를 동시에 던질 때, 나오는 두 눈의 수의 차가 1 이상일 확률

_____

(5) 1부터 6까지의 자연수가 각각 하나씩 적힌 6장의 카드 중에서 두 장을 뽑아 두 자리의 자연수를 만들 때, 그 수가 60 미만일 확률

_____

28 다음을 구하시오.

(1) 100원짜리 동전 한 개와 10원짜리 동전 한 개를 동시에 던질 때, 적어도 하나는 뒷면이 나올 확률

_____

(2) 서로 다른 두 개의 주사위를 동시에 던질 때, 적어도 하나는 짝수의 눈이 나올 확률

_____

(3) 모양과 크기가 같은 파란 공 4개와 노란 공 2개가 들어 있는 주머니에서 2개의 공을 동시에 꺼낼 때, 적어도 한 개는 노란 공이 나올 확률

_____

(4) 남학생 5명과 여학생 8명 중에서 2명의 대표를 뽑을 때, 적어도 한 명은 남학생을 뽑을 확률

_____

(5) 답란에 ○, ×를 표시하는 4개의 문제의 답을 임의로 고를 때, 적어도 한 문제는 맞힐 확률

_____

⑩ 사건 A 또는 사건 B가 일어날 확률

29 주머니 속에 빨간 구슬 3개, 파란 구슬 5개, 노란 구슬 6개가 들어 있다. 이 주머니에서 한 개의 구슬을 임의로 꺼낼 때, 빨간 구슬 또는 파란 구슬이 나올 확률을 구하시오.

————

30 가방 속에 국어 공책 2권, 수학 공책 3권, 영어 공책 1권이 들어 있다. 이 중에서 1권의 공책을 임의로 꺼낼 때, 수학 공책 또는 영어 공책이 나올 확률을 구하시오.

————

31 1부터 25까지의 자연수가 각각 하나씩 적힌 25장의 카드 중에서 임의로 한 장을 뽑을 때, 다음을 구하시오.

(1) 5 미만 또는 21 이상의 수가 적힌 카드가 나올 확률

————

(2) 7의 배수 또는 9의 배수가 적힌 카드가 나올 확률

————

32 각 면에 1부터 12까지의 자연수가 각각 하나씩 적힌 정십이면체 모양의 주사위를 한 번 던질 때, 다음을 구하시오.

(1) 5의 배수 또는 6의 약수의 눈이 나올 확률

————

(2) 6보다 작거나 10보다 큰 수의 눈이 나올 확률

————

33 1부터 5까지의 자연수가 각각 하나씩 적힌 5장의 카드 중에서 두 장을 임의로 뽑아 두 자리의 자연수를 만들 때, 다음을 구하시오.

(1) 만든 수가 13 이하이거나 41 이상일 확률

————

(2) 만든 수가 홀수이거나 4의 배수일 확률

————

34 오른쪽 그림과 같이 5등분한 원판의 바늘을 두 번 돌려서 첫 번째로 가리킨 수와 두 번째로 가리킨 수의 차가 1 또는 3일 확률을 구하시오. (단, 바늘이 경계선을 가리키는 경우는 생각하지 않는다.)

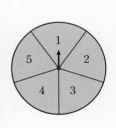

⑪ 사건 *A*와 사건 *B*가 동시에 일어날 확률

35 한 개의 주사위를 연속하여 두 번 던질 때, 다음을 구하시오.

(1) 처음에는 짝수의 눈이 나오고, 나중에는 소수의 눈이 나올 확률

_____

(2) 두 번 모두 3의 배수의 눈이 나올 확률

_____

36 서로 다른 동전 두 개와 주사위 한 개를 동시에 던질 때, 다음을 구하시오.

(1) 동전은 모두 뒷면이 나오고, 주사위는 6의 약수의 눈이 나올 확률

_____

(2) 동전은 모두 앞면이 나오고, 주사위는 4보다 큰 수의 눈이 나올 확률

_____

37 서현, 지현이가 어떤 문제를 맞힐 확률이 각각 $\frac{4}{7}$, $\frac{1}{3}$일 때, 다음을 구하시오.

(1) 두 사람 모두 문제를 맞힐 확률

_____

(2) 서현이만 문제를 맞힐 확률

_____

(3) 적어도 한 사람은 문제를 맞힐 확률

_____

38 자유투 성공률이 75 %인 어떤 농구 선수가 연속하여 자유투 2개를 던질 때, 다음을 구하시오.

(1) 두 번 모두 성공할 확률

_____

(2) 처음에만 성공할 확률

_____

(3) 적어도 한 번은 성공할 확률

_____

39 주머니 A에는 노란 공 3개, 빨간 공 5개가 들어 있고, 주머니 B에는 노란 공 1개, 빨간 공 3개가 들어 있다. 두 주머니에서 각각 공을 한 개씩 임의로 꺼낼 때, 다음을 구하시오.

(1) 주머니 A에서 노란 공이 나오고, 주머니 B에서 빨간 공이 나올 확률

_____

(2) 두 주머니에서 모두 노란 공이 나올 확률

_____

(3) 적어도 한 개는 노란 공이 나올 확률

_____